LOISIR ET SOCIÉTÉ / *SOCIETY AND LEISURE*

volume V, numéro 1, printemps 1982

Ce numéro a été réalisé par Michel Bellefleur et Roger Levasseur

SOMMAIRE / *CONTENTS*

Directeur / *Editor*

Max D'Amours, Université du Québec à Trois-Rivières.

Revue publiée par le Département des sciences du loisir, Université du Québec à Trois-Rivières.

Pour toute correspondance concernant le contenu de la revue, prière de s'adresser à:

For any correspondence about the content of the review, please contact:

Loisir et Société / Society and Leisure
Département des sciences du loisir
Université du Québec à Trois-Rivières
C.P. 500, Trois-Rivières
Québec, Canada   G9A 5H7

Pour toute correspondance concernant les abonnements, les droits d'auteurs et la publicité:

For any correspondence concerning subscriptions, copyright and advertising:

Les Presses de l'Université du Québec
C.P. 250, Sillery, Québec, Canada
G1T 2R1

Cette revue est publiée grâce à une subvention accordée par l'Université du Québec à Trois-Rivières.

Les articles sont indexés dans *Radar* et *Sociological Abstract* / Articles are indexed in *Radar* and *Sociological Abstract*.

Dépôt légal — 4ᵉ trimestre 1982
Bibliothèque nationale du Québec
Bibliothèque nationale du Canada

Imprimé au Canada

PRÉSENTATION

Le projet initial de ce numéro de *Loisir et Société* se proposait de procéder à l'analyse de l'émergence et du développement du phénomène de la professionnalisation de l'action culturelle ou du loisir, selon les terminologies utilisées, au sein de quatre sociétés francophones: France, Belgique, Suisse, Québec. Compte tenu des contributions reçues, nous avons dû restreindre nos ambitions de départ pour nous limiter à l'esquisse de la problématique socio-historique de la professionnalisation de ce nouveau champ, qualifié de socio-culturel ou de loisir, dans deux sociétés nationales: la France et le Québec. Nous avons retenu également deux contributions complémentaires à la problématique québécoise et française de la professionnalisation: d'abord la description de l'institutionnalisation de l'animation socio-culturelle en Suisse par la prise en charge, à titre d'illustration, des centres de loisirs à Genève par l'État et les animateurs professionnels (Marc-André Baud); l'analyse, en second lieu, de certains traits de la culture professionnelle de la récréation américaine par le biais de certains ouvrages portant sur la récréation communautaire et le «recreation leadership» (Michel Neveu).

Mais avant de présenter les problématiques québécoise et française de la professionnalisation de l'action culturelle, il importe de se demander ce qu'il y a de commun dans les termes socio-culturel, loisir ou éducation populaire, utilisés dans ce numéro. Les activités regroupées ici sous le vocable de socio-culturel, de loisir ou d'éducation populaire, tant au Québec qu'en France, impliquent les trois conditions suivantes: 1) l'autonomisation de ces activités par rapport aux autres activités ou pratiques existantes (v.g. bien-être, sécurité sociale, éducation nationale, etc.); 2) l'exigence de compétences spécifiques reconnues socialement pour y intervenir; 3) la prise en charge de ces activités par les pouvoirs publics. Ce champ autonomisé d'action culturelle, comportant aussi bien l'animation socio-culturelle, l'éducation populaire que le loisir, exige l'intervention d'un professionnel que l'on dénomme ici animateur, qui

Loisir et Société/*Society and Leisure*
volume 5, numéro 1, printemps 1982, pp. 5-9
© PUQ

entend, avec l'appui de l'État, procéder à la fois, mais selon des accents particuliers, à la promotion des collectivités et à celle des individus.

Le champ d'action culturelle constitue donc un nouveau «service public», les industries du loisir et de la culture lui servant de repoussoir. Mais ce service public détient une extension plus ou moins large, un territoire plus ou moins étendu, selon les contextes nationaux considérés ici. En France on hésite à y inclure le sport et les activités de plein air et de condition physique, tandis qu'au Québec on le fait d'emblée. Par contre, au Québec, on insiste moins sur la diffusion des oeuvres de la culture cultivée, dans la mission de l'animateur, qu'on ne le fait en France.

Sans chercher à délimiter une fois pour toutes le territoire de l'action culturelle en France et au Québec, les collaborateurs de ce numéro ont plutôt insisté sur sa professionnalisation, liée étroitement à l'intervention de l'État. Rappelons les lignes de force des problématiques québécoise et française de l'action culturelle.

Pour comprendre la professionnalisation de l'action culturelle au Québec, considérée ici sous l'angle du loisir, il importe d'abord d'en éclairer sa genèse. C'est ce à quoi s'attache Michel Bellefleur. Il cherche en premier lieu à faire état de la construction par le clergé, agent culturel dominant avant les années '60, d'un réseau d'institutions et d'associations de loisir, en réponse aux industries culturelles d'origine étrangère, susceptibles de menacer l'intégrité religieuse, culturelle et nationale des Canadiens français et leur survivance en Amérique du nord. Dirigées, au début, uniquement par un personnel religieux, assisté dans l'action par des bénévoles triés sur le volet, ces institutions et organisations cléricales de loisir vont peu à peu faire appel à un personnel technique spécialisé dans l'organisation et l'animation des activités de loisir. En dépit de son encadrement par le clergé, tant au plan de sa formation qu'à celui de son intervention, ce nouveau personnel «professionnel» va prendre ses distances par rapport au clergé. Il va insister moins sur la contribution du loisir au projet social chrétien que sur les aspects techniques de l'organisation des loisirs et de l'animation des groupes.

Avec l'avènement de la Révolution tranquille, ces professionnels spécialisés en émergence vont appuyer l'intervention de l'État pour transformer le réseau des institutions et organisations de loisir créé par le clergé en un ensemble de services publics et para-publics dont ils entendent assumer la direction. Participant à la dynamique des classes moyennes, c'est-à-dire «positionnés» entre les classes supérieures et les classes populaires, les animateurs professionnels seront ainsi amenés à développer des idéologies et des pratiques spécifiques. Ces dernières prendront une coloration particulière, selon qu'ils se définiront comme des alliés des classes supérieures ou des classes populaires, de manière à légitimer leur nouveau statut et pouvoir de classes moyennes.

Deux voies majeures d'affirmation se présenteront ainsi devant eux: la filière professionnelle d'un côté, et militante de l'autre. L'animation professionnelle, courant largement majoritaire, s'inscrit dans le processus de professionnalisation du loisir, lié à l'extension du rôle de l'État. Le loisir y est considéré comme un lieu de promotion individuelle et d'initiation technique aux pratiques dominantes. L'animation militante s'insère, pour sa part, dans le mouvement d'éducation populaire orienté vers la promotion collective et la conscientisation des milieux populaires pour la transformation de leurs conditions d'existence (Roger Levasseur).

Les deux autres articles québécois contribuent à illustrer cette double filière de l'animation en loisir au Québec. D'un côté Jean Harvey fait ressortir, par l'analyse d'un programme étatique d'incitation à la pratique de l'activité physique, dénommé Kino-Québec, l'institutionnalisation de nouvelles pratiques professionnelles. Il s'attache surtout à dévoiler le discours de ces animateurs professionnels de la condition physique et leur projet de prise en charge des pratiques populaires, de leur reconversion en pratiques professionnalisées, et ce au nom d'un savoir scientifique dont ils seraient les seuls détenteurs. Il montre comment ces professionnels tentent de réaliser dans un secteur du loisir une intervention «prescriptive» calquée sur le modèle corporatiste des professions libérales classiques. Richard Nicol, de son côté, procède à l'analyse d'une pratique d'animation militante en loisir auprès d'une organisation populaire, le mouvement québécois des camps familiaux. Il cherche à mettre à jour d'une part les relations, à la fois de collaboration et de méfiance, entre l'animateur militant et le mouvement des camps familiaux; d'autre part les rapports tendus, voire conflictuels, entre l'animateur et l'État. Enfin, il avance l'idée, en terminant, qu'une intervention en milieu populaire implique à la fois des dimensions professionnelles, entendues ici comme savoirs techniques, et des dimensions militantes, comprises comme volonté de lier les savoirs techniques à un projet social et politique, si confus soit-il, de transformer la société. En cela, il rejoint certaines considérations de Marie-Josèphe Parizet dans ce numéro. Voilà pour ce qui est de la problématique québécoise de l'action culturelle des animateurs.

L'émergence et la constitution du champ de l'action culturelle en France sont, pour Jacques Ion, directement liées à la professionnalisation des animateurs, dont l'État est le maître d'oeuvre. L'animation socio-culturelle n'est pas la professionnalisation de pratiques existantes, par exemple, en éducation populaire; elle concerne plutôt de nouvelles pratiques qui impliquent une intervention professionnelle. Et c'est l'État qui, par diverses actions (par l'institutionnalisation de programmes de formation spécialisés, par le financement de postes d'animateurs professionnels, par la création d'équipements socio-culturels), a favorisé la constitution de ces nouvelles pratiques d'action culturelle. De plus appartenant aux nouvelles couches moyennes, en lutte avec les couches moyennes traditionnelles pour la gestion locale des populations, les animateurs professionnels participent ainsi aux rapports de classes qui structurent et transforment la société française. Qualifiés d'«intellectuels intermédiaires», les animateurs se caractérisent par leur travail de médiation, leur capacité de «faire exister un quartier, un non-public, une catégorie sociale ou géographique» et de servir de relais entre les populations ainsi nommées et les pouvoirs en place.

Tout en reconnaissant avec Jacques Ion l'importance majeure de l'État dans l'institutionnalisation de l'action culturelle et du métier d'animateur, Marie-Josèphe Parizet tente, au-delà des paradoxes et des contradictions des politiques socio-culturelles, de montrer les procédures étatiques de surveillance des associations et de contrôle de l'animation. Mais à la différence de Jacques Ion qui insiste sur le «neuf» créé par l'intervention multiforme de l'État à partir des années '60, elle met plutôt l'accent sur les survivances d'une certaine continuité historique s'enracinant dans la tradition française de l'éducation populaire.

L'auteur y décèle une évolution qui va du «mouvement» vers l'«institution», des associations volontaires d'éducation populaire à l'animation socio-culturelle institutionnalisée, du militantisme au professionnalisme. Aussi l'animation socio-culturelle est-elle traversée de plusieurs courants idéologiques. Mais la professionnalisation de l'action culturelle n'est cependant pas à l'abri des remises en question incarnées présentement par les tendances anti-institutionnelles, qui valorisent le bénévolat et l'associationnisme. Des indices permettent à l'auteur de penser qu'une nouvelle mutation est à l'oeuvre qui opérerait un retour au militantisme tout en préservant certains acquis professionnels. L'animateur deviendrait «un professionnel doublé d'un militant».

Sans nier le processus d'institutionnalisation de l'animation socio-culturelle, Chantale Guérin s'interroge, pour sa part, sur la nature de cette nouvelle profession d'animateur. En dépit de la présence de certains traits «professionnalisants», à savoir formation spécialisée, recherche d'un statut et d'un rôle social, insertion des animateurs dans la logique de production des nouveaux besoins sociaux, l'animateur socio-culturel ne lui semble pas un professionnel comme les autres. Ce qui fait son originalité, c'est la résistance qu'il oppose au processus de professionnalisation, c'est la volonté d'être un professionnel sans les attributs professionnels.

Enfin, l'article de Geneviève Poujol porte sur les enjeux pour l'animation socio-culturelle de la nouvelle conjoncture politique française, suite à l'élection d'un gouvernement socialiste, ouvertement favorable à l'animation. L'auteur discute des impacts éventuels de trois politiques volontaristes récentes du nouveau gouvernement socialiste sur le champ de l'action culturelle: 1) une politique de création d'emplois et tout particulièrement de postes d'animateurs;

2) une politique de développement de la vie associative; 3) une politique de décentralisation.

Nonobstant les perspectives d'analyse diverses et la réalité nationale spécifique, il nous est tout de même possible en terminant d'indiquer certains points de convergence et de divergence touchant la professionnalisation de l'action culturelle au Québec et en France. Au plan de la convergence, tous les collaborateurs reconnaissent le rôle majeur de l'État dans l'émergence et l'affirmation de ces nouveaux professionnels. Il n'existe pas non plus de désaccord concernant la position intermédiaire de ces professionnels dans les rapports de classes qui structurent et transforment les sociétés québécoise et française. Ils participent aux nouvelles couches moyennes, spécialisées dans un rôle de médiation au service des pouvoirs en place.

Mais ce processus de professionnalisation ou de mise en place de ces cultures professionnelles, présente, compte tenu de la singularité des deux sociétés, des accents, des traits spécifiques, faisant l'objet d'interprétations distinctes. Une première différence touche les origines socio-historiques de la professionnalisation de l'action culturelle. Au Québec, l'animation a d'abord une origine confessionnelle et institutionnelle: elle est née au sein des institutions cléricales pour devenir, avec la Révolution tranquille, un «service public». En France, par contre, elle semble prendre ses racines (malgré des divergences d'interprétation) dans le mouvement laïc et d'éducation populaire, pour connaître par la suite une institutionnalisation. Le courant «professionnaliste» demeure largement dominant au Québec, tout en étant contesté par un courant militant encore relativement faible. En France, il semble que l'animation militante traditionnelle a perdu beaucoup de terrain au profit de l'animation professionnelle, de la technicisation des activités orientées vers l'expression individuelle.

Des différences d'accent se manifestent également touchant les deux pôles majeurs de l'animation, à savoir la promotion collective et la promotion individuelle. On insiste, en effet, davantage en France sur l'animation des collectivités et des groupes sociaux que sur l'expression de l'individu, tandis qu'au Québec c'est la situation inverse qui prévaut. Enfin, il nous apparaît, compte tenu de la problématique de la dépendance, que la perspective du professionnalisme et de la promotion individuelle emprunte au Québec surtout au courant de la «recreation leadership» américain, dont Michel Neveu présente les principales articulations dans ce numéro, tandis que la perspective du militantisme et de la promotion collective s'inspire principalement des mouvements d'éducation populaire latino-américains et français. Le courant de la récréation américaine n'est peut-être pas étranger non plus à la montée du professionnalisme en France.

Michel Bellefleur
Roger Levasseur

ANIMATION ET CULTURES PROFESSIONNELLES

Première partie: Québec

LES ORIGINES SOCIO-HISTORIQUES DU PROFESSIONNALISME EN LOISIR AU QUÉBEC*

Michel BELLEFLEUR

Introduction

Parler de professionnels ou de professions du loisir relève certes d'une problématique contemporaine du loisir, surtout si l'on envisage le concept de profession au sens tout de même assez restrictif des professions libérales classiques avec leurs attributs particuliers: savoir spécialisé, compétence certifiée par une école de formation de niveau universitaire, actes professionnels particuliers et exclusifs, reconnaissance sociale et règles déontologiques. Il n'est même pas assuré que ceux que l'on appelle professionnels du loisir dans le Québec d'aujourd'hui rencontrent pleinement ces attributs.[1]

Pour les fins de ce texte, nous utiliserons le terme «profession» dans un sens plus général en nous référant à la façon avec laquelle le Littré (1966) le définit, c'est-à-dire «état, emploi», condition de vie par laquelle un individu assure sa subsistance en retour des services qu'il dispense. Cette approche permet d'évacuer la distinction somme toute assez arbitraire entre métier et profession et de parler du professionnel comme d'un travailleur en loisir par analogie à un travailleur de la santé ou de la construction par exemple. Il s'agit en fait d'un salarié de type nouveau qui doit son emploi au fait que l'organisation sociale du loisir a pris une importance relative croissante au cours de notre siècle, qu'elle a engendré la mise sur pied d'institutions qui lui sont particulières et qu'elle s'est créé l'obligation de se doter de personnels permanents et compétents pour au moins la partie du loisir qui est concernée par la récréation sociale organisée.

* La recherche préalable à la production de cet article a bénéficié d'une subvention du Conseil de Recherches en Sciences Humaines du Canada.

Loisir et Société/*Society and Leisure*
volume 5, numéro 1, printemps 1982, pp. 13-60
© PUQ

Le loisir est ainsi devenu au Québec une portion (ou secteur) de l'action culturelle susceptible de promotion, d'animation, d'organisation, de planification, d'aménagement, etc. Cette constitution ou érection du loisir comme champ de l'action sociale et culturelle qu'une collectivité exerce sur elle-même est l'un des phénomènes qui a caractérisé cette période de rapide évolution au Québec qui a été stigmatisée de l'appellation «révolution tranquille» et qui a démarré en 1960. L'analyse de la professionnalisation conséquente à cette institutionnalisation contemporaine du loisir est l'objet de l'article de Roger Levasseur dans ce même numéro de la revue *Loisir et société*.

Le présent article se propose d'étudier l'enracinement socio-historique de cette situation contemporaine en se fondant sur une hypothèse à l'effet que les transformations rapides que le Québec a connues au cours de la «révolution tranquille» en matière de loisir et de professionnalisation de cette réalité ont été préparées, influencées et même fortement déterminées par un ensemble d'éléments antérieurs à cette période et que le loisir actuel porte à sa façon le poids de l'histoire. D'une façon plus précise, nous tenterons d'élucider deux questions, à savoir les sources institutionnelles de la professionnalisation en loisir au Québec avant 1960 et la situation des personnels (catégories, types de formation, contenu de formation, etc.) qui y oeuvraient. Ce faisant, nous ferons état des appels historiques à la constitution de cette professionnalisation et aux débats qui l'ont entourée.

I — Les sources institutionnelles de la professionnalisation (avant 1960)

Le contexte historique à l'intérieur duquel le loisir s'est institutionnalisé au Québec n'est qu'un élément de la situation globale qui était le lot des Canadiens français et notamment des Québécois francophones: Petit peuple issu de la colonisation française, conquis par l'Angleterre, graduellement minorisé dans le grand ensemble canadien, concentré dans la vallée du Saint-Laurent, replié sur lui-même et sur une vocation principalement agricole et forestière sous l'influence de son élite dominante, le clergé, à partir de 1840, plus porté à la colonisation et à l'occupation géographique des terres vierges qu'à l'industrialisation et à la vie urbaine, largement privé des avantages que donne au développement le contrôle du capital industriel et commercial, ces Québécois ont connu par auto-défense et volonté de survivance en tant que peuple ce que l'on pourrait appeler une longue période d'«hibernation» historique pendant laquelle les formes de la vie moderne prenaient des couleurs culturelles anglosaxonnes, ceci incluant bien sûr l'univers des loisirs, des sports, des divertissements populaires, ainsi que ce que l'on nomme aujourd'hui les «industries culturelles».

Jusqu'à la fin du XIXe siècle, le milieu francophone québécois a réussi à maintenir, nonobstant de nombreux conflits et tensions, une sorte d'autonomie culturelle fondée sur la force des traditions, sur les différences linguistiques et religieuses et sur l'isolement géographique, en dépit de la faiblesse et de la dépendance économiques.

«Nous avons assisté, dit Roger Levasseur, à une division du «travail sociétal»: l'économique aux entreprises étrangères anglo-canadiennes et américaines et le culturel au clergé.

Le clergé exerçait ainsi une fonction d'encadrement moral et de cohésion sociale, tout particulièrement par son contrôle de l'éducation. Mais à mesure que les entreprises étrangères ont étendu leur action économique au domaine culturel, le clergé a combattu cette initiative des capitalistes».[2]

En ce sens, l'institutionnalisation du loisir au Québec, depuis la fin du XIXe siècle jusqu'à l'aube de la révolution tranquille, période couverte par notre analyse, n'est qu'une version particulière et spécifique des rapports sociaux, culturels et idéologiques antagonistes qui agitaient la société québécoise dans son ensemble. Notre objectif est ici d'élucider la nature ou la réalité concrète de ces rapports, des acteurs qui leur sont sous-jacents et des institutions qui en ont résulté, le tout constituant la base historique de l'action sociale qui a permis la naissance du professionnalisme en loisir au Québec.

A) Les organisations commerciales

Pour les fins de ce texte, nous entendrons par «organisations» l'ensemble des commerces et industries mis sur pied dans le but précis de développer, produire et mettre sur le marché des biens et services dont l'usage donne lieu à des pratiques de loisir. Nous regroupons sous le titre «organisations commerciales» celles «instituées» à des fins lucratives selon le modèle et les principes du libéralisme économique, en nous fondant sur l'observation jugée évidente que nos appareils sociaux industriels et commerciaux n'ont pas opéré de façon différente en loisir que dans les autres secteurs de la vie économique. Par ailleurs, nous traiterons des institutions sans but lucratif dans les parties subséquentes de ce texte.

Il peut sembler arbitraire de coiffer d'un seul titre l'ensemble de ces organisations, étant donné leur très grande diversité; nous nous croyons cependant fondé de le faire pour certaines raisons bien précises:

1) Les modes de fonctionnement de ces organisations sont généralement et globalement conformes aux principes du capitalisme, à savoir entreprise privée, concurrence, profit, etc. Il est à noter que pendant la période étudiée, la formule coopérative a été à peu près inexistante en loisir au Québec, même si elle a connu des succès appréciables en d'autres domaines.

2) L'initiative du développement de ces institutions commerciales échappait presque entièrement au groupe francophone québécois et était l'apanage de la bourgeoisie anglo-canadienne et américaine. Tout au plus arrivait-il que des francophones assumaient la gérance de certaines organisations (ex. salle de cinéma) qui étaient des succursales d'entreprises non francophones.

3) La production des biens et services mis en marché dans ces institutions relevait d'une mentalité culturelle étrangère aux divers points de vue de la langue, de la religion, des moeurs ainsi que des us et coutumes du groupe québécois francophone, ce qui aux yeux de ses élites notamment cléricales représentait un grave danger d'assimilation et de perte d'identité de la spécificité francophone québécoise.

En fait, dès la fin du XIXᵉ siècle, par la conjugaison d'un certain nombre de facteurs tels le développement rapide des moyens de transport et des communications, l'immigration, l'industrialisation et l'urbanisation rapides, le milieu francophone québécois, malgré les souhaits et les voeux de ses élites, ne pouvait plus pratiquer l'isolationnisme tant économique que culturel et se voyait intégré sans avoir eu à le choisir aux grands réseaux d'échanges et de consommation promus par le capital anglo-canadien et américain. En loisir, ce phénomène se manifestait en ce sens que le Québec était inondé, à titre d'extension de marché, d'une production culturelle étrangère multiforme qui fascinait sa population au grand déplaisir du clergé, celui-ci sentant que «le loup était dans la bergerie».

C'est en réponse à ces changements sociaux et à cette invasion culturelle que le clergé québécois va devoir délaisser progressivement son attitude isolationniste et protectionniste sous peine de perdre son pouvoir moral et culturel ainsi que sa lutte déjà séculaire au début du siècle pour la sauvegarde de la nation canadienne-française. C'est ainsi que le loisir va devenir un front particulier de la bataille générale menée pour la survivance morale, religieuse, linguistique et ethnique des Québécois francophones. Le clergé entreprendra alors d'ériger ses propres institutions de loisir et de former les personnels qu'il jugera devoir y oeuvrer. C'est de cette lutte historique qu'émergeront certaines institutions contemporaines québécoises de loisir. Cette lutte rendra aussi nécessaire la naissance des premiers mécanismes sociaux de formation d'un personnel spécialisé en loisir, lesquels sont à la source du professionnalisme actuel.

Il y a donc eu une opération dialectique à l'intérieur de laquelle les institutions commerciales ont, selon le mot de R. Levasseur, servi de «repoussoir» aux oeuvres cléricales de loisir. Nous étudierons maintenant quelques-unes des principales institutions ou organisations commerciales de loisir en essayant de faire ressortir les enjeux et rapports sociaux qu'elles mettaient en cause.

a) **Le sport** — Le sport, dès le XIXe siècle est un exemple éloquent du colonialisme culturel anglo-saxon au Québec. Il n'existe en effet aucun sport de provenance culturelle canadienne-française ni par ses règles, ni par sa composition, ni son organisation. D. Guay, au terme d'une étude sur l'implantation des pratiques sportives au Québec, avance la conclusion que le sport y est apparu en tant que . . . «phénomène élitique du monde anglo-protestant».[3] Les premiers sports introduits furent les courses de chevaux, la chasse et la pêche dans leur version sportive, la boxe, le golf, les régates et la crosse, dès la première moitié du XIXe siècle, apparurent ensuite le hockey, le baseball, le football, le tennis, le ski, la lutte, etc. avant le début du XXe siècle.

La publication des pages sportives dans les journaux québécois en tant qu'organe d'information et de promotion date des années 1880. Plusieurs de ces sports deviendront rapidement organisés sous forme de spectacles commerciaux et professionnalisés et leurs promoteurs seront en très grande majorité des anglophones.

Le clergé québécois demeurera longtemps fort réticent, sinon opposé, au développement du sport au Québec pour des motifs tant culturels que moraux; énumérons-en quelques-uns:

— Le langage sportif étant anglais, il y voyait un danger d'acculturation et d'assimilation, selon le vieux slogan: qui perd sa langue perd sa foi!
— Le sport impliquant fréquemment le rassemblement en un même lieu de Québécois catholiques et d'anglo-protestants, il y avait aux yeux du clergé risque de «contamination culturelle».[4]
— Le sport était souvent présenté comme un divertissement futile d'une part, susceptible d'autre part de présenter des dangers moraux tels que: exaltation du corps, de la violence, du sexe, rupture de la vie de famille, perte de temps et d'argent, occasion de beuveries, etc.

Le sport au Québec francophone, surtout dans sa dimension de spectacles, connaîtra une popularité croissante malgré les objurgations et les mises en garde du clergé. Ce dernier ne perdra ses réticences à son endroit que lorsqu'il disposera d'une infrastructure d'institutions aptes à l'encadrer dans un contexte francophone et catholique.

b) **Le tourisme** — Le tourisme comme loisir de déplacement est aussi une tradition culturelle d'origine britannique.[5] Le groupe québécois anglophone, s'étant approprié le contrôle du commerce et des grands moyens de transports (voies ferrées, navigation fluviale et maritime, etc.), contrôlait par extension le tourisme naissant au XIXe siècle. Il s'était par ailleurs développé à cette époque un engouement marqué chez les Canadiens français pour les excursions et les pélerinages, déplacements réalisés au moyen des chemins de fer et des bateaux de croisière à vapeur.

Le clergé réagit soit en interdisant ou en réglementant très sévèrement ces déplacements, y voyant de graves dangers pour la moralité tant privée que publique. Même pour ce qui est des pélerinages, il ne les autorisa que lorsqu'ils n'entraînaient que «de légers déplacements». S. Dufresne interprète cette attitude comme . . . «un profond désir des autorités religieuses de maintenir les fidèles dans un isolement régional permanent, grâce auquel le clergé est mieux en mesure d'exercer un contrôle réel sur ses fidèles et sur les informations que ceux-ci reçoivent».[6] Il va de soi que si le clergé suspectait même les formes de voyage à finalité religieuse, il s'inquiétait «a fortiori» de l'activité touristique qui serait motivée par le seul agrément ou par la curiosité culturelle.

c) **Le théâtre** — L'implantation du théâtre au Québec comme institution culturelle au XIXe siècle a été une autre innovation relevant du dynamisme anglo-saxon. Cependant, jusqu'au dernier quart du XIXe siècle, il s'agissait de théâtre classique anglais et élitiste qui était à peu près ignoré des Canadiens français. À partir de 1875, ces derniers commencèrent à s'y intéresser lorsque des intérêts américains, associés à l'«american amusement industry», prirent le contrôle des principales salles de théâtre de Montréal et de Québec, et y introduisirent le vaudeville et le burlesque américains.

Ceci aux yeux du clergé constituait une invasion culturelle directe dont elle jugeait le contenu souvent matérialiste, immoral et opposé aux valeurs et idéaux qu'il proposait à la nation canadienne française.[7]

d) **Cirques et divertissements populaires** — Mais, le théâtre n'était qu'un début de cette invasion culturelle américaine. L'apparition des chemins de fer transcontinentaux allait briser définitivement l'isolement géographique et culturel des Québécois francophones et rendre le Québec perméable à l'introduction d'une grande quantité de formules de loisir d'inspiration étrangère et promues par des intérêts commerciaux. Au nombre de ces formules, on compte les cirques, les troupes d'acrobates, les parcs d'attractions ambulants et les foires. La facilitation des échanges et communications permit la diffusion de livres, de journaux, de bandes dessinées, de revues et magazines américains. Le Québec commença à recevoir la visite d'orchestres diffusant la musique populaire américaine, diffusion qui sera considérablement amplifiée par l'avènement de la radio commerciale au début du siècle. Il y eut aussi prolifération de spectacles de chant et de danse dans les cabarets, clubs de nuit ou «grills» pour employer le terme anglais de l'époque. Des studios commerciaux d'enseignement de la danse et des salles de danse s'ouvriront malgré l'opposition formelle de l'Église et sa condamnation de la danse. Dans la plupart des centres urbains du Québec s'ouvrirent des salles de jeux (quilles, billard, etc.).

«Il faudra, dit R. Montpetit, toute l'influence du clergé et de l'idéologie ultramontaine pour réussir, tant bien que mal, à ralentir le mouvement et à convaincre les fidèles que ces mauvais lieux d'amusement étaient des occasions prochaines de péché. . .»[8]

L'auteur cité utilise avec justesse l'expression essayer de «ralentir le mouvement» car, outre sa préséance culturelle et morale ainsi que son pouvoir d'admonestation des fidèles, le clergé ne disposait d'aucun moyen coercitif pour enrayer la pénétration au Québec de formes de loisir nouvelles amenées par des promoteurs capitalistes anglo-canadiens et américains. Même ses pressions sur l'État donnaient peu de résultats, car dans une société où la liberté d'entreprise privée est fondamentale, l'État n'intervenait que lorsque l'ordre social et la moralité publique étaient concernés ou touchés. Il faut aussi prendre en considération que le fait de bloquer les frontières du Québec à l'envahissement culturel américain était un problème de douanes et donc, de la compétence du gouvernement fédéral, niveau de gouvernement sur lequel l'influence du clergé était beaucoup plus faible que sur celui de la «province» de Québec.

e) **Le cinéma** — Nous retenons le cas du cinéma comme dernier élément illustrateur d'une institution commerciale de loisir de provenance étrangère et implantée au Québec à partir de capitaux, de techniques et de productions cinématographiques principalement américains. Le cinéma constituait aux yeux du clergé un cas patent de colonialisme ou d'impérialisme culturel, car dès la fin du premier quart de notre siècle, alors qu'il n'existait pas encore d'industrie québécoise et même canadienne du cinéma, l'industrie cinématographique américaine avait déjà acquis son caractère trans-national. Elle avait déjà non seulement tapissé le territoire américain de réseaux de distribution et réseaux de salles de projection, mais aussi les étendaient à d'autres pays à titre d'extension de marché. Le Canada et le Québec en particulier n'y ont pas échappé.

De plus, ces réseaux demeuraient propriété étrangère même lorsque leur gérance était confiée à des autochtones. Le clergé québécois n'avait aucun moyen direct d'influer ni sur la production ni sur la diffusion du cinéma offert aux Québécois malgré lui. Il y vit un des plus grands dangers moraux et culturels qui ait jamais assailli le milieu canadien français et catholique. Il lui fit une lutte âpre et sans merci qui se prolongea jusqu'à la révolution tranquille. Par ailleurs, comme le problème prit rapidement une ampleur mondiale, il fut assisté doctrinalement dans sa lutte par la présence de deux encycliques.[9] Dès 1913, les pressions politiques animées par le clergé et les élites qui lui étaient associées avaient amené le gouvernement du Québec à voter une loi établissant «un bureau de censure des vues animées».[10]

À cette mesure répressive le clergé ajouta toute la force de conviction idéologique de son enseignement doctrinal et la virulence de ses attaques[11] augmentera avec la popularité pratiquement irrépressible de cette forme de divertissement auprès des Canadiens français. Malgré ses efforts, le clergé devra apprendre à vivre avec la présence du cinéma, ainsi que le reconnaît en 1954 le cardinal P.E. Léger, archevêque de Montréal:

> «On ne peut nier, disait-il, que la passion du cinéma constitue aujourd'hui comme une nécessité de la vie sociale; vouloir s'y opposer ou y imposer des limites serait prétendre maîtriser les eaux d'un fleuve qui a déjà débordé. . . .»[12]

En ce sens, le clergé fut débordé dans ses efforts, d'une part parce qu'il ne put efficacement contrer la pénétration culturelle étrangère par le biais de la liberté d'entreprise et de commerce, d'autre part parce qu'il ne sut pas efficacement retenir l'enthousiasme de ses ouailles pour des formes de loisir nouvelles, très différentes de la vie traditionnelle au Canada français et qui introduisaient des éléments d'une société de consommation de masse de provenance exogène constituant des entorses graves au monolithisme moral et culturel antérieur. Le loisir moderne, éclaté dans ses formes et ses valeurs, commercialement promu dans une mentalité hédonistique, constituait une menace certaine pour la cohésion sociale et culturelle du groupe francophone québécois telle que définie dans l'idéologie cléricale. Le clergé avait tout intérêt à soutenir que son attitude de garant de la foi et des moeurs était un gage de la survivance nationale, l'église risquant d'être la première perdante d'un éclatement culturel.

La réponse du clergé à ce problème fut relativement simple: elle consista à établir une dichotomie un peu manichéenne à l'intérieur des loisirs eux-mêmes entre les bons et les mauvais loisirs: le principe de bien étant ce qui est conforme à la doctrine catholique, le principe de mal étant ce qui s'en écarte. «Les loisirs, dit le Père J.-B. Desrosiers, sont des activités humaines et comme telles relèvent de la morale dont l'Église est la gardienne.»[13] Sur cette base, le clergé en vint à se reconnaître un mandat général d'action et d'interventin en loisir. Ce mandat prit un double volet, un volet discriminatoire des loisirs existants et un volet organisationnel de loisirs promus dans une perspective chrétienne.

À ce sujet, et pour ce qui concerne le rôle de l'église catholique dans le développement historique du loisir au Québec, nous n'acceptons pas la distinction proposée par G. Pronovost d'une double problématique, à savoir une «problématique du refus» et une «problématique religieuse du loisir au XXe siècle»[14], parce que, de toute évidence, ces deux problématiques réfèrent à la même pensée doctrinale et à la même idéologie, c'est-à-dire en même temps la même vision du monde et le même projet social. Nous préférons analyser le comportement historique de l'institution cléricale comme ayant voulu pratiquer une action sociale à deux volets en loisir et ces deux volets existaient simultanément dans le temps.

Le premier se présentait comme condamnation, censure, rejet ou acceptation selon le jugement porté à l'endroit de telle ou telle pratique de loisir par la casuistique cléricale des bons ou des mauvais loisirs.

«Ainsi, dit le Père J.-B. Desrosiers, les divertissements dans les clubs, les danses, les spectacles, le cinéma, la télévision, les lectures, et que d'autres, engagent nécessairement la morale: s'ils sont bons, ils moralisent; mais malheureusement étant souvent mauvais, ils souillent les âmes, les détournent de Dieu et les perdent».[15]

Cette discrimination interne des loisirs bons ou mauvais prenait ses fondements dans la doctrine générale de l'église catholique et dans l'application au Québec que le clergé d'ici en faisait. Nous n'entrerons pas ici dans l'analyse détaillée de cette doctrine que nous ferons ailleurs.[16] Qu'il nous suffise ici de mentionner que le clergé québécois travaillait à l'instauration d'un projet social théocratique, chrétien, catholique et français. Ce projet social, avant l'invasion culturelle des formes de loisirs modernes promues de sources étrangères, se satisfaisait de traiter des loisirs, divertissements, jeux et fêtes comme de dimensions intégrées de la communauté traditionnelle centrée sur la vie familiale, paroissiale et civique.

Cette invasion culturelle avait aux yeux du clergé un effet perturbateur de l'ordre social chrétien et lui semblait introduire une paganisation des moeurs et un matérialisme faisant fi des grandes valeurs chrétiennes. C'est pourquoi il ne put s'en tenir à une prédication discriminante des bons et mauvais loisirs, il dut ajouter à cette action un second volet, celui-là positif, consistant dans le fait de s'impliquer directement dans l'organisation de loisirs moralement sains à ses yeux, espérant que ces loisirs feraient contrepoids aux coups de boutoir des loisirs commerciaux.

«Pour nous, dit l'abbé F.X. St-Arnaud en 1946, il ne s'agit pas seulement de rechristianiser les loisirs et toutes les formes de récréation, il faut les rendre «christianisants».[17]»

Ce second volet de l'action cléricale en loisir prit deux formes: tout d'abord l'élaboration d'une réflexion doctrinale sur le sens positif du loisir, le situant dans le prolongement de l'action éducative sous toutes ses formes et de l'action sociale catholique[18]; ensuite, la mise sur pied d'institutions de loisir érigées à partir de la doctrine et de la morale catholiques et dans le sillage du constat exprimé dans cette phrase lapidaire du Père Gonzalve Poulin: «Il n'y a pas d'autre moyen de lutter contre les mauvais loisirs que d'en créer de bons».[19]

B) Les institutions cléricales en loisir

Il est utile ici de rappeler que, jusqu'à la révolution tranquille, le clergé québécois, tant séculier que régulier, s'occupait non seulement de culte religieux, mais aussi contrôlait l'ensemble du système d'éducation francophone, ainsi que les services de santé et le bien-être. Il était présent dans l'ensemble des milieux sociaux (ouvrier, étudiant, rural, professionnel, etc.) par l'organisation de l'Action Catholique, pendant laïc militant du prosélytisme clérical. En investissant le loisir, le clergé ouvrait un nouveau front de lutte dans un secteur de la vie individuelle et sociale par où pouvait s'immiscer des éléments culturels susceptibles de faire brèche dans son projet social chrétien. Notre hypothèse explicative du comportement clérical en loisir est que l'Église ne pouvait pas ne pas s'y impliquer, sous peine de voir son peuple échapper à son influence au moins en partie et se soustraire à son pouvoir.

> «Inutile, disait le Père W. Gariépy en 1945, de résoudre les problèmes de l'école, du travail, de la guerre, du logement, de la finance, et que sais-je encore, si notre peuple doit en perdre les avantages dans la démoralisation de loisirs creux.[20]

Le loisir, dans cette perspective, représentant un secteur de la vie à ne pas laisser à l'abandon, parce que, mal utilisé, il était susceptible de causer préjudice à l'ensemble de la vie humaine. Il fallait donc l'inscrire dans l'ensemble du plan eschatologique chrétien:

> «Dieu, dit l'abbé M. Laforest, pénètre toute la vie et rien de ce qui est humain ne lui est étranger. Le temps libre et les activités de loisir sont des réalités qui concourent au salut de l'homme ou à sa perte. Cela n'admet pas de compromis; il faut être pour ou contre le Christ! C'est donc basées sur un sain usage de la liberté que les activités du temps libre amèneront le chrétien vers son destin éternel».[21]

Une position claire et catégorique de l'Église face aux loisirs dans leur ensemble est cependant arrivée assez tardivement. Les principaux textes à ce sujet remontent rarement plus loin dans le temps que la période de la dernière guerre mondiale.

Cependant, la mise sur pieds d'organisations ou d'oeuvres spécifiques en loisir a débuté bien avant cette période, en fait dès la fin du XIXᵉ siècle. Il est bon de noter ici que lorsque nous parlons d'institutions cléricales, nous n'entendons pas exprimer l'idée d'un réseau d'organisations bien intégrées et entretenant des relations organiques entre elles. Ces institutions ne commenceront à avoir l'allure d'un réseau relativement intégré qu'à partir de 1946, date de fondation de la C.O.P. (Confédération otéjiste provinciale).[22] Avant cette date, les institutions et organisations mises sur pied sont plutôt le résultat de l'action pastorale, soit de communautés religieuses particulières, se donnant une mission ou une vocation, soit de prêtres ou de religieux ressentant un besoin d'initiative en la matière et s'y consacrant personnellement.[23] Il va cependant de soi que malgré les différences individuelles ou communautaires, les diverses initiatives en loisir convergeaient en référence à une même doctrine et une même dogmatique. Nous allons maintenant présenter les principales structures ou organisations instituées par le clergé en loisir au Québec et nous mentionnerons certaines organisations non directement religieuses, mais étroitement associées ou inféodées au pouvoir clérical.

a) **Les patros** — Les patros au Québec ont été une oeuvre de loisir reliée à la présence et à l'action sociale d'une communauté religieuse, la Congrégation des Religieux de St-Vincent de Paul, implantée au Québec depuis 1884.[24] Le terme «patro» était une abréviation du terme «patronnage», formule d'oeuvre catholique d'origine française et belge. En Europe, le patronnage visait l'encadrement moral, l'éducation chrétienne et l'intégration sociale de l'enfance déshéritée et possiblement délinquante des milieux urbains. Cette formule d'oeuvre sera implantée au Québec avec les mêmes objectifs. Cependant, alors qu'en France le patronnage constituait aussi un milieu d'instruction chrétienne et catholique palliatif à l'école laïque ou neutre, au Québec, le problème de la confessionnalité religieuse ne se posant pas, le patro permettait d'établir des foyers d'appartenance chrétienne à la fois différents et complémentaires de ce qui se passait (ou non) au niveau de la famille, de l'école et de la paroisse.

Ce qui a fait l'orignalité des «patros» est moins l'aspect doctrinal du message chrétien que les moyens de le faire passer, dites techniques «patronagiales»: il s'agissait de méthodes actives d'encadrement des jeunes, d'initiation à la prise de responsabilités, de structure de fonctionnement à base d'activités récréatives et amusantes, etc. Le patro était un édifice en milieu urbain défavorisé, généralement équipé dc facilités d'accueil et d'hébergement, dirigé par des religieux à plein temps, et s'intéressant en priorité à la jeunesse défavorisée.

Son ambition était de constituer un foyer d'accueil chalcureux et d'éducation chrétienne dans chaque milieu où l'industrialisation et l'urbanisation rapides créaient une jeunesse déracinée ct abandonnée à elle-même face aux risques du vice et de la délinquance.

La formule prit forme dès les premières années après l'arrivée de la congrégation et commença à essaimer dès le début du siècle en direction de la majorité des villes grandes et moyennes du Québec. Elle eut suffisamment de succès pour que, en 1944, la congrégation établisse à Québec même une structure de coordination des activités de l'ensemble des patros nommée *«la Centrale des Patros»*. Elle présente pour notre sujet un double intérêt; d'une part, les patros sont au Québec les ancêtres directs de la formule «centre de loisirs» qui prendra une grande importance à partir de 1950 en milieu paroissial et municipal, même si les techniques de fonctionnement varieront beaucoup; d'autre part, les patros ont été le premier milieu au Québec à poser le problème du besoin d'un personnel de «calibre professionnel» en loisir. De plus, ils présentaient l'avantage de proposer une formule de rechange, française et catholique aux Y.M.C.A. anglo-saxons.

b) **Les camps et colonies de vacances** — À l'origine, au Québec comme en France, les camps et colonies de vacances ont été des extensions estivales de la formule des patros, une sorte de pendant vacances de l'action éducative et récréative du patro permettant d'extraire des groupes de jeunes du milieu urbain et de leur faire vivre la même expérience éducative, mais en milieu naturel avec les facilités que celui-ci offre.

Cependant, cette formule ne sera pas l'apanage exclusif de la Congrégation des religieux de St-Vincent de Paul; d'autres communautés religieuses et aussi le clergé séculier l'utiliseront à des fins analogues.

En 1916, M.E. Gouin, p.s.s., directeur de la Colonie des Grèves, présente son oeuvre en comparaison à une «retraite fermée» de trois semaines où dans un contexte joyeux et une ambiance naturelle, sont poursuivis des objectifs «d'hygiène, de restauration des corps, une oeuvre d'éducation, de formation des âmes».[25] Cette formule de camps et colonies va connaître un développement considérable au cours de la première moitié du siècle en même temps qu'une certaine spécialisation tout en demeurant globalement contrôlée par le clergé. La Conférence Catholique Canadienne du Bien-être a fourni en 1954 des chiffres globaux pour l'année 1952. Selon cet organisme, il se serait tenu au Canada français près de 550 camps regroupés dans les catégories suivantes:

— Camps à vocation thérapeutique.
— Camps d'institutions (ex. orphelins).
— Camps pour les enfants pauvres de milieu urbain.
— Camps pour enfants de milieux aisés.
— Camps de collèges pour étudiants.
— Camps de formation des mouvements d'action catholique.
— Camps scouts et guides.[26]

Il va de soi que de telles données impliquent la présence d'un personnel (au moins saisonnier) important pour la gestion et l'animation de ces activités. Le personnel clérical de direction a dû graduellement avoir recours à du personnel laïc militant et/ou salarié pour suffire à la tâche. Il n'existe pas de données statistiques sur le sujet, mais il est de notoriété publique que de nombreux futurs professionnels en loisir au Québec ont fait leurs premières armes dans le domaine des camps et colonies de vacances.

c) **L'Oeuvre des Terrains de Jeux** — L'oeuvre des terrains de jeux (O.T.J.) est sans l'ombre d'un doute l'initiative cléricale en loisir la plus considérable et la plus importante de la première moitié du XXᵉ siècle. Certes, ni le Québec ni son clergé n'ont inventé la formule récréative des terrains de jeux. Il existait déjà aux États-Unis depuis 1906 une «playground association of America», dirigée par deux pionniers en la matière, L. Gulick et J. Lee. L'originalité du clergé québécois fut de récupérer et d'utiliser cette formule en tant qu'oeuvre catholique associée à la structure de base de la vie religieuse locale, la paroisse. D'ailleurs, le clergé québécois avait même été précédé dans l'utilisation de cette formule par la communauté anglophone de Montréal qui s'était donnée dès 1901 une organisation dénommée «Parks and Playgrounds» et qui utilisera des moniteurs d'éducation physique formés dans des stages dispensés par l'université McGill de Montréal à partir de 1911.

Ce n'est qu'en 1929 que, en milieu francophone et catholique, apparaîtra la première «oeuvre» des terrains de jeux. Elle fut le résultat de l'initiative de l'abbé A. Ferland qui l'organisa au Parc Victoria de la ville de Québec.

La formule connaîtra le succès et sera imitée graduellement par d'autres paroisses pour finalement se répandre dans tout le Québec. L'expression elle-même «O.T.J.» connaîtra une grande popularité et deviendra jusqu'à la révolution tranquille synonyme de loisirs organisés dans une perspective non commerciale et moralement admissible. Elle est même encore aujourd'hui utilisée en certains milieux ruraux même si sa connotation éthique et religieuse s'est estompée.

Ce qui a fait la particularité des O.T.J. au Québec est qu'elles ont été essentiellement conçues comme oeuvres d'encadrement moral et religieux d'une part, et comme oeuvre d'éducation catholique complémentaire, comme dans le cas des patros, à l'action combinée de la famille, de l'école et de la paroisse d'autre part.[27] À l'origine, ces oeuvres s'intéressaient surtout aux loisirs des jeunes de milieux urbains et à l'occasion surtout des vacances estivales,[28] mais elles en vinrent rapidement à opérer tout au long de l'année, tant en milieu rural qu'urbain, tant pour les adultes que pour les jeunes, donc à viser l'ensemble de la collectivité francophone québécoise catholique.

En utilisant le cadre paroissial comme lieu d'ancrage des O.T.J. à l'institution religieuse, le clergé québécois se servait des loisirs à plusieurs fins. Ils devenaient un instrument d'animation de la vie communautaire «à l'ombre du clocher», pour reprendre une expression de l'abbé G. Schetagne.[29] Ils ouvraient un champ nouveau aux curés et vicaires pour l'exercice de leurs tâches pastorales. Ceux-ci se réservaient l'orientation et la direction de l'organisation des loisirs tout en confiant les tâches d'exécution à du personnel laïc trié sur le volet pour ce qui est des qualités attendues de lui, sujet sur lequel nous reviendrons. Enfin, le système des paroisses et des diocèses permettait de quadriller la totalité du territoire québécois d'oeuvres de loisir conformes aux principes chrétiens défendus par l'Église.[30]

Le succès de la formule des O.T.J. fut suffisamment grand pour que le clergé fusse amené en 1944 à adopter le principe d'une structure fédérative de regroupement des O.T.J. , au niveau des diocèses, qui allait être connue sous la dénomination de «fédération diocésaine des loisirs» et rattachée à chaque évêché par le truchement de son «Comité diocésain d'Action Catholique». De telles fédérations s'implanteront progressivement dans 15 diocèses du Québec. Le regroupement de ces fédérations diocésaines dans une «Confédération Otéjiste Provinciale» (C.O.P.), à partir de 1946, reliée à l'assemblée épiscopale des Archevêques et Évêques du Canada français, complètera la structuration institutionnelle des O.T.J., calquée sur et jumelée à l'institution officielle de l'église catholique au Québec. Pendant une vingtaine d'années, c'est-à-dire jusqu'en 1965, la C.O.P. sera le haut lieu de regroupement non seulement des O.T.J., mais aussi à partir de 1958, de toutes les oeuvres de loisir catholiques et non commerciales au Québec.

Il est à noter que la C.O.P. fut également une corporation civile au plein sens légal du terme, mais dont les statuts affirmaient clairement et officiellement la confessionnalité catholique romaine. C'est aussi à son niveau que se posa très fortement, dès son projet de fondation en 1944-46, la question de la formation d'un personnel compétent et qualifié pour prendre en charge la direction des oeuvres de loisir, à la demande de ses membres. La C.O.P. répondit positivement aux attentes de sa base et fit de la formation du personnel en loisir un programme majeur et permanent parmi ses activités, sujet que nous traiterons dans la deuxième partie de ce texte.

d) **Les mouvements de jeunesse** — L'Église au Québec, nous l'avons mentionné auparavant, possédait ses propres mouvements de jeunesse, notamment ceux de l'Action catholique spécialisée (J.O.C., J.E.C., J.R.C., J.I.C., etc.).

Cependant, les oeuvres catholiques de loisir au Québec ne furent jamais incorporées à l'Action Catholique spécialisée et demeurèrent un cas de ce qui s'appelait à l'époque l'action catholique «générale». Les mouvements dits d'A.C. spécialisée étaient ainsi dénommés parce qu'ils visaient une clientèle sociale spécifique, par exemple les ouvriers, les étudiants, etc. Ils entendaient pouvoir s'occuper de l'ensemble des problèmes touchant la clientèle qu'ils visaient et pour eux, la question des loisirs n'était qu'un sujet parmi d'autres dont ils pouvaient traiter au besoin à l'occasion de leurs programmes d'action annuels.

Néanmoins, ils se définissaient, tel que le confirme un texte de M.C. Ryan, directeur général de l'Action Catholique Canadienne en 1955, comme une réserve de ressources humaines et militantes susceptibles d'aider les organisations de loisir... «à élargir et approfondir leur vision du problème moderne des loisirs», à... «améliorer la qualité pédagogique, sociale et spirituelle» de «leurs réalisations et initiatives». En retour, les dirigeants des services catholiques de loisirs... «ne manqueront pas une occasion d'orienter vers l'A.C. les sujets qui seraient aptes à y travailler et à y prendre une formation dont le monde des loisirs bénéficiera tôt ou tard».[31] En fait, la participation de mouvements d'A.C. aux oeuvres de loisir ne fut que sporadique et impliqua plutôt des échanges individuels qu'une collaboration inter-organismes.

Par ailleurs, le clergé québécois s'est fortement intéressé à d'autres mouvements de jeunesse dont les activités touchaient largement aux loisirs.

Ce fut le cas notamment du scoutisme et du guidisme qui souleva une certaine controverse à cause de son origine anglo-protestante. Le clergé sut cependant s'acquérir l'obédience de la Fédération des Scouts du Québec qui accepta d'insérer la mention de «scouts catholiques» dans son nom et d'inscrire dans ses propres statuts et règlements l'objectif de servir Dieu, l'Église et de se soumettre à «l'autorité de la Hiérarchie et aux disciplines de l'Action Catholique».[32] En retour de son intégration à l'action catholique générale, le mouvement scout reçut l'aval de l'Église qui lui fournit des aumôniers et lui ouvrit toutes grandes les portes des institutions qu'elle contrôlait, ce qui lui permit un développement considérable. Dans les années 1950, les scouts et les guides comptaient plus de 600 unités organisationnelles (troupes, meutes, clans, etc.) au Québec.

L'Église sut également s'associer des mouvements de jeunesse qui, même s'ils n'avaient pas le prosélytisme religieux comme objectif premier, poursuivaient des finalités éducatives. Ce fut le cas des «Cercles de jeunes naturalistes», fondés en 1931 et du mouvement des «clubs 4H» fondé en 1942. Le clergé était aussi en étroite relation avec l'«Association canadienne des auberges de jeunesse», fondée en 1933. Par ailleurs, il ne tolérait pas facilement que des mouvements de jeunesse francophones québécois se développent en marge de son influence. Un exemple historique de répression cléricale est celui de «l'Ordre du Bon Temps» (O.B.T.). Cet organisme, né la même année que la C.O.P., 1946, se voulait un mouvement laïc de loisirs, à coloration idéologique nationaliste, se proposant de valoriser par le loisir les réalités culturelles canadiennes françaises (patrimoine, folklore, chants, danses, etc.).

Ce mouvement, par le dynamisme de ses promoteurs, se répandit très vite à la grandeur du Québec, et menaçait de constituer un réseau de loisirs laïcs parallèle à celui de la C.O.P.. En 1952, l'Église réagit en adressant une mise en demeure à l'O.B.T. de s'intégrer aux oeuvres catholiques de loisirs. L'O.B.T. refusa. Alors les autorités religieuses donnèrent ordre à tout le clergé québécois de couper les vivres (salles, facilités, ressources techniques, etc.) à l'O.B.T. Cet organisme, tout dynamique qu'il fut, s'effrita faute de ressources, l'Église de l'époque disposant de moyens matériels lui permettant d'imposer sa doctrine, du moins en ce domaine.

L'intérêt marqué du clergé pour les mouvements de jeunesse était double: d'une part, ils étaient des lieux-clefs d'éducation chrétienne prolongeant la formation scolaire en même temps que des structures d'encadrement positif de la jeunesse; d'autre part, ils constituaient des milieux de dépistage et de formation de chefs,[33] militants chrétiens entraînés dès leur jeunesse à exercer des fonctions de «leadership» et à acquérir une expérience qui pourrait être fort utile à l'âge adulte aux niveaux de la vie paroissiale, civique ou associative, qu'ils deviennent des religieux ou demeurent laïcs. Ces mouvements étaient d'ailleurs souvent présentés comme les troupes de choc, les élites du prosélytisme catholique, la relève, haut-lieu de la reproduction sociale dans la perspective cléricale.

e) **Les centres de loisirs** — Comme nous l'avons mentionné, les «Patros» ont été la première formule institutionnelle d'organisation cléricale du loisir centré sur un édifice spécifique dirigé et animé dans ce sens. La formule «centre de loisirs» ne reprit pas tel quel le modèle des patros. Elle fut une excroissance des O.T.J. paroissiales. À partir, en effet, du moment où les loisirs paroissiaux débordèrent de la simple formule des terrains de jeux pour devenir des organisations de loisirs permanentes et polyvalentes, il fallut songer à l'utilisation de facilités, d'installations et d'équipements plus élaborés et en mesure d'opérer toute l'année. Le clergé expérimenta et pratiqua plusieurs formules. Des sous-sols d'église furent convertis en centres d'activités sociales et récréatives. On utilisa certaines facilités scolaires. On expérimenta même dans les années 1950 une formule dite de «parcs-écoles» qui consistait à aménager de nouvelles écoles (il s'en construisait beaucoup, la natalité ayant repris de plus belle à l'époque de l'après-guerre au Québec) en vue de leur utilisation par les loisirs paroissiaux en-dehors des périodes d'activités scolaires.

Mais, la formule la plus importante à ce sujet fut sans contredit l'érection de «centres de loisirs paroissiaux» édifices spécifiquement construits à des fins de loisirs et dotés d'équipements techniques permettant une programmation beaucoup plus diversifiée de pratiques de loisirs. L'exemple probablement le plus connu de cette formule est «le Centre des loisirs de l'Immaculée Conception», jumelé à la paroisse du même nom à Montréal, et fondé en 1951.[34]

Les centres de loisirs furent principalement implantés en milieux urbains, à commencer par les plus grands, et eurent de plus ou moins grandes dimensions selon la richesse du milieu et selon la capacité des promoteurs de se faire assister financièrement par les autorités civiles, locales, provinciales et même fédérales. Il en est parmi les plus importants qui ont eu une histoire carrément politico-religieuse qu'il faudra écrire. Par ailleurs, ce débordement du religieux sur le civil n'était ni original, ni spécifique au loisir. Qu'il s'agisse d'institutions scolaires, hospitalières ou de loisir, il était dans la tradition de l'Église au Québec d'ajouter à ses propres ressources en demandant et obtenant des subsides publics tout en gardant le contrôle de ces institutions à titres d'oeuvres privées.

C'est ainsi que dès les années 1950, le Québec, suite aux initiatives cléricales, s'est doté d'un réseau de «centres de loisirs» qui va constituer un important milieu pour le développement d'un personnel de travailleurs permanents et rémunérés en loisir qui requerra une formation technique de plus en plus poussée. Ce réseau institutionnel est important au Québec, car non seulement il durera jusqu'à nos jours en se sécularisant graduellement, mais il sera considérablement amplifié, notamment par l'entrée en scène, dès le début de la révolution tranquille, des municipalités comme agents d'intervention directe et publique dans le développement du loisir organisé au Québec.

f) **Le système scolaire** — Le système scolaire n'est évidemment pas une institution propre et spécifique au loisir. Mais dans la mesure où il fut en grande partie sous le contrôle effectif de l'Église catholique pour les québécois francophones, il fut non seulement associé aux oeuvres cléricales, mais en fut souvent aussi la rampe de lancement, et cela est particulièrement valable pour les loisirs et les mouvements de jeunesse.

En fait, l'école québécoise ne s'occupait pas exclusivement d'instruction académique, elle était une entreprise d'éducation chrétienne où même les matières scolaires profanes étaient étudiées à travers le prisme de la foi et de la morale catholiques. La vie para-académique elle-même était sujette à un encadrement spirituel, moral et civique qu'il s'agisse de salles de jeux, de gymnases, de cours de récréation, de bilbiothèques, etc. Cela était vrai pour les écoles publiques catholiques mais cet encadrement était encore plus élaboré dans les couvents, pensionnats, collèges classiques masculins et féminins dirigés par le clergé séculier où étaient formés les futurs(es) éducateurs(trices); et que dire des juvénats, noviciats et grands séminaires où le clergé tant séculier que régulier formait sa relève! Dans ces institutions, c'était toute la vie culturelle, littéraire, artistique et sportive qui était prise en charge en sus de la formation académique. Cette prise en charge a nécessité que des éducateurs, soit à temps plein, soit en marge de leurs enseignements, se spécialisent techniquement en des matières qui, quoique teintées de finalités et d'intentions éducatives, débouchent en fait sur l'initiation à des pratiques de loisirs.

Ce besoin de personnel éducatif spécialisé dans le système scolaire québécois a fortement incité les universités francophones de l'époque, elles aussi sous direction religieuse, à développer leurs facultés de musique, d'arts et de lettres, leurs écoles d'éducation physique, de service social et d'éducation permanente qui, directement ou indirectement, allaient élaborer des enseignements et des préoccupations de recherche reliés à la question des loisirs ainsi que des structures et des éléments de formation sur lesquels nous reviendrons.

Nous pouvons dire, en conclusion à cette partie, que c'est l'action historique de l'Église qui a donné au loisir au Québec le statut de question sociale spécifique nécessitant un traitement particulier et requérant un personnel qualifié. Cette action prenait évidemment une coloration éducative et prosélytique et était centrée sur une volonté de sauvegarder ce qui était à son regard l'intégrité religieuse, culturelle et nationale des Canadiens français.

L'objectif majeur du clergé était, selon l'expression de l'abbé F.X. St-Arnaud, de lutter contre . . . «le chancre éhonté de la commercialisation des amusements par des exploiteurs de toutes sortes»,[35] ceci étant le front principal de lutte, version loisirs, de la bataille générale pour la survivance nationale.

> «Mais avant tout, dit l'abbé Jean-Paul Tremblay, il importe que tous comprennent l'étroite relation qui rattache présentement la cause de la survivance en Amérique de la culture catholique et française à une solution prompte et complète du problème des loisirs».[36]

C) Les institutions publiques et les loisirs

Avant la révolution tranquille au Québec, les institutions publiques adoptèrent en général le rôle que la doctrine de l'Église leur attribuait en ce qui regarde la répartition des responsabilités dans l'organisation chrétienne des loisirs.[37]

Ce rôle en était un de troisième rang, c'est-à-dire venant après ceux de la famille et de l'Église. Il devait être complémentaire aux deux autres, reconnaissant ainsi le loisir organisé comme oeuvre privée. Selon la doctrine sociale de l'Église, l'état ne devait pas s'arroger . . . «des responsabilités et des fonctions qui appartiennent normalement aux individus ou aux familles ou aux associations privées». Bien plus, l'état doit assister l'Église . . . «en protégeant la véritable Religion en favorisant sa bienfaisante activité en lui laissant son entière indépendance», de façon à lui faciliter . . . «l'exercice de sa mission spirituelle».[38] C'était donc l'idéal de l'état chrétien, et de fait, à l'époque, les autorités religieuses avaient au Québec un accès facile et direct aux autorités civiles.

En pratique, l'aide attendue des institutions publiques prenait trois formes: premièrement, une forme législative ou réglementaire permettant de fixer la normalité civique et morale des conditions de pratique de certaines formes de loisir jugées douteuses ou dangereuses; deuxièmement, une forme répressive chargée de poursuivre toute action ou promotion en loisir enfreignant la loi ou la moralité publique; troisièmement, une forme subsidiaire en mettant au besoin des ressources matérielles, techniques ou financières à la dispositions des oeuvres privées de loisir. Aux yeux de l'Église, le loisir organisé devait demeurer une affaire privée développée sous son autorité avec la participation d'un laïcat trié sur le volet pour les tâches concrètes d'organisation et d'animation. Les autorités civiles devaient veiller au bien commun temporel et à l'ordre social; le clergé pour sa part se chargeait des finalités éducatives, morales et spirituelles des loisirs.

Au niveau des institutions publiques locales, c'est-à-dire des municipalités, il faut distinguer entre le milieu rural et urbain. En milieu rural où le territoire municipal coïncidait très fréquemment avec le territoire paroissial, la gestion des O.T.J. s'opérait à partir des fabriques sous l'autorité du curé ou d'un vicaire délégué. La contribution attendue de la municipalité concernait surtout des concessions d'espaces à aménager et certaines subventions pour les activités de loisir. Il est utile de mentionner ici que le mouvement d'incorporation civile des O.T.J. ne démarrera massivement qu'au début des années 1960. Le milieu rural connut en loisir une longue période d'osmose au niveau des échanges de ressources entre la paroisse et la municipalité sans que soit mise en question l'autorité cléricale sur les loisirs.

En milieu urbain, à cause du caractère supra-paroissial de la municipalité; la situation devint rapidement plus complexe. La paroisse comme unité de vie communautaire perdit le caractère d'homogénéité qu'elle avait en milieu rural, sous l'action combinée de l'organisation du travail, des moyens de transport et de communication, de l'activité commerciale, de la diversification des relations sociales et aussi des loisirs. La ville était le lieu de lancement des loisirs commerciaux dont le clergé craignait tant l'influence. Elle était aussi le lieu privilégié des échanges inter-culturels en plus d'offrir aux yeux du clergé de nombreuses occasions de vice, de débauche et de délinquance. Les loisirs furent mis à contribution d'une façon d'autant plus forte qu'ils étaient définis dans leur version positive comme étant de nature à éviter ou à contrer ces maux réels ou appréhendés. Ils furent aussi utilisés comme instrument permettant de développer le sentiment d'appartenance à la paroisse.

Mais les problèmes et les besoins étaient d'une ampleur telle que le clergé dut faire appel de plus en plus aux ressources municipales. Les terrains de jeux posaient des problèmes tant d'urbanisme que d'entretien et d'ordre public. Les centres de loisirs épuisaient rapidement les ressources financières de leurs promoteurs et requéraient du personnel permanent. L'importance des deniers publics investis dans les oeuvres de loisir engageaient les administrations municipales à un certain contrôle de l'emploi de ces sommes. Les villes étaient aussi appelées à aménager ou à construire des installations de loisirs supra-paroissiales telles que des parcs, des arénas, des piscines, etc., et à se doter de leurs propres personnels en loisir. Ceci les amènera, à partir des grandes villes en premier lieu, à mettre sur pied des services publics municipaux de loisir.[39] Pendant une période de temps relativement longue et variable selon les villes, les Québécois connaîtront ce que l'on pourrait appeler une structure double de loisirs municipaux et paroissiaux. Mais à partir du début des années 1960, un mouvement irréversible de municipalisation des loisirs s'amorcera qui intégrera la très grande majorité des oeuvres paroissiales à un service public municipal de loisir.

Au plan provincial, le clergé pratiqua la même philosophie quant au partage des rôles en loisir, mais avec des attentes plus diversifiées. Il faut préciser que le gouvernement du Québec sera beaucoup plus lent que le milieu municipal à développer une intervention spécifique au loisir. Il faudra attendre jusqu'en 1965 pour voir apparaître un «bureau des sports et loisirs» au ministère de l'Éducation et ce bureau aura encore comme principale tâche de gérer les subventions de l'état.

Avant cette date, l'action du gouvernement du Québec fut caractérisée par une absence de politique et le traitement à la pièce des demandes concernant le loisir qui lui étaient adressées. Jusqu'à la fin des années 1950, le clergé ne se plaindra pas de cette situation, dans la mesure où l'assistance publique parvenait quand même à ses oeuvres. Le fait d'avoir à frapper à diverses portes du même gouvernement lui laissait les coudées franches pour définir lui-même l'orientation générale du développement du loisir.

Néanmoins, il avait quand même un interlocuteur principal dans l'appareil gouvernemental: il s'agissait du *Ministère du Bien-être social et de la Jeunesse,* fondé la même année que la C.O.P. en 1946, qui rassemblait les services de l'État en matière de service social, de bien-être, de jeunesse et d'éducation populaire. C'est à ce ministère que les mouvements de jeunesses, les oeuvres et organismes de loisir adressèrent leurs demandes de subventions pour des cours et stages de formation, pour la construction et le fonctionnement de centres de loisirs, de terrains de jeux, etc. Par ailleurs, cette assistance aux oeuvres de loisir fut échevelée au point que R. Jones parle d'une. . . «politique de subsides discrétionnaires».[40] En 1958, M. R. Prévost présentait une communication à *Caritas-Canada* dans laquelle il énumère 9 ministères et services du gouvernement du Québec s'intéressant à divers aspects des loisirs. Ces aspects vont de la censure du cinéma à la promotion artistique, de l'artisanat aux bibliothèques, des musées aux parcs, des carnavals à la sécurité aquatique, etc..[41]

Cet éparpillement des actions du gouvernement du Québec durera encore de longues années. Cependant, le cumul de ces actions et leur coût dont le calcul reste à faire, démontrent hors de tout doute qu'il n'était pas insensible aux demandes et aux pressions des promoteurs du loisir organisé sans but lucratif en voie de construction sous la férule principale du clergé. Il se comportait en général comme un État libéral classique, permissif et non-interventionniste, qui d'une part, laissait libre cours à l'exploitation commerciale du loisir et qui, d'autre part, acceptait d'assister des actions et oeuvres jugées bonnes, qu'elles soient de nature humaniste, philanthropique ou religieuse. La demande d'une assistance et d'une intervention accrues et plus rationalisées de la part des oeuvres de loisirs se fera entendre de plus en plus fortement dans les années du début de la révolution tranquille, mais là comme en milieu municipal, ce sera le signal de départ d'un mouvement de sécularisation qui jouera à l'encontre des intérêts du clergé et qui dotera, à la fin des années 1960, le Québec d'une fonction publique en loisir.

Au niveau du gouvernement fédéral du Canada, il est un fait qu'il faut considérer: la constitution canadienne de l'époque, l'*Acte de l'Amérique britannique du Nord,* reconnaissait, depuis 1867, les domaines de l'éducation et de la culture comme étant des champs de compétence et de juridiction provinciales. Outre qu'il s'agissait là aussi de l'État, le clergé était d'accord avec le gouvernement du Québec pour considérer que toute forme d'intrusion du gouvernement fédéral canadien en loisir constituait une ingérence inacceptable dans un domaine qui relevait de l'«autonomie provinciale», thème politique nationaliste du gouvernement de l'Union Nationale de l'époque, qui fut au pouvoir pendant 20 années de 1936 à 1960.

De plus, aux yeux du clergé québécois, le gouvernement fédéral d'Ottawa était sous un contrôle majoritaire anglo-protestant, ce qui était une raison de plus pour vouloir l'évacuer du champ culturel et éducatif.

Un exemple historique de cette opposition se produisit en 1943 lorsque le gouvernement canadien passa une loi connue sous le titre de «loi sur l'aptitude physique nationale».[42] Cette loi qui touchait directement le sport et l'éducatiion physique fut rejetée tant par le clergé que par le gouvernement du Québec. Tous deux refusèrent de bénéficier des programmes nationaux qui en découlèrent et combattirent cette loi jusqu'à son abrogation en 1954.[43] De toutes façons, avant la révolution tranquille, le gouvernement canadien n'a pas tenté à aucun moment de se donner une politique d'ensemble sur la question des loisirs. Il traita à la pièce les demandes qui lui vinrent des promoteurs du loisir organisé, ceux-ci, même québécois, qui frappaient à toutes les portes d'où pouvait venir la manne des subventions, à condition bien sûr que celles-ci ne soient pas assorties de conditions jugées inacceptables.

On peut globalement considérer que jusqu'en 1960, less oeuvres religieuses de loisir n'eurent pas de grandes difficultés à opérer en marge des institutions publiques, celles-ci n'ayant ni politiques ni structures d'intervention clairement définies en cette matière. Les gestes d'assistance publique, malgré leur dispersion et leur fréquente incohérence, rendaient quand même service aux oeuvres cléricales tout en leur laissant une grande autonomie tant idéologique qu'organisationnelle.

C'est avec de telles coudées franches que le clergé a pu construire les bases de l'infra-structure institutionnelle du loisir organisé non-commercial au Québec, d'où vont émerger graduellement des personnels qui se reconnaîtront et s'appelleront eux-mêmes des travailleurs ou des professionnels en loisir.

II — L'émergence du professionnalisme

Si, comme le dit Touraine, «La dépendance est un mode de développement»,[44] et que ce qui caractérise les rapports sociaux des collectivités affectées de ce phénomène est leur «désarticulation», il devient alors possible de mettre en place les éléments analytiques permettant de comprendre le contexte socio-historique, tant général que particulier à un élément de la vie sociale, qui a pu présider à l'émergence de faits sociaux nouveaux. Cette désarticulation s'est manifestée dans le cas du Québec par la construction d'une société bi-céphale, bilingue, bi-religieuse, bi-économique, en un mot bi-culturelle, où la minorité anglophone jouissait d'une prééminence économique et politique due à des assises exogènes au Québec, que ce soit au Canada anglais, en Angleterre ou aux États-Unis, et où la majorité francophone était laissée à elle-même, sans lien valable et soutenu avec la francophonie qui aurait pu appuyer au moins son développement culturel, à l'exception toutefois des liens de l'Église québécoise avec la catholicité universelle, notamment française et belge.

C'est pourquoi, lorsque le dynamisme anglo-saxon a commencé à s'étendre aux loisirs, tant dans leurs dimensions sociales que culturelles, le groupe francophone a dû trouver en lui-même ce que nous appelons «un dynamisme de réaction».

Cette réaction a eu un volet doctrinal, comme nous l'avons vu, en la «dichotomisation» des loisirs eux-mêmes, c'est-à-dire en les faisant passer un par un sous le regard de l'apologétique et de la casuistique propres à la morale catholique. Elle a eu une deuxième volet résidant dans le fait de monter des organisations et de construire des institutions en loisir qui acceptent comme postulat de base d'opérer selon les balises doctrinales fixées par l'église et dont les efforts additionnés se présentent comme la réponse chrétienne à des loisirs d'inspiration étrangère au groupe francophone et jugés païens, matérialistes et amoraux. Comme l'église avait le contrôle à peu près entier, directement ou indirectement, du loisir organisé non commercial avant 1960, c'est de ses oeuvres que sont sortis les premiers personnels directement affectés au développement social du loisir au Québec. C'est ce que nous allons maintenant analyser.[45]

a) **Le personnel des Patros** — La formule de patros a été, nous l'avons vu, implantée au Québec, par la Congrégation de St-Vincent-De-Paul, communauté religieuse régulière. Cette communauté, tout en cherchant à adapter cette formule d'oeuvre au Québec, demeurait en état de lien étroit avec ses sources européennes, notamment françaises et belges, pour ce qui est non seulement de l'organisation de cette nouvelle institution, mais aussi pour tout ce qui concerne son fonctionnement et son personnel, son esprit, sa mentalité et ses techniques. Ceci explique qu'une abondante littérature européenne, notamment celle de la Fédération Nationale des Patros de Belgique, ait circulé largement au Québec, ait reçu une large audience et ait fortement inspiré les textes québécois traitant du même sujet.

Que ce soit en effet dans les pays européens mentionnés ou au Québec, le patro était conçu comme une maison de jeunes qui poursuivait un objectif central d'éducation chrétienne, de formation civique et morale complémentaire à l'instruction dispensée dans les divers milieux scolaires. Cette éducation était réalisée au moyen de la création institutionnelle d'un milieu de vie propice à l'encadrement religieux de la jeunesse, milieu de vie à la fois sérieux et attrayant, amical et joyeux, à l'intérieur duquel les activités de loisir avaient ce caractère instrumental particulier d'être les outils actifs de réalisation des objectifs de l'oeuvre. Cette conception du rôle du loisir organisé comme médiation particulière au service d'un projet éducatif coïncidait parfaitement avec la vision du loisir qu'avait le clergé québécois pour qui, selon Mgr Laurent Morin, . . . «le loisir ne doit pas être une fin en soi».

> «Seul, continue ce même auteur, un épanouissement harmonieux de toutes les facultés de l'homme constitue le vrai but de la vie humaine . . .
> . . . c'est donc dans le sens d'institutions culturelles et religieuses que doit avant tout s'orienter l'organisation des loisirs».[46]

Donc, le fait que les loisirs prennent les formes de jeux, de sports, d'activités sociales ou artistiques, de spectacles, etc., importait moins que l'esprit, les valeurs et les finalités éducatives que ces activités pouvaient permettre d'actualiser. Le personnel des Patros était donc convié à considérer sa fonction éducative, comme prioritaire et antérieure à toute forme d'organisation ou d'animation des loisirs. Cela était tout à fait manifeste dans le portrait que traçait l'abbé Mauquois d'un dirigeant ou d'une dirigeante de patro: l'énumération suivante des qualités attendues, tant chrétiennes qu'humaines en font foi.[47]

Selon lui, ce dirigeant devait être un éducateur par vocation qui réalise une oeuvre d'amour et de foi. Il devait «être une valeur dans l'ordre spirituel» et posséder l'esprit d'humilité, de sacrifice et de pureté. L'oeuvre d'éducation qu'il poursuivait exigeait qu'il sache faire prier, initier les jeunes à la vie sacramentelle, les former à l'esprit de mortification, d'obéissance, à l'apostolat, tout en se posant lui-même comme modèle en ces matières. Il devait aussi «être une valeur dans l'ordre humain» et posséder entre autres les qualités suivantes: bonté, distinction, politesse, serviabilité, sincérité, respect de l'autorité, bonne volonté, etc., et savoir les transmettre. Il devait éviter l'égoïsme, le manque de charité, la routine, l'impatience, l'excès d'autorité, la précipitation, le découragement, etc.

Il devait savoir donner des avis, présenter des mots d'ordre, communiquer sa jovialité, former le coeur des jeunes, en un mot agir dans le sens de la parabole évangélique du Semeur de la parole divine, les qualités humaines étant vues comme la version profane des qualités spirituelles.

Il va de soi qu'un tel portrait du dirigeant de Patro convenait parfaitement à des religieux, c'est-à-dire à des personnes ayant décidé de consacrer leur vie à l'apostolat chrétien. Et de fait, les premiers personnels à s'occuper à plein temps du développement des loisirs au Québec ont été des religieux utilisant les formes concrètes de loisir comme instruments prosélytiques et les imprégnant d'une religiosité conforme aux valeurs chrétiennes. Les formes de loisir les plus fréquemment utilisées étaient la gymnastique et les activités sportives, les jeux, les chants, les contes, les soirées sociales, les feux de joie..., éléments qui ont donné naissance à une abondante littérature sur les techniques dites «patronagiales».[48] et amené les Patros du Québec à se doter d'un service documentaire dès 1936, à partir de la librairie du scholasticat de la communauté.

Dans cette perspective, la formation dispensée aux dirigeants de patros, aux moniteurs et instructeurs d'activités, faisait partie intégrante de la formation religieuse et générale que la Congrégation de St-Vincent-de-Paul procurait à ses membres. Ces derniers, à leur tour, répercutaient cette même formation sur le personnel laïc que recrutait chaque patro selon ses besoins. Ce personnel laïc était choisi pour ses qualités et ses aptitudes de même que pour sa conformité exemplaire à l'idéologie religieuse orthodoxe.

Et, comme cela va de soi, la Congrégation se servait de ses propres institutions pour le recrutement de ses membres. Il était d'ailleurs demandé aux dirigeants de patros d'organiser régulièrement des prières pour demander «avec insistance des vocations religieuses et sacerdotales pour assurer la relève dans leur patro».[49]

C'est sur cette toile de fond extrêmement prosélytique que le loisir organisé sans but lucratif au Québec a vu apparaître ses premiers personnels permanents. La direction des patros était directement assumée par les prêtres et religieux de St-Vincent-de-Paul. Ceux-ci avaient donc l'autorité première dans l'organisation interne de l'oeuvre et dans la distribution des rôles et fonctions du personnel. Chaque type d'activité était structuré selon ses caractéristiques particulières et placé sous la direction d'un moniteur général, lequel était secondé par un moniteur adjoint, lequel à son tour confiait des tâches à une série de sous-moniteurs et ainsi de suite.[50] La Centrale des patros importait d'Europe, et en particulier de Belgique toute la littérature technique concernant les modes de fondation et de fonctionnement des patros,[51] ainsi que les textes décrivant les rôles et fonctions des dirigeants et dirigeantes de Patros.[52]

De plus, pour appuyer ou compléter la formation de son personnel, la Congrégation n'hésita pas à envoyer ses membres suivre des cours universitaires, notamment en éducation physique et en service social, aussitôt que ces programmes furent disponibles au Québec francophone.

En ce sens, on peut considérer à juste titre que les religieux de St-Vincent-de-Paul ont été les pionniers d'une prise en charge du loisir organisé par un personnel soucieux de sa compétence et de sa formation. Il s'agissait bien sûr avant tout d'oeuvres à caractère éducatif et prosélytique, mais qui avaient aussi un grand souci de l'organisation fonctionnelle, de l'animatiion communautaire des milieux de vie et qui se préoccupaient de très près des dimensions techniques propres aux pratiques de loisirs elles-mêmes. En fait, ces religieux ont été les précurseurs lointains des travailleurs en loisir contemporains. Cependant, leurs méthodes et techniques n'ont pas eu tout l'écho et l'effet d'entraînement qu'elles auraient pu avoir en dehors de leurs propres oeuvres. Cela peut être en partie expliqué par le cloisonnement relatif qui caractérisait d'une part les oeuvres du clergé régulier face à celles du clergé séculier au Québec, d'autre part les différentes communautés du clergé régulier entre elles, chacune ayant ses propres règles et une vocation particulière. Par delà une grande unité doctrinale, c'est un fait historique certain, qu'en matière de loisirs, le clergé québécois a été très lent à mettre sur pied une structure de coordination de l'ensemble de ses oeuvres.

b) **Le personnel des camps et colonies de vacances** — Après les patros, les camps et colonies de vacances ont été les plus anciennes oeuvres cléricales de loisirs organisés au Québec.

Les premières colonies de vacances virent le jour dans les années 1910. Elles partageaient la même perspective éducative qui était celle du clergé face aux loisirs en général:

«Les loisirs, disait le Père Gonzalve Poulin, ne peuvent être uniquement récréatifs. Au contraire, leur but ultime doit être éducatif. Ils doivent élever le niveau intellectuel du peuple et sa moralité».[53]

Elles s'adressaient en priorité aux enfants de milieux urbains défavorisés, tout comme les patros et visaient à la fois des objectifs de restauration de la santé et de complément d'éducation. Elles se proposaient d'extraire ces enfants à l'oisiveté urbaine qui pouvaient pendant les vacances estivales leur faire prendre un penchant vers la délinquance, la criminalité et le vice. Outre les colonies de vacances qui se situaient dans le prolongement des patros et étaient dirigées par les religieux de St-Vincent-de-Paul, d'autres furent mises sur pied dès 1912 à l'initiative de professeurs du grand séminaire de théologie de Montréal.

Ces professeurs recrutèrent leur personnel parmi les séminaristes qui virent dans la colonie de vacances un excellent lieu d'expérimentation de leurs futures tâches pastorales et qui s'y adonnèrent avec enthousiasme, selon M.E. Gouin, P.S.S., ... «sans autre rétribution que la pension».[54] Ces séminaristes avaient le statut de «surveillants» et de «grands frères» par rapport aux enfants, la colonie de vacances se proposant de coller le plus près possible au modèle de l'organisation familiale.

Les séminaristes accompagnaient les enfants pendant leur séjour, dirigeaient les activités, les corrigeaient au besoin, enfin remplissaient, selon le même auteur,... «auprès d'eux le rôle de la Providence».

Ce modèle d'oeuvre était inspiré des oeuvres catholiques de France:

«Ce sont de grands séminaristes, continue M.E. Gouin, P.S.S., qui ont fait le succès des oeuvres catholiques de vacances en France, et dans plusieurs diocèses, là-bas, le séjour à la colonie fait partie du programme de vacances d'un séminariste zélé, avec l'approbation du directeur naturellement».[55]

Le programme des activités des premières colonies de vacances était relativement simple. Il s'agissait d'utiliser au mieux le milieu naturel ambiant en organisant des jeux, des excursions, des baignades, des chants, des feux de joie à la veillée, etc., le tout sous une surveillance constante dans un encadrement éducatif et religieux permettant de faire passer dans les moeurs des enfants les valeurs humaines, civiques et morales jugées souhaitables. Ce travail ne requérait pas de formation très spécialisée pour ce qui est des techniques de loisir utilisées et pouvait être exécuté assez facilement en utilisant les dons et talents naturels des séminaristes. Il suffisait au début de quelques rencontres du directeur de la colonie avec ses séminaristes pour définir les rôles, tâches et attributions des membres de son personnel, le tout se réalisant dans un climat commun de dévouement et d'apostolat.

À partir des séminaires, la formule des camps et colonies de vacances se répandit graduellement au niveau des diocèses qui se dotèrent d'une structure double de camps, l'une s'adressant aux garçons, l'autre aux filles. L'ampleur et la durée des camps et colonies eurent par contre rapidement l'effet d'épuiser le personnel des séminaristes comme ressources humaines et il fallut élargir la base de recrutement du personnel. Le clergé alla alors puiser dans les «valeurs sûres» des collèges classiques masculins et féminins, notamment parmi les militants et militantes de l'Action Catholique, ainsi que parmi les postulants et postulantes des noviciats et couvents des diverses communautés religieuses. Il se gardait toutefois la décision ultime en ce qui concernait l'organisation et le fonctionnement d'un camp ou d'une colonie, mais confiait les tâches concrètes d'exécution à un personnel qui lui était dévoué.

Il est à noter que le réseau des camps et colonies de vacances n'a jamais été une structure de loisir fermée ou repliée sur elle-même. Cela lui a permis de bénéficier d'échanges, tant au niveau du personnel qu'à celui des techniques, avec les autres oeuvres cléricales en loisir telles les O.T.J. et la C.O.P., et de leurs stages de formation des moniteurs et monitrices. Il a aussi pu bénéficier de l'expérience en matière de camps des mouvements de jeunesse, tels le scoutisme et le guidisme, l'Action Catholique, les Cercles de jeunes naturalistes, etc. De plus, il est resté étroitement en contact avec la littérature pédagogique française,[56] qui est particulièrement abondante au sujet des colonies de vacances.

Globalement, la formule des camps et colonies de vacances était une entreprise d'éducation, de moralisation et de christianisation s'adressant aux jeunes qui au regard de l'Église vivaient dans le milieu le plus dangereux pour leur développement humain et chrétien, le milieu urbain pauvre. C'était donc une oeuvre de jeunesse visant un secteur de la vie sociale présentant des difficultés particulières pour la réalisation de son projet social chrétien, projet qu'avait déjà défini pour les oeuvres de jeunesse catholiques françaises l'abbé J. Timon-David au XIXᵉ siècle et dont une réédition de l'oeuvre en 1930 fut largement diffusée au Québec:

> «Cette oeuvre, disait-il, en formant des chrétiens, aura, dans son rayon, fermé les rangs aux armées du communisme et de tous les matérialismes. Elle aura préparé aux patrons des ouvriers et des employés consciencieux; à la famille des chefs dévoués à tous leurs devoirs; à l'état des citoyens soumis; à la patrie des soldats valeureux; à l'Église de fervents religieux et de saints prêtres».[57]

C'était à n'en pas douter, tout un programme pour les premiers travailleurs en loisir. C'était par ailleurs ainsi que la question des loisirs prit une relative importance sociale au Québec en étant associée à la vision de l'Église sur la destinée humaine et sur les moyens concrets d'y parvenir. Et c'est à la réalisation de ces finalités que le personnel devait viser, les activités de loisirs elles-mêmes n'ayant de valeur qu'instrumentale.

c) **Le personnel des O.T.J. et de la C.O.P.** — Comme nous l'avons mentionné à la première partie de ce texte, les O.T.J. et leur regroupement dans la C.O.P. ont été l'entreprise cléricale d'intervention en loisir la plus considérable quantitativement. Ces oeuvres ont aussi une grande importance historique parce que ce furent elles qui jetèrent les bases du loisir organisé au plan local, bases qui demeureront même lorsque l'influence institutionnelle de l'Église en loisir périclitera au début de la révolution tranquille. La C.O.P., pour sa part, joua aussi un rôle historique majeur en étant appelée à devenir le premier lieu de regroupement de la vie associative propre au loisir au Québec. C'est aussi à son niveau que furent exercées les plus grandes pressions pour que les pouvoirs publics investissent de leurs ressources dans le développement social du loisir. Enfin, c'est elle qui consacra le plus d'énergie à la formation du personnel en loisir et qui réclama le plus fortement l'intervention des universités québécoises dans cette formation.

Cependant, les origines des O.T.J. furent des plus modestes. Comme les autres oeuvres cléricales, elles commencèrent par des tâtonnements et des expériences pilotes qui en ce cas, durèrent une bonne dizaine d'années après la fondation d'une première O.T.J. par l'abbé Ferland, en 1929. Le Cardinal Villeneuve reconnaîtra cette oeuvre en 1932 comme partie intégrante de l'Action Catholique et approuvera en 1935 ses statuts et règlements. Cette même année, l'oeuvre obtint son incorporation civile[58] et comptait 4 terrains de jeux.

Son personnel était composé comme suit:

A) Personnel religieux:

    1 prêtre directeur,
    8 séminaristes,
    2 frères de St-Vincent-de-Paul,
    2 frères des Écoles Chrétiennes

B) Personnel laïque:

    1- Filles:

        5 directrices,
        1 infirmière,
        4 professeurs,
        100 gardiennes.

    2- Garçons:

        7 constables spéciaux,
        2 professeurs,
        1 chef de service,
        100 gardiens.[59]

En 1942, la composition du personnel aura évolué pour prendre la forme suivante:

1- L'évêque: autorité première.

2- Aumônier fédéral: nommé par l'évêque et responsable à plein temps de l'ensemble des O.T.J.

3- Aumônier local: prêtre ou séminariste affecté à chaque O.T.J. dont il a la responsabilité spirituelle et morale à titre de directeur ecclésiastique.

4- Directeur et directrice techniques: jeunes âgés de 18 à 20 ans affectés à chaque O.T.J., choisis pour leur «grand esprit surnaturel et un profond sens chrétien» et assumant la responsabilité technique du terrain.

5- Chef et cheftaine ainsi que sous-chef et sous-cheftaine: jeunes qui dirigent le travail des gardiens et gardiennes et contrôlent la distribution du matériel nécessaire aux activités.

6- Gardiens: enfants participant à l'O.T.J. à qui on attribue des fonctions techniques ou de surveillance selon les besoins du terrain.[60]

Ce mode de distribution des tâches et fonctions se répandit avec quelques variantes selon les milieux et leur ampleur dans l'ensemble du Québec. Comme dans ses autres oeuvres, l'Église, selon son modèle hiérarchique, se réservait l'autorité en ce qui concerne l'orientation générale des O.T.J. ainsi que leur fonction d'éducation morale et chrétienne. Les tâches d'exécution, lorsque le personnel religieux ne suffisait plus, étaient confiées à des laïcs (hommes et femmes) reconnus pour leur moralité et leur sens chrétien. De plus, ces laïcs étaient largement bénévoles: le père W. Gariépy, S.J., mentionnait, tout en déplorant le fait que les O.T.J. ne puissent mieux les rétribuer, que les directeurs de terrains de jeux en 1943 à Québec recevaient entre $75. et $100. «pour la saison» et leurs assistants $50. À Trois-Rivières, le moniteur recevait $9. par semaine et les adjoints $6.; chez les monitrices, les chiffres correspondants étaient $8. et $6. Malgré cela, il jugeait essentiel que les responsables d'O.T.J. soient bien formés. «La valeur d'un terrain de jeu, disait-il, se mesure à la valeur de ceux qui le dirigent».[61]

Jusqu'aux années 1942-43, c'était l'aumônier fédéral nommé par l'évêque du diocèse qui était responsable de la formation de son personnel.

Avant l'ouverture des terrains de jeux, il organisait des rencontres avec les directeurs ecclésiastiques de chaque terrain de jeux sous sa juridiction et leur donnait des «causeries pédagogiques» et des explications sur «le programme des vacances». Il adoptait avec eux des lignes de conduite en ce qui concerne «la formation des gardiens et gardiennes, moniteurs et monitrices».[62] Dès ces années, la préoccupation de la formation devint pressante au point que sans attendre la création de la C.O.P. elle-même, à l'initiative du diocèse de St-Jean de Québec, «les premiers cours pour moniteurs débutèrent à St-Jean en 1944».[63] Cette initiative allait avoir des suites et le même diocèse allait l'instituer en 1948 sous le nom de «L'École inter-diocésaine de formation des moniteurs et monitrices», au service des O.T.J., et l'affilier à la C.O.P. D'autres écoles analogues virent le jour dans d'autres régions du Québec, en utilisant sensiblement le même modèle.

Ce modèle résidait en une formule intensive de stages d'une semaine comportant une série de quarante leçons, théoriques et pratiques, et suivie d'examens écrits et oraux permettant d'obtenir un diplôme avec la mention méritée, lequel diplôme était bien sûr entériné par la C.O.P.[64] Cette formule d'écoles interdiocésaines opéra pendant plus de 15 ans. Les enseignements dispensés comportaient des cours généraux sur la situation du loisir dans la société contemporaine, sur les O.T.J., leur origine, leur idéologie, leur organisation administrative et financière et leurs techniques de fonctionnement.

Un autre bloc de cours concernait la psychologie des enfants et des adolescents, garçons et filles, ainsi que l'étude psychologique du comportement des moniteurs et monitrices. Le dernier bloc était composé de cours dits «spécialisés» et couvrait des techniques d'activités telles que jeux, hébertisme, gymnastique, natation, chant, folklore, jeux dramatiques, etc., le tout étant couronné de quelques cours sur la façon d'entretenir la vie spirituelle et morale du terrain de jeux.

Les moniteurs et monitrices qui suivaient ces cours étaient destinés à prendre la direction technique et la responsabilité concrète des O.T.J. sous la direction du personnel clérical dont nous avons parlé. Ces postes très modeste-

ment rémunérés au début et tout imprégnés de prosélytisme acquirent graduellement des dimensions plus techniques et furent mieux rétribués. Ils commencèrent dès la fin des années 1940 à constituer un emploi saisonnier pour les
étudiants dont la personnalité et les qualités morales trouvaient grâce face aux
critères des autorités ecclésiastiques. Par ailleurs, les moniteurs et les instructeurs qui avaient acquis une formation technique pouvaient par la suite débor-
der du strict cadre des O.T.J. pour oeuvrer au sein des loisirs paroissiaux et
municipaux un peu plus tard.

Il n'existe pas de chiffres précis à ce sujet, mais on peut estimer sans
aucun risque que plusieurs milliers de jeunes québécois et québécoises ont
passé par les écoles de formation de la C.O.P. et de ses organismes membres et
que certains d'entre eux ou elles y ont pris le départ d'une ouverture et d'une
formation qui les a conduits vers des carrières de travailleurs en loisir, ces
carrières pouvant être de l'ordre de la gestion, de l'administration, de l'animation des services en loisir ou encore de l'instruction aux techniques de loisir.

Le développement rapide des loisirs paroissiaux et des fédérations diocésaines de loisir après la dernière guerre mondiale a fait que le personnel laïc des
oeuvres cléricales a rapidement dépassé en nombre et en niveau d'expertise le
personnel clérical. Ce dernier a quand même réussi à maintenir sa préséance
idéologique et son autorité jusqu'aux débuts de la révolution tranquille. C'est
en loisir, comme en éducation ou dans le domaine de la santé, une particularité
de l'histoire récente du Québec que le fait que ce soit l'Église qui a largement
contribué à former les personnels qui prendront sa relève losqu'au début des
années 1960, elle perdra le contrôle institutionnel de ces lieux de l'action
sociale.

Vers la fin de la période que nous étudions, à savoir en 1959, la C.O.P.
regroupait 9 écoles diocésaines de formation de moniteurs et monitrices et un
camp-école provincial pour former des instructeurs en natation à l'intention des
O.T.J.[65] De plus, elle négociait des ententes avec les universités pour les
impliquer dans ses activités au niveau de leurs ressources humaines. On peut
reconnaître un mérite historique à la C.O.P. comme fer de lance des oeuvres
cléricales en loisir d'avoir fortement posé le problème de la formation et d'y
avoir apporté des réponses à sa façon. Elle a formulé un problème que la
révolution tranquille ne pourra esquiver lorsque les pouvoirs publics seront
appelés à prendre la relève des oeuvres cléricales. Celles-ci avaient atteint un
nombre et un degré de développement tels que le problème ne pouvait pas être
ignoré. Nous n'avons pu trouver de chiffres précis sur l'ampleur des oeuvres
cléricales mais le Comité d'étude sur les loisirs, l'éducation physique et les
sports (le rapport Bélisle du nom de son président) les estimait en 1964 de la
façon suivante:

— Nombre d'O.T.J. = 1,000.

— Nombre de services paroissiaux de loisir = 500.

— Nombre de centres de loisir = 125.

— Nombre de camps ou colonies de vacances = 200.

— Nombre de Patros = 17.[66]

Il était donc historiquement inévitable que le volume et l'ampleur de ces organisations posent l'exigence d'un personnel permanent et rémunéré de la meilleure compétence possible, ce qui eut pour effet d'entraîner une re-définition et une re-distribution du pouvoir décisionnel au sein de ces organisations, ce nouveau personnel étant appelé à y instaurer des rapports de type différent.

d) **Le personnel des mouvements de jeunesse** — La question du personnel chez les mouvements de jeunesse avant 1960 se pose en des termes différents des oeuvres cléricales dont nous avons traité précédemment. D'une part, ces organismes ne visaient pas l'ensemble de la communauté, mais un segment limité de la population; ils avaient donc une clientèle privilégiée. D'autre part, ils avaient des objectifs spécifiques centrés sur un champ d'action précis dont voici quelques exemples:

— Étude et conservation de la nature: cercles de jeunes naturalistes et clubs 4H;

— Activité de plein-air: auberges de jeunesse, scoutisme, etc.;

— Cinéma: ciné-clubs;

— Folklore: troupes de danse, chant choral, etc.;

— Musique: jeunesses musicales, corps de majorettes et clairons, cadets, troupes de chant, etc.

Le Rapport du Comité d'étude sur les loisirs, mentionné précédemment, estime que les mouvements de jeunesse, à l'exclusion des mouvements d'action catholique spécialisée (J.E.C., J.O.C., etc.), comptaient, en 1962-63, au moins 2,600 unités organisationnelles au Québec. Si on utilisait le chiffre tout à fait conservateur de 20 membres par unité, cela donnerait un total de plus de 50,000 jeunes québécois actifs dans les mouvements de jeunesse. C'est donc dire qu'une fraction non négligeable de la jeunesse était impliquée dans ces mouvements. De plus, cette jeunesse n'était pas la moins talentueuse car l'excellence des succès scolaires servait souvent de condition préalable à l'admission des jeunes, la participation aux mouvements ne devant pas «nuire aux études», expression à valeur d'adage à l'époque.

Ces mouvements, en plus de leurs objectifs spécifiques, se reconnaissaient une vocation d'action sociale éducative et, nous l'avons vu plus tôt, fonctionnaient en étroite relation avec le clergé tant séculier que régulier. Ce qui caractérisait leur personnel dirigeant était un bénévolat pratiquement général et le fait que chaque mouvement pratiquait l'auto-formation interne sans recourir à des services de formation comme ceux de la C.O.P., ceux-ci étant assez étroitement associés à la question des terrains de jeux. Le chef scout, par exemple, avait appris la mentalité et les techniques scoutes à l'intérieur de son mouvement en franchissant les étapes de la meute, de la troupe et du clan. Il en était ainsi analogiquement dans les autres mouvements, compte tenu des différences d'objectifs et de modes d'organisation. Les dirigeants de ces mouvements étaient généralement des étudiants(tes) en scolarité avancée ou des bénévoles (jeunes-adultes) fortement scolarisés qui s'occupaient d'un mouvement en marge de leurs activités professionnelles.

Les mouvements de jeunesse avaient donc peu de problèmes en ce qui concerne l'éducation de base de leur personnel. Ils n'avaient en réalité qu'à fournir le complément de formation qui convenait à l'atteinte de leurs objectifs ils pouvaient le faire par le truchement de leurs activités internes sous forme de rencontres, de réunions, de cercles d'étude, de stages, de sessions intensives, etc. Grâce à la protection et aux services du clergé, ils pouvaient fonctionner d'une façon assez autonome en tant qu'organisations, les facilités matérielles, telles que locaux de réunions, bureaux, etc., étant fournies par le clergé, les ressources financières provenant de leurs membres ou de leurs parents, de donateurs, ou d'activités internes au mouvement. N'ayant que peu ou pas de personnel à rémunérer, ces mouvements pouvaient développer une activité relativement importante avec des revenus tout à fait modestes.[67]

En puisant leurs ressources humaines dans ce que l'on pourrait appeler l'élite de la jeunesse, ces mouvements projetaient facilement une image de dynamisme et de «leadership». La plupart avaient comme objectif déclaré la formation des chefs et ils y ont réussi en bonne part. Il est fort fréquent aujourd'hui d'associer au Québec un personnage important de la vie économique, politique ou artistique avec un mouvement de jeunesse où il a oeuvré.

Pour ce qui est du personnel en loisir, il n'existe pas à notre connaissance de recherche émettant des données précises à partir de l'action propre des mouvements de jeunesse, mais on pourrait reconnaître comme tout à fait plausible et valable pour une recherche une hypothèse qui dirait qu'un nombre important des travailleurs en loisir des années 1950 et 1960, tant bénévoles que professionnels, ont oeuvré ou milité dans certains mouvements de jeunesse, ceux-ci ayant été le lieu et l'occasion de découverte du sens de l'action socio-éducative et socio-culturelle dans laquelle le loisir allait s'inscrire au cours de la révolution tranquille.

e) **Le personnel des centres de loisirs** — Les centres de loisirs, malgré leur diversité, leur niveau de développement et d'équipement très inégal, ont pour notre sujet une importance relativement grande parce qu'ils en sont venus à constituer un réseau physique d'institutions permanentes en loisir. Ce réseau se fédérera à la fin des années 1950 sous le nom de «l'Association canadienne des Centres de loisirs (A.C.C.L.)».[68] Fort d'une centaine d'établissements érigés avant la révolution tranquille, le réseau fut un des premiers milieux à requérir les services d'un important personnel rémunéré soit à plein temps, soit à temps partiel, s'ajoutant aux ressources du personnel volontaire.

Les besoins en personnel de ces centres, selon leurs dimensions, touchaient l'ensemble des fonctions qui allaient devenir le lot des professionnels des années 1960:

— Administration générale,
— Gestion des équipements et des ressources humaines,
— Programmation et coordination des activités,
— Information et publicité,
— Animation communautaire,
— Entraînement technique aux diverses pratiques de loisirs,
— etc.

Les centres de loisirs, à l'origine très liés aux oeuvres cléricales de loisirs, vont se détacher graduellement de cette tutelle idéologique par la combinaison de deux facteurs: d'une part par la technicisation croissante du travail que le personnel devait y accomplir; d'autre part par les besoins de financement qui excédèrent rapidement les stricts moyens cléricaux et les capacités d'auto-financement des centres par leurs activités. Ceci fit que certains durent recourir aux pouvoirs publics municipaux et gouvernementaux non seulement pour opérer, mais aussi pour survivre. Ce fait les amena à une forme mixte de financement. Au départ, l'assistance publique leur était fournie assez libéralement, sans contrainte ni contrôle, leur laissant une grande autonomie administrative et opérationnelle; mais, au fur et à mesure que ces subsides prirent de l'ampleur, proportionnellement apparut un droit de regard sur l'usage des deniers publics par ces organismes privés.

Pour ce qui concernait le personnel, les centres de loisirs furent un cas charnière parmi les différentes formes d'organisations cléricales du loisir. Le clergé qui y avait exercé au départ des fonctions de promotion et de direction générale, sera lentement relégué à des fonctions d'aumônerie et de direction spirituelle, laissant l'ensemble des tâches concrètes à du personnel laïc. À ce niveau, le volontariat laïc parvint lui aussi rapidement à ses limites en ce qui concernait sa disponibilité, sa permanence et sa compétence. Alors apparut la nécessité d'un personnel stable, efficace, et finalement salarié pour ses services.

Ces travailleurs souvent n'avaient que leur formation générale et l'expérience prise «sur le tas». Certains avaient un complément de formation issu des cours et stages donnés par la C.O.P. ou les mouvements de jeunesse, ainsi que la certification qui en découlait. Quelques-uns avaient fréquenté des programmes universitaires afférents aux loisirs et devenaient éducateurs, moniteurs, instructeurs, animateurs, etc., dans les centres de loisirs. Il s'agissait en général d'un personnel de compétence très inégale, à la formation bigarrée et quelque peu hybride, et qui envisageait encore ses rôles et fonctions dans une perspective largement prosélytique, même si des exigences de formation technique venaient se superposer au militantisme traditionnel. Il est à noter finalement que beaucoup de dirigeants et cadres du loisir organisé de la révolution tranquille ont fait les armes de leur carrière à l'intérieur des centres de loisirs.

f) **Les universités et la formation du personnel en loisir** — Pour ce qui concerne la formation proprement académique du personnel en loisir, nous limiterons nos considérations au secteur de la formation universitaire, après avoir traité rapidement des Écoles Normales, lieux de formation des enseignants et enseignantes de l'époque, mais aujourd'hui intégrés à l'université. Car, c'était en fait les seuls endroits de formation académique du personnel en loisir avant la révolution tranquille. La formation professionnelle de niveau collégial ne démarrera qu'à la fin des années 1960 dans 4 «cégeps» (Collèges d'enseignement général et professionnel) au Québec.

Les Écoles Normales avaient donc la responsabilité de la formation des instituteurs et institutrices de l'enseignement élémentaire et secondaire. Il est à noter que certaines communautés religieuses dispensaient une formation analogue dans leurs propres scolasticats et noviciats. Il serait très exagéré de dire que les Écoles Normales formaient un personnel spécialisé en loisir. Cependant, elles touchaient quelque peu aux loisirs en donnant une formation qui préparait les futurs enseignants à s'occuper non seulement des matières scolaires régulières, mais aussi de certaines matières para-académiques telles que, par exemple, les jeux, le dessin, la diction, le chant, l'histoire de l'art, la gymnastique, l'éducation physique et sportive (souvent associée à l'hygiène),[69] les arts ménagers traditionnels pour les filles, etc. Ces éléments de formation étaient tout de même considérés comme marginaux ou complémentaires dans les programmes généraux des Écoles Normales. Ils visaient surtout la prise en charge de la vie culturelle et récréative des écoles par les futurs enseignants. Par contre, comme les écoles catholiques avaient au niveau local des liens étroits avec les paroisses et les O.T.J. et partageaient la même confessionnalité et le même projet éducatif chrétien, il arrivait fréquemment que le personnel enseignant formé à certaines pratiques de loisir dans les Écoles Normales soit sollicité à oeuvrer en milieu extra-scolaire dans les organismes cléricaux de loisir et les mouvements de jeunesse. Car c'était pour le clergé une source de recrutement d'un personnel fiable.

Par contre, l'action des universités francophones québécoises a été beaucoup plus importante que celle des Écoles Normales dans le domaine de la formation de personnels appelés à intervenir directement et professionnelle-ment en loisir. Si l'on fait la synthèse de l'action de l'ensemble des universités, on peut la regrouper sous les trois rubriques suivantes: l'éducation physique et récréative, le service social de groupes et l'éducation populaire.

1- L'éducation physique et récréative — En cette matière, le milieu anglophone québécois avait précédé le milieu francophone. L'université McGill de Montréal, après plusieurs décades de stages et de cours d'été en éducation physique et sportive, établit en 1945 un programme de premier cycle universitaire (baccalauréat) en éducation physique. Cette institution fut suivie de près par l'université d'Ottawa qui, suite aux efforts du R.P.M. Montpetit en ce sens, se dota aussi d'un programme de premier cycle en éducation physique dont les enseignements pouvaient être suivis en français, en 1949. Une caracté-ristique de ce programme résidait dans le fait qu'il comportait des éléments de formation en «récréation», ce terme devant être compris au sens américain du terme. Ces éléments de «récréation» seront consolidés et deviendront en 1963 un programme autonome d'études de premier cycle récréologie, lequel pourra également être suivi en français.

L'université d'Ottawa sera imitée dans cette voie par l'université Laval de Québec qui, à partir de son École d'Orientation et de Pédagogie institua en 1953 un programme coiffé d'un diplôme d'éducation physique et récréative, initiative qui fut la source du développement considérable que connaîtra l'édu-cation physique dans cette université et qui se poursuit encore aujourd'hui. Cependant, l'aspect «récréation» dans ce programme ne reçut pas le même effort de promotion qu'à Ottawa et demeura secondaire, l'éducation physique et sportive s'orientant résolument dans une voie scientifique spécialisée et délaissant une approche globale du loisir. L'université de Montréal emboîta le pas, dès 1955, à partir de son École d'Hygiène, en mettant sur pied elle aussi un programme de premier cycle en éducation physique qui évolua sensiblement dans la même voie spécialisée que l'université Laval.

L'action conjuguée de ces différentes institutions universitaires fournit non seulement aux maisons d'enseignement un personnel doté d'une formation de calibre supérieur, mais aussi aux oeuvres paroissiales de loisirs, aux O.T.J., centres de loisirs, patros et aux premiers services municipaux de loisirs, dans les domaines de l'activité physique et sportive.[70] Les éducateurs physiques ont donc pu constituer très tôt un bloc de personnel en loisir pouvant prétendre au professionnalisme en se fondant sur la compétence conférée par une formation et une diplômation de niveau universitaire. De plus, ce personnel, majoritaire-ment laïc et disposant d'une formation technique plus élevée en général que les autres travailleurs en loisir, réussit rapidement à s'immiscer dans les postes de direction des services et organismes de loisirs et contribua considérablement à l'effort de rattrapage et de modernisation qui caractérisa le loisir au Québec au début de la révolution tranquille.

Par ailleurs, leur formation technique les incitait à valoriser les sports et les loisirs pour eux-mêmes et nòn plus seulement à la façon cléricale comme instrument d'encadrement social ordonné à des finalités spirituelles, ce qui, indirectement, les a amenés à apporter une contribution à la sécularisation des loisirs, l'attrait des pratiques de loisir elles-mêmes supplantant le vernis idéologique dont le clergé les avait recouvertes, ce fait étant à la source d'une nouvelle idéologie de type professionnel fondée sur la technique qui prendra un essor remarquable dès le tournant de la révolution tranquille. Cependant, comme leur formation avait tendance à se spécialiser autour des questions du sport et de l'activité physique, on peut aussi considérer que ces professionnels ont été pour une bonne part responsables du développement inégal que connaîtra le loisir au cours des années 1960, en utilisant les postes de direction qu'ils auront obtenus pour développer prioritairement les domaines du loisir où ils étaient spécialisés, ceci ayant pour effet de laisser en friche de larges pans du loisir faute de ressources.

2- Le service social de groupes — Une deuxième expérience de formation universitaire appliquée au loisir au Québec eut lieu dans le domaine du service social. Il faut se souvenir ici qu'à l'époque, la question du bien-être et du service social avait également le «statut d'oeuvre» cléricale. La profession de travailleur fut introduite dans la formation universitaire au Québec en 1940 à l'université de Montréal et à l'université Laval en 1943.[71] C'est dans cette dernière université que se fit une tentative d'opérationalisation de la profession dans le secteur des oeuvres de loisirs. L'École de service social de cette institution enseignait non seulement les méthodes américaines de «counseling» et de «case work» de type interactionnel entre le professionnel et son client, mais aussi les méthodes de thérapie et d'animation de groupes.[72]

La relation entre le service social et le loisir était comprise comme un échange d'oeuvre à oeuvre, le service social fournissant la méthode et le loisir le champ d'application, comme l'indique le texte suivant de Mlle S. Paré, M.S.S.:

«L'admission de spécialistes dans les cadres des centres paroissiaux, disait-elle, est de nature à renforcer l'influence apostolique que l'autorité paroissiale désire y exercer, en l'appuyant sur des techniques éprouvées. De même qu'on a su voir dans les méthodes du service social personnel, une technique de la charité, ainsi on ne saurait manquer de trouver, dans celles du service social des groupes et de l'organisation communautaire pour la récréation, une technique de l'apostolat...»[73]

Il s'agissait donc de mettre au service des oeuvres cléricales des techniques professionnelles qui en augmenteraient l'efficacité. Ces méthodes étaient mises à l'essai soit dans les organisations paroissiales de loisirs, soit dans des centres communautaires. L'université y envoyait ses étudiants y mener des expériences et des recherches qui ont donné lieu à la rédaction de plusieurs mémoires de maîtrises[74] et qui permettaient aux professeurs de perfectionner méthodologiquement les techniques professionnelles en les appliquant aux réalités québécoises.[75]

Par ce moyen, il se trouva donc un certain nombre de personnes qui firent carrière en loisir à partir d'une formation en service social. Le nombre de ces personnes fut par ailleurs relativement modeste si on le compare à celui des éducateurs physiques. Il n'existe malheureusement pas de chiffre précis à ce sujet à notre connaissance, mais il est un fait que plusieurs personnes ayant suivi ce profil de formation universitaire occupèrent des postes de premier plan dans le loisir organisé au Québec aux débuts de la révolution tranquille.

Cependant, la percée de cette profession en loisir fut quelque peu éphémère. L'école de service social fut agitée de crises d'orientation à partir de 1955 et le discours idéologique clérical perdit graduellement de son autorité et de sa puissance sur la profession, de telle sorte que les expériences tentées dans un contexte d'oeuvres furent presque sans lendemain. La question du loisir, sous une forme mineure, demeura cependant dans les préoccupations de l'école, mais plutôt au sens américain de récréation thérapeutique que de lieu d'application de techniques professionnelles à des fins prosélytiques.

3- L'éducation populaire — Une troisième intervention universitaire en loisir avant 1960 eut lieu elle aussi à l'université Laval. En 1944, cette institution mit sur pied un service intitulé «Service Extérieur d'Éducation Sociale», organisme d'éducation populaire (ou permanente) chargé d'établir des liens entre son *École des Sciences Sociales, Économiques et Politiques* et le grand public. Ce service, avec l'appui financier du *Service de l'aide à la jeunesse* du gouvernement du Québec et la participation de la C.O.P. nouvellement créée, dispensera à partir de 1947 des cours de formation pour moniteurs d'O.T.J. et de centres de loisirs.

Pendant toute la durée de son existence, il s'intéressa à la formation des chefs, à la culture populaire et à l'animation sociale. Il publia des *Bulletins d'éducation populaire,* à partir de ses enseignements, dont l'un constitue pour l'époque un véritable traité d'organisation des centres de loisirs.[76] Il utilisa les formules de stages, de camps, de voyages éducatifs, de cours du soir et d'été, de sessions intensives, etc. Il opéra avec des méthodes suffisamment dynamiques et novatrices pour l'époque pour qu'un étudiant en service social décide d'en faire un objet de recherche et un sujet de thèse,[77] après seulement quelques années d'existence.

En 1951, dans le but d'amplifier son mandat et la diversité de son champ d'action, l'université Laval le remplaça par un nouvel organisme nommé *Centre de Culture populaire* en lui ouvrant les champs de l'activité physique et de la récréation, de l'éducation cinématographique et artistique, etc. L'université lui fit consolider ensuite ses enseignements en les lui faisant dispenser conjointement avec son *École de Pédagogie et d'orientation* en 1953. Cette structure d'enseignement toucha des milliers d'étudiants mais ne donnait pas accès à des diplômes universitaires reconnus, sauf pour l'éducation physique dont nous avons parlé. Elle émettait cependant des reconnaissances de cours et de stages suivis avec mention des résultats obtenus. Elle constituait un lieu d'éducation permanente ouvert à tous ceux qu'un perfectionnement sur les sujets traités intéressait.

Il n'y a pas de doute que, vu ses liens avec la C.O.P., un grand nombre de personnes, tant bénévoles que rémunérées, des organismes de loisirs de l'époque ont largement puisé à cette source de formation, mais que nous ne pouvons malheureusement pas quantifier.

g) **Les institutions publiques et leur personnel en loisir** — Avant 1960, le gouvernement du Québec et le gouvernement fédéral ne disposaient d'aucune politique structurée ni d'aucune organisation (bureau, service ou ministère) chargée de traiter du loisir. Comme nous l'avons vu en première partie, cette absence ou ce vide institutionnel et l'éparpillement (voire l'incohérence) des actions de ces deux niveaux de gouvernement n'ont pas permis la naissance et le développement d'une fonction publique en loisir. Celle-ci a été essentiellement bâtie au cours des vingt dernières années. Les actions en loisir de ces deux gouvernements se faisaient à la pièce par des fonctionnaires d'ailleurs souvent victimes de pressions politiques et de patronnage discrétionnaire et qui traitaient des dossiers en loisir à travers d'autres attributions de tâches.

C'est donc au niveau des institutions publiques municipales qu'il faut aller chercher l'embryon de développement de personnel en loisir oeuvrant au niveau public. Mais même là, les développements furent très lents, si l'on fait exception pour les deux plus grandes villes, à savoir Montréal et Québec qui se dotèrent de services de parcs et de récréation dès les années 1940, services qui étaient souvent d'ailleurs des divisions de d'autres services. Par exemple, à Montréal, en 1943, le Surintendant des parcs et de la récréation, M. G. Mentha, était rattaché au Département des travaux publics.[78] Le rapport du comité d'études sur les loisirs (rapport Bélisle) mentionne en 1964 qu'une trentaine de municipalités au Québec s'étaient dotées de services municipaux de loisirs, mais que la grande majorité de ces services se contente de «subventionner les oeuvres privées».

«Il semble, disait le rapport, que cette formule ait été très populaire jusqu'à ces derniers temps, et que les municipalités étaient très heureuses de ne pas s'engager trop loin en ce domaine».[79]

Par ailleurs, le même rapport note aussi que les municipalités n'ayant pas de service assistaient aussi les oeuvres privées et cite des chiffres publics à l'effet qu'un échantillon de 66 villes québécoises de 10 000 habitants et plus avaient dépensé en 1960-61 6,6% de leurs dépenses pour les services communautaires et récréatifs.[80] En fait, l'amplification du volume de l'intervention municipale sera largement causée par les pressions des oeuvres privées elles-mêmes:

> «L'époque des oeuvres, dit l'abbé Leblond en 1962, abandonnées à leur débrouillardise ou soutenues au petit bonheur par une politique trop souvent de compte-gouttes, à courte vue, sans vision sur l'avenir ou à rebours est à jamais révolue. Ces oeuvres, ces organismes privés ou publics, doivent être aidés davantage, mieux chevronnés, parfaitement synchronisés... Pour cela, il faut des secours plus sérieux, il faut des hommes et de l'argent».[81]

Les oeuvres cléricales de loisir étaient donc, au tournant des années 1960, selon le mot de R. Levasseur, en état de «demande d'état». Elles ne parvenaient plus à mener seules le combat contre les loisirs commercialisés, toujours jugés de qualité douteuse, et cherchaient une coalition avec les pouvoirs publics pour continuer la lutte. Le clergé constatait un mouvement croissant de désaffection du public face à ses oeuvres, un début d'éclatement du monolithisme des moeurs qu'il ne pouvait plus retenir, et la prospérité de l'époque aidant, un engouement marqué et croissant des Québécois francophones et catholiques pour la société de consommation en plein développement, ce qui à ses yeux remettait en cause son projet d'ordre social chrétien. De là venait l'utilité de s'allier plus étroitement aux pouvoirs publics, ceux-ci disposant de ressources humaines et financières qui pourraient renflouer les oeuvres cléricales.

Mais cet état d'osmose recherché entre le public et le privé fut rapidement contesté: au même congrès de la C.O.P. où parlait l'abbé Leblond, un représentant de la division de la récréation du Service des Parcs de la ville de Montréal, invité comme conférencier, M. J. De Laplante vint affirmer:

> «Un «service public» n'est pas une émanation directe des volontés librement exprimées dans la communauté, mais une émanation de ce que la science politique appelle la «volonté de l'État»...»

> «La différence entre un «service municipal de loisirs» et «un service diocésain ou paroissial de loisir», par exemple, sera donc fondamentale: Le premier dérive, nous l'avons dit, de la volonté de l'État, le second est entièrement déterminé par la volonté commune des participants...»[82]

Une déclaration de ce genre avait un effet de douche froide pour les projets cléricaux pour deux raisons: d'une part, elle prônait la séparation de l'Église et de l'État pour ce qui concerne le développement des loisirs; d'autre part, et conséquemment, elle annonçait implicitement que la municipalité comme puissance publique serait appelée à gérer les ressources matérielles et humaines et qu'elle s'impliquerait dans ce développement, tout en reconnaissant le droit à l'existence des oeuvres privées. Cela voulait dire aussi une mise en tutelle des oeuvres privées dans la mesure où elles ne sauraient se priver de l'assistance publique. C'est ce point de vue qui a historiquement prévalu. Les municipalités amplifieront leur propre intervention directe, des grandes villes vers les petites municipalités, développeront leurs propres personnels, et même en certains cas, les formeront par des cours, stages et sessions intensives. En peu d'années, après le début de la révolution tranquille, le milieu municipal deviendra le principal marché du travail pour le personnel professionnel en loisir au Québec.

Conclusion

Dans la conjoncture historique spécifique du Québec, il est aujourd'hui considéré normal de parler de professionnalisme en loisir.

Les enquêtes les plus récentes estiment à environ 6 000 le nombre de travailleurs gagnant leur vie dans la dispensation de services au sein du loisir organisé. C'est donc un fait que le loisir a engendré un secteur nouveau du marché du travail. Ce qui est caractéristique du Québec dans ce phénomène qui ne lui est pas propre comme société, c'est le contexte de résistance culturelle et de sauvegarde de son identité religieuse et nationale qui est à la base de la construction d'un ensemble institutionnel particulier et propre au développement des loisirs.

Jusqu'en 1960-65, c'est l'Église catholique avec l'ensemble de ses oeuvres qui a assumé le principal «leadership» dans ce développement, en opposition aux loisirs commerciaux qui étaient généralement promus avec une mentalité morale et culturelle étrangère au projet social chrétien. Cependant, dans le contexte de libéralisme économique et de prospérité économique qui a caractérisé le Québec d'après guerre, le rapport conflictuel est rapidement devenu inégal entre les loisirs cléricaux et les loisirs commerciaux, au profit de ces derniers. C'est alors que le clergé, pour soutenir ses oeuvres et poursuivre le combat, dut faire appel aux pouvoirs publics pour se doter de meilleures ressources financières, physiques et humaines.

Les pouvoirs publics, effectivement, répondirent à cet appel les enjoignant d'intervenir en matière de loisir. Mais, contrairement aux attentes du clergé, ils ne se contenteront pas de jouer un rôle subsidiaire; ils développeront des formes d'intervention directes qui auront pour effet d'enclencher un processus général de sécularisation du loisir organisé au Québec.

Car, contrairement à ce qu'en pense M. Jean-Pierre Augustin en 1981, dans un article intitulé «Vers une laïcisation des loisirs au Québec»,[83] la sécularisation des loisirs au Québec n'est pas chose à venir, elle est déjà inscrite dans son histoire.

En réalité, le loisir clérical, pas plus que l'éducation, la santé, le bien-être ou la culture ne résistera au souffle modernisateur et laïcisant de la révolution tranquille animé pour l'essentiel des réformes institutionnelles par l'action du gouvernement du Québec. En moins de 10 ans à partir de 1960, l'état québécois va se donner les outils gouvernementaux lui permettant de prendre le relai de l'Église dans plusieurs de ses chasses-gardées traditionnelles. Voici quelques dates significatives:

1961 — Création du ministère des Affaires culturelles (M.A.C.).

1964 — Création du ministère de l'Éducation (M.E.Q.).

1964 — Refonte de la loi des Cités et Villes leur octroyant un mandat très large d'action en loisir.

1965 — Création d'un bureau des sports et loisirs au ministère de l'Éducation.

1966 — Création du ministère des Affaires sociales (M.A.S.).

1968 — Création du Haut-Commissariat à la Jeunesse, aux Loisirs et aux Sports.

Parallèlement à ces actions gouvernementales, les O.T.J., dès la fin des années 1950, commencèrent à se doter d'incorporations civiles leur donnant une personnalité juridique distincte des paroisses.

La C.O.P. elle-même sécularisera son nom en 1965 en devenant la Confédération des loisirs du Québec (C.L.Q.). En 1967-68, les fédérations diocésaines de loisir en firent autant en devenant les Conseils Régionaux de Loisirs (C.R.L.). Durant ces mêmes années, la vie associative en loisir prenait un cssor considérable en dehors de l'influence du clergé et en adressant ses demandes au besoin directement à l'État. L'auteur cité précédemment, M. Augustin, parle d'un «réseau» de loisirs paroissiaux en 1981.[84] En réalité, ce réseau en tant que tel s'es effrité il y a 15 ans et les séquelles qui en ont demeuré sont depuis lors en demande de services d'assistance et de personnel face aux municipalités. Les oeuvres cléricales de loisir qui ont survécu tout en gardant leur autonomie au cours de la révolution tranquille n'ont plus qu'une importance marginale dans le tableau contemporain du loisir organisé au Québec. Cependant, le clergé, même s'il a perdu le contrôle institutionnel du développement du loisir, de la même façon qu'en d'autres domaines des religieux sont demeurés actifs à titre personnel par exemple en milieux éducatifs ou hospitaliers, a pu demeurer présent et influent dans nombre d'organisations en loisirs, notamment dans celles qu'il avait lui-même historiquement créées. La sécularisation du loisir est un fait largement acquis et, de toute évidence, irréversible.

Par ailleurs, l'entrée en scène des pouvoirs publics en loisirs entraîna un glissement idéologique bien anlysé par R. Levasseur.[85] Le loisir organisé cessa d'être perçu comme une oeuvre éducative et moralisante promue par un personnel prosélytique.

Il commença à être associé à la question des droits de l'homme que l'intervention publique doit assurer et concrétiser.[86] Le loisir, en devenant un droit du citoyen reconnu et développé en tant que tel, vit s'estomper rapidement la connotation religieuse que le clergé lui avait accollée. Le personnel en loisir vit alors son rôle et sa situation se modidier en profondeur: d'une part, il eut tendance à se concentrer dans les organismes de loisirs intégrés ou associés aux appareils de services des pouvoirs publics; d'autre part, les critères de compétence et de qualification de ce personnel mettront de plus en plus l'emphase sur sa formation technique et scientifique, et non plus seulement ou principalement sur ses qualités humaines, morales et religieuses. C'est dans cette voie que s'engagera le développement du professionnalisme en loisir au cours de la révolution tranquille.

NOTES ET RÉFÉRENCES

1. Le modèle et les attributs des professions libérales classiques ont servi et servent encore de cadre de référence à certaines tentatives de regroupement des professionnels en loisir au Québec à titre de modèle d'aspiration. Mais les professionnels sont eux-mêmes divisés sur les formes de regroupement ou d'association qui leur conviendraient le mieux.

2. LEVASSEUR, R., Les idéologies du loisir au Québec, 1945-1977, in *Idéologies au Canada français, 1940-1976,* Tome II, Québec, P.U.L., 1981, p. 138.

3. GUAY, D., *Le sport et la société canadienne au XIXe siècle,* coll. Temps libre no 1, Université Laval, Québec, 1977, p. 98.

4. Voir D. GUAY, *Ibidem,* p. 74-79.
    Il est à noter aussi que le clergé déconseillait fortement aux Canadiens français de participer aux centres et clubs sportifs gérés par des anglophones. Voir
    — LECONTE, R.P., S.J., la Y.M.C.A. (Young Man Christian Association) in *Relations,* no 20, 1920.
    — GAGNON, C., ptre, Les clubs sociaux neutres, ce qu'en pense la théologie, in *L'Oeuvre des Tracts,* no 75, Montréal, 1925.

5. Voir BOYER, M., *Le tourisme,* Paris, Éd. du Seuil, 1972.

6. DUFRESNE, S., *Les divertissements et la répression ultramontaine, au Québec, au XIXe siècle,* in Travaux et conférences, GRAP, U.Q.A.M., 1979, miméo., p. 239.

7. Voir DUFRESNE, S., et MONTPETIT, R., *Formes et fonctions du loisir public à Montréal au XIXe siècle,* in Actes du 1er colloque de recherche en loisir, ACFAS, Trois-Rivières, U.Q.T.R., 1977, cahier II, p. 48 sq.

8. MONTPETIT, R., Loisir public et société à Montréal au XIXe siècle, in *Loisir et Société,* Vol. 2, no 1, P.U.Q., 1979, p. 102.

9. Il s'agit des encycliques «*Vigilanti cura*» de Pie XI, en 1936, et de «*Miranda prorsus*» de Pie XII, en 1954.

10. Cf. 3 Geo. V, chap. 36.

11. Les attaques virulentes du clergé contre le cinéma américain jugé généralement mauvais nous sont conservées dans de nombreux textes dont les trois suivants, extraits de la revue cléricale mensuelle *L'Oeuvre des tracts.*
    — No 84, mai 1926, «Comment lutter contre le mauvais cinéma?» par Me Léo PELLAND.
    — No 91, janvier 1927, «Parents, sauvez vos enfants du cinéma meurtrier!» par le R.P. ARCHAMBEAULT, S.J.
    — No 236, février 1939, «Doit-on laisser les enfants entrer au cinéma?» par le Comité des oeuvres catholiques de Montréal.

12. LÉGER, P.E. Card, Le problème du cinéma, in *Nos Cours,* Institut Pie XI, Montréal, Vol. XV, no 26. 1954, p. 12.

13. DESROSIERS, J.-B., P.S.S., Avec ou sans mandat... L'Église et les loisirs, in *Nos Cours,* Montréal, Institue Pie XI, Vol. XVI, no 22, 1955, p. 17.

14. PRONOVOST, G., Les transformations de la problématique du loisir au Québec: hypothèses d'analyse, in *Loisir et Société,* Vol. 2, no 1, P.U.Q., 1979, p. 37-48.

15. DESROSIERS, J.-B., P.S.S., *Ibidem.*

16. L'auteur de cet article prépare un ouvrage d'ensemble sur *«L'Église et le loisir au Québec».*

17. ST-ARNAUD, F.-X., ptre, *Loisirs des jeunes,* in *La Jeunesse,* Semaines Sociales du Canada, École Sociale Populaire, 1946, p. 223.

18. Voir LEBLOND, A., *Guide du terrain de jeu,* Québec, Parc Victoria, 1947, p. 31-53.

19. Voir POULIN, G., O.F.M., *Éducation populaire et loisirs d'après-guerre,* Cahiers de l'école des sciences sociales politiques et économiques, Univ. Laval, Vol. 2, no 10, Éd. Cap Diamant, p. 32.

20. GARIÉPY, W., S.J., Loisirs chrétiens organisés, in *Relations,* no 52, avril 1945, p. 93.

21. LAFOREST, M., ptre, *Loisirs organisés: une nécessité,* plan de sermon, Archives de la C.O.P. (Confédération des oeuvres de loisirs de la province de Québec), 1960, p. 8.

22. La C.O.P., en 1958, sans changer de sigle, changera de nom pour devenir la Confédération des oeuvres de loisirs de la Province de Québec.

23. L'historien R. Jones mentionne que l'Église Catholique au Québec, en 1955, comptait 8 000 prêtres et près de 50 000 religieux et religieuses, ces derniers(res) oeuvrant principalement en éducation et en milieu hospitalier. L'Église que l'auteur qualifie de «triomphante» à l'époque, disposait de suffisamment de ressources humaines pour acepter que quelques centaines (voire quelques milliers) de ses religieux, à temps plein ou partiel, s'intéressent aux loisirs comme champ apostolique.
Réf. JONES, R., *Histoire du Québec,* Privat, Edisem, St-Hyacinthe, 1977, p. 477.

24. Voir THIBAULT A., ptre S.V., *Histoire de la congrégation de St-Vincent de Paul au Canada,* Archives de la Centrale des Patros, 1972, 109 pages.

25. GOUIN, E., P.S.S., *L'Oeuvre de vacances des Grèves,* Montréal, École Sociale Populaire, 916, p. 10.

26. Conférence Catholique Canadienne du Bien-être, *Rapport sur les oeuvres de plein air privées catholiques au Canada* (secteur français), annexe III au mémoire présenté à la Commission Royale d'enquête sur les problèmes constitutionnels, Montréal, 1954, p. 9-13.

27. Il existe une foule de textes et de documents sur l'idéologie et l'organisation des O.T.J. au Québec. Le lecteur qui voudrait scruter ce sujet pourra consulter les trois titres suivants qui sont pour ainsi dire les «classiques» en la matière:
— DION, G., *L'Oeuvre des terrains de jeux de Québec,* Les Éditions du Cap Diamant, Québec, 1943, 122 pages.
— SCHETAGNE, G., ptre, *Loisirs des jeunes, une expérience à Lachine,* Montréal, Éd. Fides, 1945, 170 pages.
— LEBLOND, A., ptre, *Guide du terrain de jeux,* op. cit.

28. Voir Panneton, abbé, Les dangers des vacances, in *L'oeuvre des tracts,* no 157, juillet 1932, 17 pages.

29. SCHETAGNE, G., ptre, À l'ombre du clocher, la paroisse et les loisirs, in *Nos Cours,* Montréal, Institut Pie XI, Vol. XVI, no 23, 1955.

30. Pour ce qui concerne les principes chrétiens défendus par l'Église à travers sa prise en charge du loisir au Québec, le lecteur consultera avec avantage le volume XVI de la Revue *Nos Cours*

année 1955, Institut Pie XI , Montréal, intitulé d'ailleurs «Loisirs et Principes Chrétiens» et réunissant de nombreux textes des penseurs chrétiens du loisir à l'époque, tant religieux que laïcs.

31. RYAN, C., L'Action Catholique et les loisirs, in *Nos Cours,* Montréal Institut Pie XI, Vol. XVI, no 23, 1955, p. 14.

32. DION, M.A., O.F.M., Scoutisme et Action Catholique, in *La revue dominicaine,* no 44, tome 2, 1938, p. 6.

33. Voir PARÉ, Mlle S., M.S.S., *Expériences de formation des chefs,* thèse de maîtrise présentée à l'École de Service Social, Université Laval, Québec, 1947, 113 pages.

34. Voir DE LA SABLONNIÈRE, Père M., S.J., *Expérience du Centre des loisirs de l'Immaculée Conception de Montréal,* 2e congrès de Caritas-Canada, commission loisirs, Québec, 1954, p. 191, sq.

35. ST-ARNAUD, abbé F.X., *Loisirs de jeunes,* op. cit. p. 211.

36. TREMBLAY, J.-P., ptre, Culture et loisir au Canada français, in *La revue de l'université d'Ottawa,* Vol. 19, 1949, p. 378.
    Note. L'abbé J.-P. TREMBLAY est aussi connu sous le nom de plume de Paul Médéric.

37. Voir LABELLE, L ., ptre, Responsabilités dans l'organisation chrétienne des loisirs, Qui est responsable?, in *Nos Cours,* Institut Pie XI, Montréal, Vol. XVI, no 22, 1955, p. 12-16.

38. STEVEN, Mgr. P., *Éléments de morale sociale,* Éd. Desclée et co., Paris, 1954, p. 482-4.

39. Voir MC FARLEN, E.M., *The development of public recreation in Canada,* Éd. Canadian parks and recreation association, 1970.

40. JONES, R., *op. cit.,* p. 480.

41. PRÉVOST, R., Contribution du gouvernement provincial aux loisirs dans le Québec, in *Caritas-Canada,* 6e congrès, commission loisirs, 1958, p. 235-249.

42. 7 George VI, chapitre 29.

43. 2-3 Élizabeth II, chapitre 61.

44. TOURAINE, A., *Les sociétés dépendantes,* Éd. Duculot, Paris-Gembloux, 1976, p. 56.

45. Pour les fins de ce texte, nous ne considérerons pas les loisirs commerciaux avant 1960 comme ayant engendré un type particulier de professionnalisme en loisir, parce que de toute évidence et selon les informations disponibles, la mise en marché de biens et services en loisir se réalisait selon les mêmes processus et les mêmes principes qui avaient cours dans l'ensemble du marché fonctionnant selon le modèle social capitaliste. L'intervention industrielle et commerciale en loisir ne représentait qu'une extension du marché général, même si elle se faisait avec des techniques très différentes: par exemple, l'industrie cinématographique fonctionnait selon le même «pattern» que l'industrie alimentaire, les techniques de production mises à part.

46. MORIN, L., Mgr, Véritable notion des loisirs, leur but, in *Nos Cours,* Montréal, Institut Pie XI, Vol. XVI, no 13, 1955, p. 18.

47. MAUQUOIS, J., *L'art d'être dirigeant de patro* et *L'art d'être dirigeante de patro,* Éd. F.N.P., Gilly, Belgique, 1960.

48. Voir PELLETIER, G., c.s.v., *Manuel de technique* (Jeunesse catholique des patros) *à l'usage des dirigeants et militants,* Québec, 1939, archives de la Centrale des patros, 120 p.

49. Anonyme, *Carnet des dirigeants,* non daté, Archives de la Centrale des patros, p. 17.

50. Un exemple de ce mode d'organisation est celui des groupes de gymnastique. En 1946, la Centrale des Patros a commencé à publier un périodique intitulé *Le Moniteur,* dont six numéros ont paru et qui se présentait comme «le bulletin gymnique des patros» (Réf. Archives de la Centrale des Patros). Ces six numéros constituaient un véritable traité technique de l'organisa-tion des corps de gymnastes.

51. Voir MAUQUOY, J., abbé. *Comment fonder un patro!* Éd. F.N.P., Belgique, 1946, 48 p.

52. Voir aux éditions F.N.P. à ce sujet les brochures intitulées *Le brevet du dirigeant* et *Le brevet de la dirigeante*. (Réf. Archives de la Centrale des Patros).

53. POULIN, G., O.F.M., *Éducation populaire et loisirs d'après guerre,* op. cit., p. 30.

54. Voir GOUIN, E., P.S.S., *L'oeuvre de vacances des Grèves,* op. cit., p. 34.

55. *Ibidem,* p. 35.

56. Voir notamment *La Colonie de Vacances,* collection publiée par les Centres d'entraînement aux méthodes d'éducation active, et principalement G. De FAILLY, *Le moniteur, la monitrice,* Paris, Éd. du Scarabée, 1957, 139 p.

57. *Méthode Timon-David pour la direction des oeuvres de jeunesse,* Édition nouvelle préparée par un de ses disciples (anonyme), Marseille, Éd. Publiroc, 1930, p. 5.

58. Voir: L'oeuvre des terrains de jeux, collab., in *L'oeuvre des Tracts,* no 200, 1936, p. 6.

59. *Ibidem,* p. 15.

60. Éléments extraits de DION, G., *L'oeuvre des terrains de jeux de Québec,* op. cit., p. 63-78.

61. GARIÉPY, W., Terrains de jeux aux États-Unis et dans le Québec, in *Relations,* no 30, 1945, p. 163-164.

62. DION, G., *op. cit.,* p. 64.

63. TURCOTTE, A., *Évaluation historique de la C.O.P.,* in Conférence Provinciale sur les loisirs, Trois-Rivières, 1963, archives de la C.O.P., p. 6.

64. Voir Coll., *Cours pour moniteurs et monitrices,* résumé des cours donnés à l'école interdiocésaine de formation pour moniteurs et monitrices, St-Jean-Sur-Richelieu, 1950, Archives de la C.O.P., 140 p.

65. Voir rapport de la 14e assemblée annuelle de la C.O.P., Sherbrooke, 1960, archives de la C.O.P., p. 49-54.

66. Rapport du Comité d'étude sur les loisirs, l'éducation physique et les sports (Rapport Bélisle), Ministère de la jeunesse, gouvernement du Québec, 1964, p. 30.

67. À la fin des années 1950 et au début des années 1960, certains mouvements de jeunesse commencèrent à obtenir des subventions du gouvernement du Québec pour la tenue de stages de formation de leurs chefs, cadres, dirigeants, moniteurs ou animateurs. Cette pratique s'amplifiera considérablement pour devenir pratique courante dans les années suivantes et sera un élément d'émancipation des mouvements de leur tutelle cléricale.

68. La mention «canadienne» dans le nom de cette association s'explique par deux raisons: premièrement l'association désirait regrouper les centres de loisirs des milieux francophones hors Québec; deuxièmement, elle voulait, d'une façon pragmatique analogue à celle des centres de loisirs anglo-protestants, profiter à l'occasion de la manne des subventions du gouvernement fédéral canadien, celui-ci n'hésitant pas à intervenir en loisir malgré les objections du clergé et du gouvernement du Québec.

69. GUAY, D., L'éducation physique dans les Écoles Normales, in *Éducation physique, Loisirs et Sports,* Vol. IV, no 4, 1968, p. 14.

70. Voir LANDRY, F., MONTPETIT, R.P.M., O.M.I., Physical education in French Canada, in *Physical Education in Canada,* Scarborough, Prentice-Hall of Canada, 1965, p. 185-192.

71. Pour l'histoire et l'évolution de la profession de travailleur social au Québec, voir ROUSSEAU, J., *Analyse de la représentation professionnelle,* thèse de doctorat en sociologie, Université Laval, 1979.

72. Voir PARÉ, S., M.S.S., *Groupes et service social,* Québec, P.U.L., 2e édition, 1956.

73. PARÉ, S., M.S.S., *Loisirs de la famille en dehors du foyer: Centres de loisirs,* in Caritas Canada, 3e congrès, 1955, Montréal, Commission loisirs, p. 385.

74. Voir, entre autres, PARÉ, L., ptre, VIDAL, R., *Service social et loisirs à la paroisse Saint-Coeur de Marie,* thèse de maîtrise en service social, Univ. Laval, 1955, 159 pages.

75. Voir PARÉ, S., M.S.S., La méthode de service social de groupes, in *La Revue Dominicaine,* Vol. 61, tome 2, 1955, p. 27-42.

76. Coll., Le Centre Social et récréatif, in *Bulletins d'éducation populaire,* Série: Loisirs, Service extérieur d'éducation sociale, Université Laval, 1949, 62 pages.

77 Laplante, P., *Au service de l'éducation populaire* (le service extérieur de l'Université Laval, Thèse de maîtrise, École de Service Social, Univ. Laval, 1948, 77 pages.

78. Voir Mc FARLEN, E.M., *op. cit.,* p. 24.

79. *Rapport du Comité d'étude sur l'éducation physique, les loisirs et les sports,* op. cit., p. 22-23.

80. *Ibidem,* p. 23.

81. LEBLOND, A., Déclaration d'ouverture du congrès de la C.O.P. sur le thème «*Le comité paroissial de loisirs et la municipalité*», Montréal, 1962, archives de la C.O.P., p. 12-13.

82. DE LAPLANTE, J., *Ibidem,* p. 84-85.

83. AUGUSTIN, J.-P., Vers une laïcisation des loisirs au Québec, in *Les cahiers de l'animation,* no 33, I.N.E.P., Marly-Le-Roy, France, 1981, p. 67.

84. *Ibidem,* p. 78.

85. LEVASSEUR, R., *op. cit.,* p. 141-151.

86. Ce nouveau discours fut le thème idéologique central du Rapport d'étude sur l'éducation physique, les loisirs et les sports (commission Bélisle) dont nous avons parlé. Il fut aussi le cadre de référence idéologique majeur en milieu municipal; voir à cet effet: *Le loisir, défi d'aujourd'hui,* (Déclaration de Montmorency), manifeste sur le développement du loisir au Québec, publié en 1968 par l'Association des Directeurs de Loisirs municipaux du Québec (A.D.L.M.).

Michel BELLEFLEUR
> *Les origines socio-historiques du*
> *professionnalisme en loisir au Québec*

RÉSUMÉ

Le loisir organisé au Québec est aujourd'hui devenu un secteur du marché du travail qui compte plusieurs milliers d'emplois. Le but de cet article est de retracer les origines socio-historiques de ce phénomène contemporain. Le texte cherche d'abord à faire état de la conjoncture particulière au Québec des acteurs sociaux impliqués avant 1960 dans la construction de réseaux d'institutions ou d'organisations en loisir et de leurs conflits. Il présente ensuite la situation des personnels qui y oeuvraient aux divers points de vue de leurs rôles et fonctions, de leurs idéologies, de leur formation, etc. Il montre enfin comment la «révolution tranquille» a hérité de ces réseaux pour les transformer sous l'initiative de l'État en un ensemble de services publics et para-publics requérant un personnel professionnel de formation de plus en plus technique et scientifique.

Michel BELLEFLEUR
> *The socio-historical roots of*
> *the leisure profession*

ABSTRACT

In Quebec, organized leisure has become a significant sector of the labor market as it numbers several thousand workers. In this article, we propose to retrace the socio-historical origins of this contemporary phenomenon. First we explain the particular situation of the various and sometimes conflicting social agents and forces involved before 1960 in the creation of a network of leisure institutions. The status of the various groups is then explored from the standpoints of their respective roles, functions, ideologies, trainings, etc. Finally we take a look at the way the Quiet Revolution inherited this network and how subsequent governments transformed it into a body of public institutions requiring a professional staff ever more technically and scientifically trained.

Michel BELLEFLEUR
> *Los origenes socio-historicos del professionalismo*
> *de la recreaction in Quebec*

RESUMEN

La recreación organizada en Quebec se ha convertido, hoy en día, en un sector del mercado de travajo que cuenta con varios miles de empleos. El objetivo de este artículo es de buscar los orígenes socio-historicos de este fenómeno contemporáneo. En primer lugar, el texto presenta la coyuntura particular de los octores sociales implicados, en Quebec, antes de 1960, en la construcción de las redes de instituciones u organizaciones de recreación y sus conflictos. En seguída presenta la situación del personal, que interviene en esas redes según sus roles y funciones, sus ideologías, su formación, etc. Finalmente, el texto muestra como la «revolución tranquila», heredera de esas redes, las ha transformado, bajo la iniciativa del Estado, en un conjunto de servicios públicos y para-públicos que requieren un personal profesional con una forcación cada vez mas tecnica y científica.

Michel Bellefleur
  Die sozial-historischen Ursprünge des Professionalismus
  im Bereich der Freizeit in Québec

ZUSAMMENFASSUNG

In Québec ist die organisierte Freizeit ein Sektor des Arbeitsmarktes geworden, der mehrere Tausend Arbeitsplätze zählt. Ziel dieser Untersuchung ist, den sozial-historischen Ursprüngen dieses heutigen Phänomens nachzugehen. Der Text versucht zuerst, die für Québec besondere Zusammensetzung der sozialen Instanzen, die vor 1960 beim Aufbau des Netzes von Institutionen und Organisationen zur Freizeitgestaltung bestimmend waren, und ihre Konflikte darzustellen. Dann wird die Situation des Personals, welches darin beschäftigt war, von verschiedenen Gesichtspunkten aus in seiner Rolle und Funktion, mit seinen Ideologien, Bildungsweg, usw. beschrieben. Zum Schluss wird gezeigt, wie die «stille Revolution» aus diesen Ursprüngen schöpfen konnte, um sie unter der Initiative des Staates in ein Gesamt öffentlicher und halböffentlicher Dienste zu verwandeln, die mehr und mehr technisches und wissenschaftliches Ausbildungspersonal fordern.

LES DEUX FILIÈRES DE L'ANIMATION EN LOISIR AU QUÉBEC: LE PROFESSIONNALISME ET LE MILITANTISME, 1960-1980.

Roger LEVASSEUR

Nous nous proposons ici d'analyser l'émergence et l'intervention d'un acteur de premier plan dans les transformations qu'a connu le loisir au Québec pendant les deux dernières décennies: les professionnels du loisir pris dans leur acceptation la plus large.[1] La décennie '60 marque le passage d'un personnel à dominante religieuse et bénévole dans l'orientation et la direction du champ du loisir à un personnel à dominante spécialisée et rémunérée. Ce personnel spécialisé et rémunéré s'inscrit globalement dans deux filières principales: le professionnalisme et le militantisme. La première, axée essentiellement sur l'organisation et l'animation des activités de loisir en vue de la promotion individuelle, sera fortement majoritaire, tandis que la seconde, orientée sur l'animation des milieux populaires ou «défavorisés» par le truchement d'activités de loisir conçues en fonction de la promotion collective, demeurera un courant minoritaire et beaucoup plus limité.

Qu'ils appartiennent à la tendance professionnaliste ou militantiste, cela ne doit pas occulter la position particulière des animateurs dans les rapports sociaux. Ils participent à ce qu'on appelle les classes moyennes, tant au plan du niveau de vie (rapports sociaux de reproduction) qu'à celui du pouvoir (rapports sociaux de production). Ces classes sont dites moyennes parce qu'elles se démarquent des classes populaires par leur manière de parler, de se vêtir, de manger, de jouer et d'habiter tout en aspirant aux manières de vivre des classes dirigeantes: elles sont dites moyennes également parce qu'elles sont des agents intermédiaires de pouvoir, c'est-à-dire des groupes d'intérêt qui se caractérisent par leur influence politique et leur mode d'accès privilégié à l'État, tout en défendant leur autonomie professionnelle. Les animateurs seront considérés ici comme membres des classes moyennes, c'est-à-dire des agents situés entre les classes dirigeantes et les classes populaires. Aussi seront-ils amenés à développer des idéologies et des pratiques spécifiques selon qu'ils se définiront comme des alliés des classes dirigeantes ou des classes populaires.

Loisir et Société/*Society and Leisure*
volume 5, numéro 1, printemps 1982, pp. 61-88
© PUQ

Nous entendons donc esquisser dans les prochaines pages l'émergence et l'affirmation des animateurs spécialisés dans l'action culturelle pendant la période 1960-1980.[2] Ils empruntent, pour légitimer leur nouveau statut et pouvoir, aussi bien la voie du professionnalisme — promotion individuelle, que celle du militantisme — promotion collective.

I — D'un personnel religieux et bénévole à un personnel spécialisé et rémunéré

Avant de présenter la dynamique des animateurs dans la restructuration et la réorganisation du loisir et de la culture à partir de la Révolution tranquille, il importe de rappeler brièvement le contexte historique de leur émergence. Avant la décennie '60, le champ du loisir et de la culture, comme celui de la santé et des services sociaux, était dirigé et contrôlé par le clergé. Pour réaliser ses oeuvres en cette matière, le clergé s'est appuyé d'abord sur le bénévolat laïc pour ensuite faire appel progressivement à un personnel formé et rémunéré, dans le but d'encadrer les bénévoles et de rationaliser son action culturelle. Au service du projet social chrétien, ces nouveaux professionnels (travailleurs sociaux et éducateurs physiques) vont peu à peu prendre leur distance en regard de l'orientation religieuse pour insister davantage, comme le souligne Michel Bellefleur[3], sur les aspects techniques de l'organisation et l'animation des activités et des groupes. Cette prise de distance va conduire à l'autonomisation de l'action des nouveaux professionnels par rapport à celle des religieux.

Ces «employés» professionnels introduisent une dissociation religion-société civile qui leur permet de se soustraire à la domination cléricale et d'affirmer l'indépendance de leur pratique, au nom de leur compétence technique et de leur savoir-faire professionnel, fondés sur les sciences sociales et humaines. L'hégémonie cléricale éclate pour faire place à de nouveaux discours et à de nouvelles pratiques, élaborés et promus par ces nouveaux animateurs. Mais ces derniers emprunteront deux filières, deux directions majeures dans la consolidation et l'exercice de leur nouveau pouvoir: 1) une orientation professionnelle; 2) une orientation militante.

Les animateurs de la première tendance considèrent le loisir comme un lieu de promotion individuelle, d'initiation professionnelle aux diverses pratiques en loisir. D'employés et d'exécutants au sein des organisations cléricales, ils vont devenir les nouveaux dirigeants de ces organisations et procéder à leur laïcisation et à leur modernisation. Par la direction qu'ils assument au sein des associations orientées vers la promotion disciplinaire, ils cherchent à s'assurer le contrôle professionnel de ces pratiques de loisir. Mais la quête de l'autonomie professionnelle sera peu à peu remise en cause par les technocrates de l'État qui entendent introduire une nouvelle rationalisation du champ du loisir dans lequel les animateurs professionnels n'occuperaient plus un rôle dirigeant mais subalterne.

Par contre les animateurs de la tendance militante, pour leur part, considèrent le loisir comme un lieu de promotion collective, d'intervention pédagogique auprès des milieux populaires en vue de l'amélioration ou de la transformation de leurs conditions de vie. Dirigées et encadrées par des animateurs militants, les associations populaires ont d'abord servi d'instrument de promotion des projets politiques et sociaux des animateurs. Mais le leadership des animateurs militants fut assez rapidement remis en question par les citoyens ordinaires qui ont pris distance à l'égard des animateurs, cherchant à protéger et/ou à développer l'autonomie de leurs organisations et de leurs pratiques.

Mais avant de présenter l'articulation d'ensemble de ces deux voies de pouvoir pour les animateurs, il importe auparavant de jauger, dans la mesure où les données disponibles le permettent, l'importance numérique de ces nouveaux agents dans la société québécoise.

II — Des animateurs en loisir: combien?

On comptait au Québec en 1976, selon une étude du Ministère québécois du travail et de la main-d'oeuvre, environ 31 000 travailleurs salariés en loisir, comprenant aussi bien les travailleurs permanents, les travailleurs saisonniers que les employés de soutien.[4] Le tableau ci-dessous indique l'importance relative de chacune de ces catégories de travailleurs.

Si on exclut des travailleurs permanents en loisir tous les enseignants, qu'il s'agisse des professeurs d'éducation physique, des professeurs de techniques de loisir, ceux de récréologie, d'animation culturelle et de génagogie, nous dénombrons plus de 5 000 professionnels[5] permanents (soit 2 752 à plein temps et 2 427 à temps partiel) dont les fonctions principales résident dans la gestion, l'organisation et l'animation des activités de loisir. Et si nous considérons deux permanents temps partiel pour un permanent temps plein, le Québec comptait en janvier 1976 l'équivalent de près de 4 000 professionnels spécialisés permanents à temps plein en loisir, dont environ 35% détenaient une formation spécialisée dans le secteur du loisir.[6]

Mais un des faits significatifs de cette étude demeure l'importance des vacataires, c'est-à-dire des travailleurs saisonniers. L'étude en dénombre près de 20 000, soit 11 208 saisonniers temps complet et 8 650 saisonniers temps partiel. Ils sont définis comme «Moniteurs», «instructeurs», «entraîneurs» dont le rôle principal est d'apporter un support technique ou spécialisé dans la production d'une pratique de loisir. La tâche majeure du personnel permanent consiste, outre la gestion d'ensemble des organisateurs de loisir, à encadrer les vacataires et les bénévoles.

Ces bénévoles sont évalués à près de 150 000 (soit 148 101). Ils remplissent des tâches spécifiques et de plus en plus limitées, telles celles d'arbitre, d'instructeur, de secrétariat, etc., au sein des nombreuses organisations de

TABLEAU 1

Les effectifs estimés de la main-d'oeuvre en loisir au Québec (Janvier 1976)

Types d'employés / Secteurs d'emploi	Permanents		Saisonniers		Employés de soutien		Bénévoles	Total
	Temps complet	Temps partiel	Temps complet	Temps partiel	Temps complet	Temps partiel		
Municipal	1 041	1 658	5 485	6 486	280	1 516	72 835	89 301
Régional/Provincial	1 076	384	5 373	1 197	249	370	73 012	81 520
Scolaire	3 288	409	21	528	76	173	672	5 042
— Enseignants	(2 939)	(69)						
— Autres professionnels	(349)	(340)						
Institutionnel	336	45	379	439	79	762	1 582	3 122
TOTAL	5 691 *	2 496	11 208	8 650	684	2 271	148 101	178 985

* Si on exclut les enseignants, nous obtenons 2 752 professionnels permanents à temps plein et 2 427 permanents à temps partiel.

SOURCE: Voir note 4.

loisir (clubs, associations ou fédérations, camps et colonies de vacances, auberges de jeunesse, bases de plein air, municipalités, etc.). Les bénévoles sont de plus en plus considérés comme des exécutants dont l'action se situe dans le prolongement de celle du professionnel spécialisé dans un secteur particulier de pratiques de loisir.

Enfin le personnel tant permanent que saisonnier et bénévole est secondé dans son intervention par près de 3 000 employés de soutien (c'est-à-dire personnel de secrétariat, préposés à l'entretien des parcs et équipements, préposés à la surveillance, etc.).

Depuis la décennie '70, la prolifération des programmes collégiaux et universitaires de formation en loisir exerce une pression intenable sur le marché de l'emploi. En plus d'un programme collégial de techniques de loisir, offert par quatre C.E.G.E.P. (Saint-Laurent, Vieux-Montréal, Dawson, Rivière-du-Loup), nous dénombrons une dizaine de programmes universitaires concurrents ou exclusifs dans le domaine du loisir.[7] On estimait en 1976 à plus de deux mille (2 177) les diplômés de formation collégiale et universitaire en loisir (cf. tableau 2). On prévoyait pour la seule période 1976-1978 plus de mille nouveaux diplômés, sans compter les 1 050 autres qui se destinaient à l'enseignement de l'éducation physique. La demande de professionnels spécialisés ne pouvait suivre le rythme de progression de l'offre. Aussi estimait-on, vu la diminution des effectifs étudiants, que le secteur de l'enseignement de l'éducation physique connaîtrait au mieux une croissance nulle au cours de la période (1976-1978), en dépit d'une production d'environ 350 diplômés par année, tandis que le secteur loisir verrait les effectifs augmenter sur trois ans de 880 professionnels spécialisés par rapport à une offre de plus de mille. Si on ajoute aux 4 000 permanents plein temps, estimés en 1976, un taux de croissance annuel de 300 professionnels spécialisés, le Québec devrait compter aujourd'hui (1982) près de six mille permanents plein temps en loisir; dont plus de 50% auraient reçu une formation collégiale ou universitaire spécifique en loisir.

Le marché du travail pour ces nouveaux professionnels spécialisés dans le champ du loisir serait donc déjà saturé; la demande de professionnels ne réussirait pas à éponger l'offre, et cela, d'une façon aiguë dans le secteur de l'activité physique prise au sens large. La professionnalisation de l'activité physique (enseignement de l'éducation physique, sport, condition physique, etc.) a connu ces dernières années, un développement spectaculaire lequel n'est pas étranger à la vague Olympique qui a bercé le Québec de 1970-1976. Le secteur du sport et de l'activité physique constitue plus de 50% (soit 54%) de tous les diplômés formés en loisir et fournit près de 75% des diplômés universitaires destinés au marché du loisir, sans compter que les diplômés de l'enseignement en éducation physique ne réussissant plus à se faire embaucher dans le système d'éducation, se tourneront vraisemblablement vers le marché du loisir.

TABLEAU 2

Nombre de diplômés inventoriés (Janvier 1976)
et estimés pour les années académiques
1975-1976, 1976-1977, 1977-1978

	Diplômés réalisés	1975-1976	1976-1977	1977-1978	Total réalisé et estimé
Techniciens en loisir	626	82[1]	83	90	799
Professionnels de l'activité physique:					
— Bacc. en éducation physique	1 210	140[1]	223	184	1 617
— Bacc. en kinanthropologie	1 051	7[1]	192	153	1 396
— Maîtrise en éducation physique	23		8	7	38
	136	24[1]	23	24	183
Récréologues	171	64[1]	61	67	299
Génagogues	109	29[1]	19	27	155
Animateurs culturels (ARC)	61	11[1]	28	19	108
TOTAL	2 177 (1 916)[2] (-12%)	357 (314)	424 (374)[2]	387 (351)[2]	2 988 (2 633)[2]

1 L'année 1975-1976 est comprise dans la colonne des diplômés «réalisés».

2 Les auteurs de l'Étude estiment qu'environ 12% des diplômés n'entrent pas sur le marché du travail en loisir.

SOURCE: Voir note 4.

Il semble prévisible en effet que le fort excédent de diplômés dans l'enseigne-ment de l'éducation physique va exercer une forte pression sur le marché de travail en loisir, bien que ce dernier ne soit pas en mesure, à court terme, de l'absorber. La concurrence entre les divers groupes professionnels et, d'une façon toute particulière, la concurrence entre les professionnels de l'activité physique et les autres (animateurs culturels, récréologues, etc.) risquent de devenir excessivement vives au cours des prochaines années.

Mais quelle orientation ou conception du loisir ces six mille animateurs vont-ils promouvoir? Quel «public» vont-ils privilégier? Quelle sera leur place dans les organisations de loisir? Quelles relations entretiendront-ils avec l'État? Telles sont quelques-unes des questions qui guideront maintenant notre ana-lyse. Toutefois la réponse à ces questions sera différente selon que les anima-teurs se définissent comme des alliés des classes dirigeantes ou des classes populaires, qu'ils privilégient le professionnalisme ou le militantisme, la pro-motion individuelle ou la promotion collective.

III — Orientation professionnelle et promotion individuelle

La modernisation politique des années '60, initiée sous l'impulsion de l'État et des nouvelles classes moyennes, favorise l'émergence et l'ascension des ani-mateurs spécialisés en loisir. La très large majorité des animateurs vont investir les nouveaux appareils d'État et les associations financées par les pouvoirs publics. Ils vont mettre en place des services professionnels en loisir et faire la promotion des pratiques encadrées et contrôlées par eux. Subalternes au sein de l'organisation cléricale du loisir avant les années '60, les animateurs, avec l'appui de l'État, vont progressivement prendre, pendant la période 1960-1972, la direction du champ du loisir, se substituant aux religieux et aux bénévoles catholiques. Mais, à partir de 1972, une lutte de pouvoir s'ouvre entre les animateurs professionnels et les technocrates de l'État pour la direction du champ du loisir. L'État entend assumer le leadership et faire des animateurs professionnels des agents d'exécution des politiques étatiques. Reconstituons dans ses grandes lignes les luttes des animateurs pour la professionnalisation du champ du loisir.

En rupture avec la conception cléricale du loisir et de manière à mieux asseoir leur propre pouvoir, les animateurs élaborent une nouvelle idéologie du loisir, en parfaite harmonie avec le courant modernisateur qui traverse le Québec pendant la décennie '60. Nous avons décrit ailleurs[8] cette idéologie: rappelons-en, pour les fins de cet article, les principaux thèmes:

1- Le loisir est devenu un droit de l'individu dans les sociétés industrielles avancées auxquelles le Québec participe; il en est même un résultat positif.

2- Le loisir n'est plus le lieu de promotion des valeurs morales et spirituelles, de sauvegarde et de protection de la communauté québécoise,
mais la sphère privilégiée de l'individu, le territoire, par excellence,
d'exercice de sa liberté.

3- Aussi les activités de loisir qui se déroulent dans le temps libéré des
contraintes du travail et des obligations familiales ou civiques devront-
elles contribuer à l'épanouissement, au développement et à la créativité
de l'individu.

4- Ces activités de loisir, pour réaliser leurs finalités d'épanouir et de
développer l'individu, ne doivent pas être laissées à elles-mêmes, mais
faire l'objet d'une intervention pédagogique. Il devient nécessaire de
s'en remettre, non pas à la spontanéité populaire, mais à un personnel
compétent et spécialisé pour initier l'individu aux activités de loisir.

5- La médiation pédagogique conduit à l'éclatement du loisir en plusieurs
secteurs d'activités spécialisées, exigeant chacun leur animateur: l'animateur sportif, l'animateur en conditionnement physique, l'animateur en
plein air, l'animateur socio-culturel, l'animateur socio-éducatif, l'animateur en tourisme social et culturel.

6- Pour assurer la «démocratisation» des activités encadrées par ces nouveaux animateurs, l'État doit intervenir. Il se doit de garantir les ressources physiques, humaines et financières pour que le droit de l'individu
au loisir puisse s'exercer.

7- Les tenants de l'idéologie du droit au loisir vont se «positionner» par
rapport au loisir-oeuvre du clergé, en déclin, et par rapport au loisir de
masse, en pleine expansion. Ils vont dénoncer d'une part les aspects
collectifs et contraignants du loisir-oeuvre, les interdits de toute sorte
qu'il impose à l'individu (v.g. interdits concernant la danse, le cinéma,
etc.) pour valoriser uniquement les dimensions individuelles. Ils vont
contester d'autre part le loisir de masse, parce qu'il est un loisir «passif»,
«aliénant», pour lui opposer un loisir «actif», en mesure d'assurer l'expression et le développement de la personne.

Ce que les nouveaux animateurs professionnels en émergence revendiquent, c'est que l'État instaure des services publics ou para-publics, dont ils
seraient les gestionnaires et les leaders «compétents», mettant ainsi fin à
l'improvisation des bénévoles et au contrôle du clergé. Appuyés dans un
premier temps par l'État dans leur projet de professionnaliser le champ du
loisir, ils rencontreront dans un deuxième temps certaines réticences et résistances de la part des technocrates de l'État. Rappelons d'abord l'ascension, la
dominance, pendant la période 1960-1972, des animateurs de tendance professionnelle sur les organisations de loisir tant publiques que privées, avant de

procéder à l'analyse de leur déclin relatif, à partir de 1972, au profit des technocrates de l'État.

Suite aux recommandations du Comité d'Étude sur les loisirs, l'éducation physique et les sports[9], les dirigeants politiques entendent appuyer pendant cette première période (1965-1972) les agents modernisateurs, et tout particulièrement les animateurs professionnels. Par le truchement de ses services administratifs (le bureau des sports et des loisirs en 1965 et le H.C.J.L.S. en 1968), l'État se contente d'accorder des subventions aux institutions publiques et aux associations en mesure de promouvoir la nouvelle idéologie du loisir et les activités qui la sous-tendent. Pendant cette période, l'État central n'intervient pas directement par une politique définie, une administration établie et des programmes d'action bien arrêtés, mais il agit plutôt comme une agence de distribution de subventions en vue de la modernisation des organisations tant publiques que privées en loisir.

La modernisation en cours touche tous les paliers. Au niveau local, l'État, par le truchement de subventions et de programmes divers (v.g. programmes d'engagement de personnel de direction et d'animation pour les municipalités), favorise l'implantation de structures municipales de loisir (services municipaux, commissions municipales ou intermunicipales), appelées à remplacer les corporations privées contrôlées par le clergé (les oeuvres des terrains de jeux). Ces nouvelles structures municipales seront bientôt considérées par le Haut-Commissariat et par les associations nationales comme les agents privilégiés, au plan local, de diffusion des activités de loisir promues centralement.

Au palier régional, l'État, au lieu de créer ses propres structures (Bureaux et conseils régionaux), comme le recommandait le Comité d'Étude, invite les fédérations diocésaines, à leur demande d'ailleurs, à se transformer en conseils régionaux de loisir. Ces derniers deviendront, en 1968, des organismes à la fois consultatifs et administratifs de l'État au palier régional, en dépit de leur statut privé. Le Haut-Commissariat leur confèrera d'une part l'administration de certains programmes d'envergure régionale, ils serviront, d'autre part, de relais aux associations ou fédérations nationales pour la régionalisation de leur action. Avec l'appui de l'État et des conseils régionaux, les associations nationales établiront des assises au niveau régional.

Enfin au palier national (provincial), le processus de modernisation n'épargne pas la Confédération Otégiste de la Province de Québec (C.O.P.), créée en 1946, laïcisée en 1965, sous l'appellation de la Confédération des loisirs du Québec (C.L.Q.). Elle regroupait encore à ce moment l'ensemble des associations et mouvements d'action catholique en loisir au Québec. Cette confédération éclate à partir de 1968 pour donner graduellement naissance à trois secteurs spécialisés dans la promotion d'activités disciplinaires: le sport en

1968 (Confédération des sports du Québec); le socio-culturel en 1969 (La Confédération des loisirs du Québec); et le plein air en 1971 (La Fédération québécoise de plein air). Et dans chacun de ces secteurs émergent des associations, fédérations et confédérations spécialisées, encadrées et animées de plus en plus par des professionnels.[10] Avec l'appui de l'État, ces associations unitaires, fédérations et confédérations nationales sont à leur début mieux outillés que l'État, en termes de budgets et de personnel ce qui faisait dire au député ministériel Gilles Houde, en 1970, qu'elles constituaient un véritable gouvernement parallèle en loisir:

> «On a eu l'impression que le gouvernement précédent créait un gouvernement parallèle, une structure parallèle à l'État. C'est anormal que le gouvernement ait moins de fonctionnaires ou de spécialistes, en matière de jeunesse, de sport et de loisir que quelques-unes de ces structures».[11]

La prolifération des organismes publics et privés, soutenus par l'État, entraîne une forte demande de professionnels spécialisés en loisir. Aux diplômés des programmes d'éducation physique et de la récréation des années '50, s'ajoutent au cours des décennies '60 et '70 les professionnels de l'activité physique, les récréologues (1969)[12], les animateurs culturels (1969), les génagogues (1969), sans compter les travailleurs sociaux, les pédagogues ou sociologues qui font carrière en loisir. Et pour appuyer l'action professionnelle de tous ces animateurs spécialisés, on fait appel à des techniciens en loisir détenant une formation collégiale (1968). Ainsi se met en place une nouvelle division sociale du travail, une hiérarchisation de personnel en trois paliers bien distincts: les professionnels avec formation universitaire, les techniciens avec une formation collégiale et les bénévoles avec stages de formation. Les professionnels sont ainsi appelés à remplir plusieurs fonctions de direction et d'orientation: administration, planification de services généraux de loisir aux divers paliers (local, régional, national), animation d'activités disciplinaires (sport, plein air, condition physique, socio-culturel, tourisme). Quant aux techniciens, ils apportent leur assistance aux animateurs spécialisés dans l'organisation et la production d'une activité. Les bénévoles, pour leur part, viennent seconder les techniciens, et ainsi de suite. L'action des bénévoles est acceptée et encouragée pourvu qu'elle se déroule sous la direction, la surveillance et le contrôle des professionnels et en autant que les dits bénévoles se recyclent et acquièrent, lors de sessions de formation, la compétence jugée nécessaire par les professionnels.

De plus, les professionnels vont non seulement devenir les directeurs généraux des associations volontaires, subventionnées par l'État, mais vont également contrôler progressivement les conseils d'administration qui étaient auparavant aux mains de bénévoles ou de citoyens ordinaires. En vertu d'une forte symbiose entre les membres des conseils d'administration et des exécutifs de ces associations, nous assisterons à l'autonomisation professionnelle du champ du loisir, à la direction du domaine du loisir par les animateurs professionnels dans chacun des secteurs de leur compétence. Le loisir devient un nouveau champ d'intervention professionnelle, empruntant de nombreuses facettes: le sport, la condition physique, le plein air, le socio-culturel, le socio-éducatif, le tourisme. Une culture professionnelle se met en place, disqualifiant les expressions culturelles qui ne font pas l'objet d'un apprentissage formel, par la médiation d'animateurs. Seules les activités animées et encadrées par ces nouveaux professionnels détiennent une légitimité sociale. On ne compte plus les cours, les stages, les sessions d'initiation, de sensibilisation et apprentissage aux diverses activités de loisir organisées par les associations, fédérations ou institutions publiques et encadrées par ces nouveaux professionnels. Il s'agit de «tout nommer pour tout normer». La professionnalisation s'accompagne d'une normalisation des pratiques. Il s'agit que chacun s'en remette à l'animateur dans le choix et l'exercice d'une pratique quelconque sous prétexte que ce dernier possède la connaissance scientifique, technique, artistique, sait ce qui est bon pour lui, ce que D. Reisman appelait le conseiller en loisir dans un monde hétérodéterminé.

Enfin, signalons que la professionnalisation du loisir et de la culture a débouché sur la formation d'associations professionnelles,[13] qui ont exercé une influence importante sur les politiques d'action culturelle, réussissant à élargir sans cesse la production de services professionnels au sein des appareils publics et para-publics en loisir. Les intérêts de ces associations ne sont pas dénués de corporatisme. Les discussions autour du statut de ces associations professionnelles (association volontaire ou corporation professionnelle) ainsi que les efforts de ces associations pour délimiter l'«acte professionnel» du travailleur en loisir et de l'éducation physique dissimulent mal les préoccupations corporatistes de ces groupements professionnels et la volonté d'exclure de la pratique tous ceux qui ne détiennent pas une compétence reconnue professionnellement. Cette tendance corporatiste explique en partie le malaise du bénévolat actuel ainsi que la tutelle exercée par ces nouveaux professionnels sur le volontariat.

Durant la courte période 1960-1972, les animateurs professionnels supplantent, avec l'appui de l'État, les religieux et les bénévoles dans la direction des organisations de loisir, instituant progressivement une autonomie professionnelle. Cette dernière est remise peu à peu en question par une intervention plus volontariste de l'État qui n'entend plus se cantonner dans la distribution des subventions mais également intervenir dans les orientations du champ. Dans leur effort pour consolider leur pouvoir professionnel, les animateurs vont rencontrer sur leur route des concurrents de taille à la direction du champ du loisir: les technocrates de l'État. Ce qui change à partir de 1972, c'est moins l'orientation idéologique d'ensemble, à savoir le droit au loisir ou la diffusion centrale des activités disciplinaires, que la position des acteurs dominants dans le système. En d'autres termes, les technocrates de l'État vont assumer un rôle de plus en plus dirigeant au détriment des professionnels.[14] Rappelons quelques indicateurs qui nous permetten‌t de suivre la montée de ce nouveau groupe dirigeant.

Dès 1972, plusieurs gestes sont posés pour renforcer le rôle de l'État, qui apparaît aux dirigeants politiques, comme nous venons de le voir, beaucoup trop faible par rapport aux organisations tant volontaires que publiques qu'il subventionne. Rappelons schématiquement les principales initiatives pour doter l'État d'un appareil d'intervention et de direction en matière de loisir:

1- Production de divers énoncés de politique en loisir, affirmant le rôle d'orientation et de direction de l'État:
   a) *Politique d'occupation du temps libre* (1972),[15] b) *Prendre notre temps* (1977),[16] c) *On a un monde à récréer* (1979).[17]

2- Consolidation de la vocation politique de l'État en loisir par les arrêtés en conseil 1608, 1609 et 1610 (1972) (Concernant la formation du Haut-Commissariat, du Conseil québécois de la Jeunesse, des loisirs, des sports et du plein air et d'un comité interministériel de coordination), par la nomination d'un ministre responsable (1973), d'un ministre en titre (1979), par la création d'un ministère du loisir (1979).

3- Établissement d'une véritable administration publique en loisir qui se traduit par une croissance du personnel, des budgets et par la mise en place d'une série de programmes gouvernementaux, confirmant le leadership de l'État en matière de loisir.

4- Instauration d'une politique annuelle d'assistance financière aux organismes de loisir (à partir de 1973), qui agrée ces derniers dans la mesure où ils remplissent une mission de service public ou qu'ils s'intègrent à la politique d'ensemble définie par l'État.

Le rôle de «leadership», qu'assume de plus en plus l'État en matière de loisir, entraîne ainsi une redéfinition du rôle et des fonctions de chacun des acteurs impliqués dans l'organisation du loisir: État, municipalités, associations, animateurs. ces acteurs sont invités à se coordonner de façon à remplir des rôles spécifiques, exclusifs et complémentaires. Il en résulte un nouveau modèle centralisé d'organisation du loisir où la position et la fonction des acteurs sont clairement déterminées. L'État est défini, selon le nouveau langage technocratique, en termes de «structure d'orientation, de coordination et de contrôle»; les municipalités, les commissions scolaires et certaines associations agréées en termes de «structure de réalisation ou d'organisation»; enfin les associations ou fédérations disciplinaires, contrôlées par les animateurs professionnels, en termes de «structure de services».[18]

En d'autres termes, c'est maintenant l'État, par le truchement de sa technocratie, qui établit les politiques, détermine les orientations de base, conçoit les programmes opérationnels à mettre en oeuvre (tels que le programme des clubs sportifs, le programme Kino-Québec, le programme Découverte du Québec, le programme des séjours de sensibilisation au plein air, le programme des ateliers socio-culturels, les programmes de subvention pour l'engagement de personnel de direction et d'animation dans les organismes volontaires et publics, etc.) en vue de favoriser la promotion et la diffusion centrale des activités de loisir. L'atteinte des objectifs collectifs et nationaux et la réalisation des programmes opérationnels impliquent une coordination de tous les agents et l'établissement de mécanismes de contrôle de plus en plus serrés qui se sont concrétisés, en outre, dans la «politique d'assistance financière aux organismes de loisir».

Toutefois, l'État n'intervient pas directement dans la réalisation des programmes opérationnels, mais confie cette tâche à des «structures de réalisation ou d'organisation», c'est-à-dire «celles qui disposent de moyens tels que les installations matérielles, le personnel et les budgets leur permettant la réalisation d'activités et l'encadrement des participants».[19] Les structures de réalisation sur lesquelles le Haut-Commissariat, et plus tard le Ministère, s'appuie pour réaliser ses divers programmes sont surtout les municipalités, les commissions scolaires et certaines associations agréées. Cette façon de faire des municipalités, organismes décisionnels au plan local, ainsi que des associations locales, des organismes de réalisation et de gestion des programmes centraux, illustre bien le processus de centralisation culturelle en cours depuis 1972.

Enfin, les structures de services, pour leur part, sont celles qui viennent appuyer par leur expertise spécialisée dans chacun des secteurs d'activités du loisir les structures d'organisation ou de réalisation:

> «Il est essentiel que certaines structures puissent concentrer leurs activités et assurer un haut niveau d'expertise de manière à pouvoir fournir tous les services d'ordre administratif et technique aux structures d'organisation. La structure de service est donc un organisme spécialisé constitué par des personnes qui ont atteint (. . .) un haut niveau de compétence . . . »[20]

Ces structures de service sont les associations ou fédérations disciplinaires, vouées à la promotion et à la diffusion des activités de loisir, contrôlées et gérées par les animateurs professionnels.

Nous pouvons saisir l'articulation de ce modèle organisationnel par le fonctionnement des programmes opérationnels. Ces programmes sont d'abord conçus et financés par l'État qui invite ensuite les municipalités, les commissions scolaires et certaines associations agréées à s'en prévaloir. Ces dernières suscitent localement l'organisation des activités promues centralement (compétitions sportives locales et régionales, ateliers socio-culturels, séjours de sensibilisation au plein air) et les encadrent administrativement. Cependant elles sont appuyées dans cette tâche aux plans technique et de l'expertise par les conseillers professionnels des associations ou fédérations disciplinaires nationales.

Depuis 1972, l'État s'approprie progressivement l'initiative de l'action culturelle. Ce sont les technocrates qui conçoivent au niveau central les orientations et les programmes à mettre en place. Les agents régionaux, les municipalités, les commissions scolaires, les associations liées par mandat ont comme fonction d'exécuter, de servir de relais à l'administration centrale. Les animateurs professionnels se cantonnent, pour leur part, dans un rôle de «pédagogie» auprès des individus désireux de s'initier à une pratique de loisir.

Nous assistons donc, au cours des deux dernières décennies à l'instauration d'une culture professionnelle, c'est-à-dire d'une culture qui entend faire accéder l'individu à la culture cultivée ou d'élite par la médiation d'animateurs professionnels. Pour assurer leur domination culturelle, les animateurs de tendance professionnelle ont d'abord délogé le clergé et les bénévoles catholiques des organisations de loisir pour en prendre la direction et le contrôle. Appuyés au départ dans leur projet d'hégémonie culturelle par un État en pleine édification, ce dernier deviendra un concurrent de taille aux animateurs professionnels pour la direction du champ. À mesure que l'État renforce et développe ses appareils d'intervention, les animateurs se définissent moins comme leaders que comme partenaires de l'État dans la promotion professionnelle des pratiques de loisir. Le courant professionnel demeure donc largement dominant dans l'intervention des animateurs en loisir au Québec pendant la période 1960-1980. Mais ce courant n'est pas exclusif, il est concurrencé, voire contesté par un courant militant multiforme, orienté non plus vers la promotion individuelle mais vers la promotion collective.

IV — Orientation militante et promotion collective

Contrairement à l'animation professionnelle, qui se caractérise par une action normative fondée sur des exigences de compétence et de contrôle corporatif des pratiques, l'animation militante s'appuie plutôt sur une action engagée, fondée sur des projets politiques et sociétaux. Par la médiation de pratiques et d'associations orientées vers la promotion collective, les animateurs militants entendent conscientiser et mobiliser les classes populaires en vue de changements sociaux et politiques. Dans cette perspective, les pratiques de loisir n'ont pas de finalité propre mais sont définies comme des outils de promotion collective pour les classes populaires. L'animation militante en loisir s'inscrit donc dans le courant plus large de l'animation sociale qui est par ailleurs multiforme. Pour l'animation sociale, c'est l'ensemble d'un milieu ou d'une collectivité, avec des problèmes quotidiens multiples (logement, santé, loisir, éducation, etc.), qui fait l'objet de l'intervention de l'animateur. Ceci ne signifie pas que l'animation militante soit uniquement globale, négligeant l'intervention spécialisée dans divers secteurs: loisir, éducation populaire, etc. Tout en développant une action spécialisée multiforme, l'animateur militant entend toujours lier ses interventions spécifiques à des projets d'amélioration et de transformation sociales, politiques et culturelles. Nous tiendrons compte dans les prochaines pages de ces deux dimensions de l'animation militante: ses perspectives globales d'animation des milieux populaires et ses interventions spécialisées dans le secteur particulier de l'action culturelle, à savoir le loisir et l'éducation populaire.

Rappelons d'abord que l'animation sociale que nous connaissons aujourd'hui au Québec prend sa source dans le travail social profesionnel, importé des U.S.A. mais redéfini par le clergé, au cours des années '40 et '50, de manière à le conformer à la doctrine sociale de l'Église. Dans cette optique, le travail social se propose d'«améliorer les relations humaines» et de corriger le dysfonctionnement des individus, des groupes et des communautés. Pour ce faire, le service social professionnel a mis au point trois méthodes: le service social personnel ou «case work», le service social des groupes et l'organisation communautaire. Ces deux dernières méthodes nous intéressent ici d'une façon toute particulière.

Le service social des groupes et l'organisation communautaire entendent utiliser les activités culturelles et de loisir en vue de l'adaptation et de l'intégration harmonieuses des individus et des groupes au sein de la communauté. Pour le service social des groupes, «le programme récréatif et culturel n'est pas tant utilisé pour sa valeur intrinsèque que pour ses propriétés thérapeutiques».[21] Le travail social des groupes reconnaît trois qualités thérapeutiques au loisir: prévention, traitement et éducation:

> «Le travailleur social des groupes, diplômé d'une école universitaire de service social, est adéquatement préparé à faire bénéficier enfants et adultes de l'action formatrice des associations éducatives ou récréatives qu'ils fréquentent. Il fait à la fois de la prévention en orientant, par exemple, l'activité des groupes naturels de jeunes qui verseraient facilement dans la délinquance, du traitement en aidant les membres des groupes à s'adapter les uns aux autres, et de l'éducation en entraînant ses clients à diriger et à évaluer eux-mêmes l'activité de leur groupe dans la bonne entente et la coopération».[22]

Quant à l'organisation communautaire, elle réside dans ce que Simone Paré appelle l'«inter-groupe», c'est-à-dire le développement de la coopération entre les divers groupes d'une communauté en vue de «la poursuite de buts sociaux déterminés par l'intérêt commun». Le rôle du travailleur social consiste principalement à susciter les consensus entre les groupes, jugés indispensables à la survie et au développement de la communauté.

Mais à partir de la décennie '60, le travail social va se radicaliser en insistant moins sur le consensus et davantage sur le conflit. L'influence de la doctrine sociale de l'Église fait place à l'ascendant des «grass root movements» américains et de Saul Alinski. Le travail social est redéfini en termes d'animation sociale militante. Cette dernière privilégie l'approche du conflit à deux niveaux: méthodologique et idéologique. D'abord le conflit est défini, à la manière de S. Alinski, comme méthode de résolution des problèmes sociaux concrets des communautés ou des groupes défavorisés. Au deuxième palier, l'approche du conflit se situe au niveau des rapports conflictuels de classes, irréductibles entre la bourgeoisie et le prolétariat, et susceptibles de générer une société socialiste alternative à la société capitaliste.

L'approche du conflit en termes de classes apparaît nettement dominante chez les animateurs sociaux depuis la décennie '70. D'ailleurs quand ils parlent de leur «public-cible», ils le définissent en termes de classes populaires. Ils font référence tout particulièrement aux catégories socio-professionnelles exploitées économiquement, exclues ou dominées politiquement et aliénées culturellement. Les classes populaires sont identifiées, au plan économique, aux catégories socio-professionnelles inférioriséés et marginalisées par le processus de production et d'échange. Il s'agit des chômeurs, des assistés sociaux, de petits salariés peu ou pas spécialisés de l'industrie et des services. Ces classes exploitées sont qualifiées souvent de «défavorisées». Au plan politique, ces catégories n'exercent que peu ou pas d'influence sur le pouvoir politique et ne contrôlent pas les appareils d'État, tout en étant sujettes à toutes les manipulations. Au plan culturel, elles subissent l'inculcation des formes culturelles dominantes par l'école, les mass-média, les institutions de diffusion de la culture cultivée, bref elles sont réduites à la «culture du silence». Elles ont de moins en moins de paroles propres sur elles-mêmes.

L'action de l'animateur militant se définit moins en termes de communauté qu'en termes de classes. Même si les gens «défavorisés» habitent surtout certains quartiers, ils sont d'abord définis comme marginaux, dépourvus de moyens, de ressources, inorganisés. Le rôle de l'animateur est de les organiser dans les divers secteurs de leur vie quotidienne: logement, santé, bien-être, consommation, loisirs, etc. Les animateurs militants suscitent l'organisation des classes populaires, qu'elles correspondent ou non à un espace territorial, sur le front des conditions de vie.

Les animateurs ont été particulièrement actifs dans le domaine culturel, qui nous intéresse ici au premier chef. Près de 40% des associations populaires, selon une recherche effectuée à Montréal[23], interviennent dans les divers secteurs de l'action culturelle: journaux, radio et télévision communautaires, cours d'éducation populaire en vue de l'action collective, organisation d'activités culturelles en vue de promouvoir la rencontre, l'échange, l'entraide entre gens de mêmes conditions, ou de favoriser leur expression autonome (v.g. le théâtre populaire).

Les associations populaires ou vouées aux intérêts des classes populaires dans le secteur de l'action culturelle sont nombreuses, et touchent des activités fort diversifiées, qu'il s'agisse de la création culturelle, de l'éducation populaire, de l'information et de l'analyse critique ou de l'accès aux vacances pour les milieux populaires. Mentionnons, à titre d'exemple, les troupes du jeune théâtre québécois (v.g. théâtre Parminou), les centres d'éducation populaire, le C.A.N.A.L. (collectif d'animation et d'analyse en loisir)[24], le mouvement québécois des camps familiaux.[25]

Ce qui caractérise fondamentalement l'action culturelle des animateurs militants, oeuvrant au sein de ces associations d'action culturelle, c'est leur projet d'«éduquer» le peuple, de briser son silence, de lui faire prendre la parole, de le conscientiser. Dans les discours pédagogiques sur le «peuple» viennent s'immiscer subrepticement le rêve, les projets, voire le pouvoir des animateurs. Bref, l'éducation du peuple en vue de la transformation des conditions de vie des classes populaires se fait, comme nous l'apprennent diverses expériences d'éducation populaire[26], au nom du peuple, mais pas toujours avec et par lui.

Aussi les relations animateurs et classes populaires sont-elles marquées par des alliances, des contradictions et des conflits. Pour les fins de cet article, nous illustrerons les rapports dialectiques animateurs-citoyens ordinaires par le truchement de leur lutte pour la direction et le contrôle des organisations populaires. Nous observons une première contradiction fondamentale au sein des groupes populaires[27], à savoir une contradiction de classe. Nous retrouvons, en effet, la présence de deux catégories au sein des groupes populaires: d'un côté les animateurs «intellectuels», munis d'un savoir plus ou moins reconnu, qui s'approprient le plus souvent les fonctions de direction, d'animation et d'éducation de l'autre, les citoyens ordinaires qui fréquentent les groupes populaires en quête de divertissement, de services ou de changements socio-culturels. Ces deux groupes occupent des positions hiérarchiques opposées et poursuivent des objectifs souvent fort éloignés, voire contradictoires. Les intellectuels militent pour «éduquer» et «politiser» les groupes populaires, tandis que les citoyens ordinaires y participent pour les activités et services offerts par les animateurs «intellectuels». Comment reconcilier ces deux perspectives, «comment faire en sorte que les gens qui viennent chercher des services restent pour se faire «éduquer»?»[28] Ce n'est, semble-t-il, que dans la mesure où chacun des groupes (animateurs et citoyens) y trouvera son compte. Pour reprendre les termes de L. Huston, «les couches populaires ne viendront pas s'il n'y a pas de services et les intellectuels ne resteront pas s'il n'y a pas de possibilité de politiser».[29]

L'histoire des organisations populaires a été traversée, depuis la Révolution tranquille, par la prépondérance de la problématique de l'un ou de l'autre groupe, ou par des compromis réalisés entre les deux. Trois grandes périodes peuvent être découpées dans les rapports dialectiques animateurs-citoyens: 1) une période de mobilisation populaire par les animateurs (1963-1969); 2) une période d'autonomisation des citoyens par rapport aux animateurs (1969-1974); 3) une période de pénétration des groupes populaires par des animateurs d'orientation politique «alignée».

La période 1963-1969 est marquée par la création de comités de citoyens, dominés et contrôlés par les animateurs sociaux. Ils se définissent d'abord comme des groupes de pression auprès des instances politiques en vue d'améliorer les conditions collectives de vie des classes populaires: logement, santé, services sociaux, loisir. Devant le succès limité des pressions politiques, les animateurs entendent mobiliser les comités de citoyens dans l'action politique directe, par la création d'un parti politique d'opposition au plan municipal (Le Front d'Action Politique — FRAP). À ce processus de mobilisation populaire fait place un processus d'autonomisation des citoyens par rapport aux animateurs. Pour marquer ce changement d'orientation, qui caractérise la deuxième période (1969-1974), nous assistons à un glissement dans la dénomination des organismes populaires: on passe de l'appellation «comités de citoyens» à celle de «groupes populaires».

Aux comités de citoyens, créés et contrôlés majoritairement par les animateurs, définis d'abord comme groupes de pression et relais d'un parti politique, succèdent les organismes populaires, créés et contrôlés majoritairement par les citoyens ordinaires, orientés vers l'auto-organisation et l'autogestion de leurs conditions de vie. Selon l'étude déjà citée de Godbout-Collin, plus de dix ans après la création du premier comité de citoyen (1963), près de 40% des organismes populaires sont entièrement contrôlés par des citoyens, un autre 40% des organismes où le pouvoir est partagé entre les citoyens et les animateurs et enfin seulement 20% demeurent entièrement sous le contrôle des animateurs.

Les citoyens deviennent progressivement une catégorie importante dans le fonctionnement des groupes populaires: ils sont présents non seulement dans les structures de décision politique (assemblée générale, conseil d'administration) mais également dans les structures de production (les tâches de fonctionnement quotidien). L'emprise des citoyens sur leurs organismes entraîne également une autonomie plus grande au plan du financement. On observe, en effet, que plus un organisme est contrôlé par les citoyens, plus il s'autofinance; par contre, plus un organisme est contrôlé par les animateurs, plus il dépend du financement gouvernemental. La dépendance financière des organismes populaires vis-à-vis l'État fait intervenir les citoyens davantage dans un rôle d'employé rémunéré que de décideur, tandis que l'auto-financement assure un rôle de premier plan aux citoyens dans la structure décisionnelle de leurs organismes. Enfin soulignons que l'emprise des citoyens sur leurs organismes s'accompagne d'une plus grande ouverture et d'une plus grande capacité de mobilisation des résidents du quartier. Plus l'organisme populaire est autogéré, plus il est ouvert aux résidents du quartier (par des assemblées générales annuelles), plus il est démocratique dans son fonctionnement (choix du conseil d'administration), plus il est mobilisateur, impliquant les citoyens dans des comités de travail, dans des activités et tâches de toutes sortes. À l'inverse, si le groupe populaire est plutôt contrôlé par un animateur, il tend à se refermer sur lui-même, à se méfier des assemblées générales ouvertes et à faire appel aux experts pour connaitre les besoins de la population du quartier.[30]

Après une période d'automatisation relative des groupes populaires par rapport aux animateurs sociaux, nous assistons, depuis 1974-1975, à une tentative de certains militants, oeuvrant au sein d'organisations politiques alignées (principalement d'inspiration Marxiste-léniniste), de prendre le contrôle des organisations populaires. La pénétration de ces animateurs militants, au sein des organismes populaires, conduit, selon les sources disponibles,[31] au constat suivant: perte d'autonomie et de contrôle des citoyens sur leur organisme, définition des organismes populaires en termes de courroie de transmission de l'organisation politique, insistance sur la formation théorique ou idéologique au détriment des luttes et des actions concrètes à mener sur les problèmes quotidiens. Le contrôle ou la prise de contrôle exclusif des groupes populaires par des animateurs, peu importe, semble-t-il, leur horizon idéologique, a pour conséquence, à plus ou moins long terme, la démobilisation des citoyens ordinaires, leur retrait progressif, voire parfois la liquidation des groupes voués aux intérêts des classes populaires.

Depuis la pénétration des militants d'inspiration politique au sein des groupes populaires deux tendances dominantes semblent se dégager chez les animateurs.[32] Une première tendance véhiculée par des animateurs, issus de groupements politiques alignés, entendent utiliser et canaliser les luttes et les actions socio-culturelles spécifiques des groupes populaires au profit de l'action politique. Les groupes populaires deviennent à la remorque des organisations politiques.

La seconde tendance, regroupant les animateurs se réclamant d'un socialisme «non-aligné», ne fait pas de l'action politique et de la création du parti leur seule et unique préoccupation. Au contraire, ils reconnaissent l'indépendance relative des groupes populaires en regard des organisations politiques, l'autonomie relative de la société civile par rapport à la société politique, comme en témoigne le texte suivant:

«L'avenir des groupes populaires suppose le respect de l'autonomie et du terrain spécifique de ces organisations de masse, mais cela n'implique pas que la politique soit tabou dans ces organisations. Dans cette perspective, les pratiques de la gauche non-alignée montrent qu'un questionnement politique peut être mené à partir d'actions concrètes et immédiates et dans le respect de l'autonomie et du terrain spécifique des organisations de masse. Il ne s'agit pas de transformer les organisations de masse (groupes populaires et syndicats) en organisation d'avant-garde (parti politique révolutionnaire). Non, il s'agit simplement d'offrir aux organisations de masse plus de possibilités pour faire reculer l'État et le capitalisme».[33]

Mais les rapports entre les animateurs et les citoyens n'entraînent pas uniquement des relations de dépendance, conduisant à la démobilisation populaire. Dans plusieurs cas, les relations animateurs-citoyens sont fécondes, surtout lorsqu'existe une interaction, une interinfluence réciproque entre les citoyens et les animateurs. Les organismes populaires les plus novateurs ne sont ni les organismes populaires autogérés, ni les organismes monopolisés par les animateurs mais bien les organismes contrôlés conjointement par les citoyens et les animateurs.[34] Cette donnée laisse entendre que les organismes complètement autogérés demeurent relativement traditionnels, conformistes dans leur production et leur mode de production des activités et services. C'est donc le pouvoir conjoint des animateurs et des citoyens ordinaires ainsi que la tension constante et féconde entre le vécu des gens et la réflexion critique des animateurs qui apparaissent les éléments les plus propices à l'innovation. Une monographie récente sur les centres d'éducation populaire va dans le même sens:

«Toutefois, sans leur présence (les animateurs), on peut douter que les centres d'éducation populaire sortiraient des sentiers battus dans le domaine de l'éducation des adultes. Les permanents, et surtout les animateurs, sont donc les principaux moteurs d'une transformation de cette éducation, en innovant dans les méthodes et en privilégiant la formation par le groupe et par le milieu, plutôt que par la simple transmission individuelle de connaissance ou d'habiletés. Mais l'éducation reste adaptée aux besoins du milieu, car les activités offertes n'existent qu'en tant qu'elles sont demandées et les citoyens usagers exercent un pouvoir réel au conseil d'administration.»[35]

L'interaction réciproque entre l'animateur et le citoyen se traduit dans les pratiques d'éducation populaire en une démarche horizontale, selon l'expression de Monique Ouellette,[36] entre les deux groupes, où chacun est considéré comme partenaire contribuant à élargir le champ de connaissance de l'autre. La démarche horizontale part d'abord du vécu des gens, de leur réalité existentielle, de la perception qu'ils en possèdent, pour ensuite faire appel à la réflexion critique, à l'analyse de leur situation, pour enfin revenir à la réalité de façon à agir sur elle. L'éducation populaire, comme toute pratique en milieu populaire, repose sur trois éléments fondamentaux intimement liés: vécu-distance critique-action. Elle réside dans l'échange, sur une base d'égalité, de deux modes d'appropriation du savoir en vue d'intervenir sur la réalité pour la transformer: celui du participant, collé étroitement à son vécu, à sa réalité quotidienne (démarche inductive) et celui de l'animateur-formateur, lié à un savoir abstrait, à un processus de distanciation (démarche déductive). C'est la dialectique de ces deux démarches en vue de l'action, constamment à refaire, qui caractérise l'éducation populaire novatrice:

> «Plutôt que d'imposer l'une ou l'autre démarche, une éducation populaire véritable vise à joindre les deux: la démarche inductive des participants et la démarche déductive de l'intellectuel. Elle part d'une situation concrète, vécue par les participants, pour remonter vers ses causes plus générales et abstraites, et revenir ensuite au concret, c'est-à-dire à l'action à faire pour changer cette situation. C'est ainsi une démarche dialectique de réflexion sur sa pratique pour la comprendre et l'améliorer, l'ajuster».[37]

L'éducation populaire se propose donc, dans ses pratiques les plus novatrices, de réconcilier la culture première et la culture seconde, selon l'expression de Fernand Dumont,[38] le vécu des citoyens et le savoir de l'animateur, d'établir une tension créatrice entre les deux et non une domination de l'un sur l'autre.

Enfin, signalons que les animateurs de tendance militante entretiennent non seulement des rapports dialectiques avec les citoyens qu'ils veulent mobiliser, mais également avec l'État qu'ils considèrent tantôt comme allié potentiel et tantôt comme ennemi irréductible. Pénétrés par l'idéologie de la participation, les animateurs ont favorisé, dans les premières expériences d'animation, des conduites de collaboration avec l'État dans l'espoir d'obtenir des politiques et des programmes favorables aux classes populaires. Mais à mesure que l'État intervient, par diverses initiatives, pour apporter ses solutions aux problèmes socio-culturels des classes populaires, les animateurs militants se radicalisent et dénoncent les solutions de l'État «bourgeois».

Nous assistons, comme le soulignent P. Hamel et J.-F. Léonard, à «un affrontement entre la petite bourgeoisie intellectuelle encadrant les «groupes populaires» et les intellectuels qui avaient charge de défendre les intérêts de l'État auprès de ceux-ci».[39] En d'autres termes, nous assistons à une confrontation d'une part, entre les solutions étatiques, élaborées par les technocrates de l'État afin d'instaurer la participation-intégration des groupes populaires, d'établir une «jonction opérationnelle entre l'État québécois et certaines couches «ignorées» par la Révolution tranquille, et, d'autre part, la défense de l'autonomie des groupes populaires ainsi que la contestation de l'État «bourgeois» par les animateurs.

Plusieurs initiatives et expériences menées par les groupes populaires et soutenues par les animateurs ont fait l'objet d'une récupération-intégration de la part de l'État, malgré des résistances souvent vives. Citons, par exemple, l'instauration d'un programme d'éducation populaire, en 1970, par le ministère québécois de l'éducation ainsi que les cours d'«éducation populaire» offerts depuis lors par les commissions scolaires qui viennent concurrencer les expériences d'éducation menées par les organismes volontaires d'éducation populaire (OVEP).[40] Signalons, à titre également illustratif, la tentative de l'État d'intégrer certaines associations d'éducation populaire au fonctionnement de ses appareils, de manière à suppléer aux carences du système d'éducation nationale en ce qui touche aux milieux populaires:

> «Ainsi, reconnaissant que l'école ne réussit pas à rejoindre les analpha-
> bètes, le ministère de l'Éducation confie aux OVEP la responsabilité de
> le faire à sa place (...) Au lieu de remettre en question la réponse
> qu'apporte l'École aux besoins des milieux populaires, il fait des OVEP
> des extensions à bon marché du système d'enseignement».[41]

La présence des animateurs au sein des groupes populaires a donc eu des conséquences multiformes sur leurs luttes et leurs actions. Les animateurs ont favorisé dans certains cas, avec la participation active des citoyens, l'auto-organisation des classes populaires touchant leurs conditions de vie quotidienne. Ils ont développé, dans d'autres cas, la résistance à l'intégration des groupes populaires aux appareils d'État. Enfin, ils ont utilisé certains groupes populaires comme courroie de transmission d'organisations politiques «alignées», entraînant, parfois, leur liquidation.

L'action culturelle au Québec est donc traversée par deux courants principaux: le professionnalisme et le militantisme. Ils sont les deux voies d'affirmation et de promotion sociale des animateurs, agents des nouvelles classes moyennes, issues de la Révolution tranquille des années '60. Mais ces agents intermédiaires, entre les classes supérieures et les classes populaires, ne sont pas neutres. Ils sont conduits à développer des idéologies et des pratiques pédagogiques spécifiques, pour légitimer leur nouveau statut et pouvoir de classes moyennes, selon qu'ils se définissent comme des alliés des classes supérieures ou des classes populaires, des partenaires ou des adversaires de l'État, qu'ils favorisent le professionnalisme ou le militantisme, la promotion individuelle ou la promotion collective.

NOTES ET RÉFÉRENCES

1. Par professionnels du loisir, nous entendons les travailleurs intellectuels rémunérés, munis d'un savoir spécialisé plus ou moins reconnu socialement, visant à modeler, en fonction de leurs intérêts et de leurs orientations culturelles et idéologiques, les diverses formes qu'a pris le loisir contemporain: sport, condition physique, culture, socio-culturel, socio-éducatif, tourisme, plein air, éducation populaire. Ces professionnels seront qualifiés d'*animateurs* (bien qu'ils occupent d'autres fonctions au plan organisationnel), car ils se définissent comme des médiateurs entre les individus et/ou les groupes et les formes de loisir et de culture valorisées socialement.

2. Pour une vue d'ensemble de l'action culturelle au Québec, nous renvoyons à notre ouvrage *Loisir et culture au Québec,* Montréal, Boréal Express, 1982, 192 p.

3. Cf. article supra.

4. Québec (Prov.) Ministère du travail et de la main-d'oeuvre. *Inventaire et analyse des ressources humaines dans le secteur des loisirs et des sports,* direction générale de la Recherche, Québec, Éd. officiel, mai 1977, 245 p.

    L'étude a identifié 1334 «organismes sans but lucratif qui ont pour objectif d'offrir un service de loisir à la communauté ou de promouvoir une activité sportive ou culturelle au sein d'une collectivité». Les organismes sans but lucratif susceptibles d'employer des professionnels spécialisés en loisir comprennent essentiellement les ministères québécois et ses agences provinciales et régionales, les municipalités et commissions scolaires, les institutions publiques (v.g. foyers, centres locaux de services communautaires), et les centaines d'associations locales, régionales et nationales financées par l'État, qui offrent des services et font la promotion des activités de loisir. Certains secteurs d'emploi ne sont pas couverts par l'étude, dont, entre autres, le secteur du spectacle avec artistes professionnels et le secteur de l'éducation populaire, qui relève du Ministère de l'Éducation. Donc, l'inventaire compte surtout, mais pas exclusivement, les travailleurs en loisir de tendance professionnelle, pour reprendre les catégories d'analyse utilisées dans cet article.

5. Les auteurs de l'Étude définissent de la façon suivante le professionnel en loisir:

    «Un professionnel en loisir, c'est un individu dont la fonction de travail principale consiste à offrir au public des services en loisir et sport sous quelque forme que ce soit. Il s'agit donc de personnes salariées ou rémunérées qui font actuellement carrière en loisir. Cette définition exclut les bénévoles en loisir, les travailleurs qui tirent un revenu secondaire de leurs services en loisir, le personnel technique chargé de l'entretien et de la surveillance des équipements en loisir, le personnel de soutien chargé d'assister les professionnels dans l'exercice de leurs fonctions.»

6. Le pourcentage relativement faible de professionnels détenant une formation spécialisée en loisir (soit 35%), en 1976, peut s'expliquer par la nouveauté relative de plusieurs programmes de formation universitaire et collégiale dans le champ du loisir. Notons que près du quart (soit 23%) des professionnels ont une formation sur le tas (ayant oeuvré souvent à titre de bénévole), tandis que les autres professionnels (soit 40%) détiennent des formations connexes (service social, pédagogie, sociologie). Mais aujourd'hui le problème de la formation spécialisée en loisir ne se pose plus puisque les diplômés en loisir sont plus nombreux que les emplois disponibles sur le marché du travail.

7. Québec (Prov.) Ministère du travail et de la main-d'oeuvre, *Les perspectives d'emploi dans le secteur des loisirs et des sports,* Direction générale de la recherche, Québec, Éd. officiel, janvier 1978, 140 p.

8. LEVASSEUR, Roger, «les idéologies du loisir au Québec, 1945-1977», Idéologies au Canada Français, 1940-1976, Fernand Dumont, Jean Hamelin, Jean-Paul Montmini (Éd), Québec, les Presses de l'Université Laval, 1981, pp. 131-172.

9. Québec (Prov.) Ministère de la Jeunesse. *Rapport du Comité d'Étude sur les loisirs, l'éducation physique et les sports,* Québec, gouvernement du Québec, 1964.

10. LEVASSEUR, Roger, «La mutation des associations au Québec. 1960-1980», *Les cahiers de l'animation,* 3ème trimestre, 1982, I.N.E.P. Paris.

11. *Sports, Loisirs, Éducation physique,* no 60, août 1970, p. 12.

12. Sur la notion de récréologie et de récréologue, cf. Michel Bellefleur, «Une animation à l'américaine», *Les cahiers de l'animation,* no 33, 3ème trimestre, 1981, I.N.E.P. Paris, pp. 79-86.

13. Nous faisons référence ici aux principales associations professionnelles qui ont vu le jour depuis quinze ans, à savoir l'ADLM (Association des Directeurs de Loisirs Municipaux), l'AQTL (Association Québécoise des Travailleurs en Loisir), l'APAPQ (Association des Professionnels de l'Activité Physique du Québec), l'ATPLQ (Association des Techniciens Professionnels en Loisir du Québec) et l'ARQ (Association des Récréologues du Québec). Le rôle et l'histoire de ces associations, particulièrement des trois premières, dans le développement du loisir au Québec, exigeraient un traitement trop élaboré pour les fins de cet article, mais que nous nous proposons de faire un jour.

14 La prise du pouvoir par le Parti Québécois en 1976, ne fera que renforcer le pouvoir des technocrates.

15. Québec (Prov.) Haut-Commissariat à la Jeunesse, aux loisirs et aux sports. *Politique d'occupation du temps libre,* février 1972 (document rédigé par Donald GUAY haut fonctionnaire démissionnaire du Haut-Commissariat, et Gérard NAUD, contractuel). (Document non publié).

16. Québec (Prov.) H.C.J.L.S., *Prendre notre temps. Livre vert sur le loisir au Québec,* Québec, Éd. officiel, 1977, 87 p.

17. Québec (Prov.) H.C.J.L.S., *On a un monde à récréer. Livre blanc sur le loisir au Québec.* Québec, Éd. officiel, 1977, 107 p.

18. Québec (Prov.), Haut-Commissariat à la jeunesse, aux loisirs et aux sports, *La Fédération de demain,* rapport du comité d'étude sur les dimensions d'une fédération sportive, Québec, Éd. officiel, mars 1976.

    La mise en place d'une commission sportive régionale au Québec, rapport final du comité d'étude sur la commission sportive régionale, Québec, Éd. officiel, octobre 1976.

    Ces deux documents explicitent le modèle d'organisation sociale du loisir qui se met progressivement en place depuis 1972, inspiré largement du document *Politique d'occupation du temps libre, op. cit.*

19. Québec (Prov.) Haut-Commissariat à la Jeunesse, aux loisirs et aux sports, *La Fédération de demain, op. cit.,* pp. 59-60.

20. Ibidem, p. 61.

21. PARÉ, Soeur Simone, *Groupes et service social,* Québec, les Presses Universitaires de Laval, 2e Éd., 1956, introduction p. IX.

22. *Ibidem*, p. VIII.

23. GODBOUT, Jacques et COLLIN, Jean-Pierre. *Les organismes populaires en milieu urbain: contre pouvoir ou nouvelle pratique professionnelle,* Montréal, Institut National de la Recherche Scientifique, INRS-Urbanisation, rapport de recherche, vol. 3, 1977, 311 p.

24. Le C.A.N.A.L. a été créé en 1973 par quatre étudiants en récréologie en rupture avec le discours et les pratiques professionnelles dominantes. Par la publication sporadique d'un journal *Le Droit à la Paresse,* et de dossiers critiques sur la situation du loisir au Québec, le C.A.N.A.L. entend élaborer un discours militant et rendre compte des pratiques populaires alternatives.

25. Cf. article de Richard NICOL (infra).

26. *La Revue Internationale d'action communautaire* a consacré deux numéros à la culture et à l'éducation populaires:
— *RIAC,* Éducation populaire, culture et pouvoir, no 2/42, automne 1979.
— *RIAC,* Formation et éducation populaire, no 3/43, printemps 1980.

27. Nous entendons par «groupes populaires» les organisations des classes populaires qui luttent sur le front des conditions de vie par rapport aux syndicats qui luttent sur le front du travail.

28. HUSTON, Lorne, «La petite bourgeoisie et les groupes (pas très) populaires: un conte de fées pour militant averti», *Possibles,* vol. III, no 1, automne 1978, p. 150.

29. *Ibidem.*

30. GODBOUT, Jacques et COLLIN, Jean-Pierre, Les organismes populaires en milieu urbain, *op. cit.*

31. Voici quelques références qui ont fait état de cette question:
LAGUE, Jean-Guy, «Un pas en avant deux (trois?) pas en arrière! Les groupes populaires 1960-1978», *Le Temps fou,* mars-avril-mai 1979, numéro 5, pp. 44-49.
LÉONARD, Jean-François; HAMEL, Pierre, «Les groupes populaires à la recherche de leur autonomie et de leur identité», *Les Cahiers du Socialisme,* Automne 1979, numéro 4, p. 180-201.
DÉSY, Marielle; FERLAND, Marc; LÉVESQUE, Benoît; VAILLANCOURT, Yves, *La conjoncture au Québec au début des années '80: les enjeux pour le mouvement ouvrier et populaire,* Rimouski, Éditions La librairie socialiste de l'est du Québec, 1980, 200 p.

32. Voir à ce sujet également:
HAMEL, Pierre et LÉONARD, Jean-François, «Les groupes populaires dans la dynamique socio-politique québécoise», *Politique aujourd'hui,* 7-8, 1978, pp. 155-164.

33. DÉSY, Marielle; FERLAND, Marc; LÉVESQUE, Benoît; VAILLANCOURT, Yves, op. cit., p. 187.

34. GODBOUT, Jacques; COLLIN, Jean-Pierre, *Les organismes populaires en milieu urbain, op. cit.,* p. 140.

35. DIVAY, Gérard, avec la collaboration de Jacques GODBOUT, *La décentralisation en pratique. Quelques expériences montréalaises, 1970-1977.* Montréal, Institut National de Recherche Scientifique, INRS-Urbanisation, Rapport de recherche no 5, 1979, pp. 285-295.

36. OUELLETTE, Monique, «Pédagogie Militante: un regard sur deux démarches en éducation populaire», *Revue Internationale d'Action Communautaire,* no 3/43, printemps 1980, pp. 101-110.

37. Institut Canadien d'Éducation des Adultes (ICEA), *Réflexions sur l'éducation populaire,* Rapport de séminaire, Montréal, mars 1978, p. 18.

38. DUMONT, Fernand, *Le lieu de l'homme. La culture comme distance et mémoire,* Montréal, HMH, 1969, 233 p.

39. HAMEL, Pierre et LÉONARD, Jean-François, «Les groupes populaires dans la dynamique socio-politique québécoise», *op. cit.*

40. En mars 1978, l'assemblée générale des organismes volontaires d'éducation populaire (OVEP), associations volontaires engagées dans des activités éducatives auprès des milieux populaires, se donnait la définition suivante de l'éducation populaire:

«L'ensemble des démarches d'apprentissage et de réflexion critique par lesquelles des citoyens mènent collectivement des actions qui amènent une prise de conscience individuelle et collective au sujet de leurs conditions de vie ou de travail et qui visent à court, moyen ou long terme, une transformation sociale, économique, culturelle et politique de leur milieu.»

41. Institut Canadien d'Éducation des Adultes (ICEA), 1° *Éléments-clés. Pour une démocratisation de l'Éducation des adultes,* no 6, «Éducation populaire — Éducation permanente: financer le secteur volontaire», I.C.E.A., octobre 1980, pp. 5-6.

Roger LEVASSEUR
> *Les deux filières de l'animation en loisir au Québec: le professionnalisme et le militantisme, 1960-1980.*

RÉSUMÉ

Le professionnalisme et le militantisme constituent les deux voies d'affirmation des animateurs en loisir (pris dans le sens général de loisir, culture, éducation populaire), agents des nouvelles classes moyennes, issues de la Révolution tranquille. Les animateurs professionnels, courant fortement majoritaire, considèrent le loisir comme un lieu de promotion individuelle et d'initiation pédagogique aux pratiques de loisir, tandis que les animateurs militants, pour leur part, définissent le loisir comme un lieu de promotion collective et d'intervention éducative auprès des milieux populaires en vue de la transformation sociale, politique et culturelle de ceux-ci. Aussi les animateurs seront-ils amenés à développer des idéologies et des pratiques spécifiques pour légitimer leur nouveau statut et pouvoir de classes moyennes, selon qu'ils se définiront comme des alliés des classes supérieures ou des classes populaires, qu'ils privilégieront le professionnalisme ou le militantisme.

Roger LEVASSEUR
> *The two channels for the promotion of leisure in Quebec: professionalism and militancy (1960-1980)*

ABSTRACT

Professionalism and militancy are the two avenues open to leisure promoters (leisure being taken in the general sense of culture or popular education) active among the new middle-class which was born out of the Quiet Revolution. On the one hand, the professionals, who constitute the large majority, consider leisure as a means of individual self-realization, a focus for pedagogical initiation to the enjoyment of leisure; on the other hand, the militants define leisure as a tool for collective promotion and for guiding the masses through a social, political and cultural transformation. This explains why leisure promoters have to develop an ideology and a set of tools designed to legitimize the new status and power of these middle-class groups, and whose very nature will depend on whether these recreation professionals consider themselves as allied to the upper or to the lower strata of society, in other words whether they have chosen professionalism or militancy as their stance.

Roger LEVASSEUR
> *Las dos corrientes de la animación en recreación en Quebec: el profesionalismo y el militantismo. 1960-1980.*

RESUMEN

El profesionalismo y el militantismo constituyen las dos vias de afirmación de los animadores en recreación (en su sentido general de recreación, cultura, educación popular). Estos son los agentes de las nuevas clases medias, que aparecieron con la «Revolución tranquila». Los animadores profesionales, la corriente de lejos la más importante, consideran la recreación como un medio de promoción individual y de iniciación pedagógica a las prácticas de recreación. En cambio los animadores militantes definen la recreación como medio de promoción colectiva y de intervención educativa en los medios populares en vistas de su transformación social, política y cultural. De esta forma, los animadores tendrán que desarrollar ideologías y prácticas específicas legitimadoras de su nuevo estatus y del poder de las clases medias, según que se definan como aliados de las clases superiores o de las clases populares, según que favorescan el profesionalismo o el militantismo.

Roger LEVASSEUR
Die zwei Orientierungen der Freizeitsanimierung in Québec: der Professionalismus und der Militantismus. 1960-1980.

ZUSAMMENFASSUNG

Der Professionalismus und der Militantismus bilden die zwei Wege, worüber sich die Freizeitanimateure (allgemein begriffen als Freizeit, Kultur, Volkshochschule) als Vertreter neuer Mittelklassen und «Produkte» der «stillen Revolution» behaupten können. Die professionellen Animateure, die in grosser Merheit auftreten, betrachten die Freizeitbeschäftigung als Weg individueller Promotion und pädagogische Einführung in die verschiedenen Freizeitbeschäftigungen, während die militanten Animateure ihrerseits die Freizeitbeschäftigung als Förderung und erzieherische Intervention in die breiten Volksschichten definieren und damit soziale, politische und kulturelle Veränderungen bezwecken. Zudem lassen sich die Animateure verleiten, Ideologien und spezielle Praktiken auszubilden, um ihren neuen Status und den Mittelklassenmachtanspruch zu legitimieren, und zwar je nachdem sie sich als Allierte der oberen oder der unteren Schichten betrachten, oder den Professionalismus bezw. den Militantismus bevorzugen.

LA MISE EN CONDITION DU CORPS: KINO-QUÉBEC ET LE DISCOURS PROFESSIONNEL SUR LA CONDITION PHYSIQUE

Jean HARVEY

Au sein des sociétés industrielles avancées, les pratiques corporelles n'échappent pas à l'extension des domaines soumis aux nouvelles normes issues du développement de l'activité scientifique et à l'émergence parallèle de groupes professionnels cherchant sous le couvert de leurs savoirs à imposer leurs pratiques. En fait, les pratiques corporelles s'avèrent un secteur privilégié d'observation des formes nouvelles de pouvoirs engendrées par l'idéologie de la moralité[1] propre aux sociétés programmées.

L'implantation de plus en plus généralisée au sein des appareils d'États[2] de programmes d'incitation à la pratique d'activités sportives et de conditionnement physique s'inscrit d'emblée dans ce processus d'extension des domaines soumis à la décision rationnelle. Cet article vise essentiellement à faire l'analyse d'un programme spécifique, Kino-Québec[3]. Le but sera d'illustrer en quoi consistent les nouveaux discours professionnels sur le corps, comment ils tendent à s'institutionnaliser et à constituer de nouvelles formes de pouvoirs sur le corps. Nous nous proposons en premier lieu de décrire les structures de Kino-Québec et ce, en mettant l'accent sur les conditions qui ont permis son émergence. Dans une deuxième partie constituant le coeur de cet article, nous tenterons de dégager les grandes lignes du discours véhiculé par cet organisme en vue de retracer le projet social sous-jacent et de faire ressortir les rapports sociaux en jeu. Enfin, en troisième lieu, nous nous proposons, avant de dégager quelques conclusions, d'examiner brièvement les relations entre les pratiques populaires[4] et les pratiques professionnalisées, de même que les conduites d'opposition dont ces dernières sont l'objet.

1.0 L'institutionnalisation de la condition physique au Québec

Le programme Kino-Québec a été mis sur pied suite à un long processus de pression politique organisé par les éducateurs physiques dans le but explicite d'acquérir une certaine légitimité dans le champ des pratiques corporelles indépendamment des formes particulières qu'a pu prendre leur discours.

Loisir et Société/Society and Leisure
volume 5, numéro 1, printemps 1982, pp. 89-104
© PUQ

Ceux-ci ont en effet incité l'État à s'impliquer, entre autres, dans le secteur spécifique de la condition physique en signalant leurs craintes sur l'état de la condition physique des québécois et sur la nécessité d'en faire le bilan.

En 1973, l'État commence à accéder aux revendications des éducateurs physiques en mettant sur pied un comité d'étude restreint sur la condition physique qui recommande la formation d'un groupe d'étude de plus grande envergure. En janvier 1974, un nouveau comité composé presque exclusivement de membres de cette profession voit le jour. Le rapport du Comité d'étude sur la condition physique des québécois, appelé communément le rapport Bouchard[5], est déposé en juillet 1974. Le rapport propose entre autres la création d'un organisme, Trimm-Québec, contrôlé par les éducateurs physiques et chargé de gérer les organisations oeuvrant dans ce secteur en plus de faire la promotion de la pratique de l'activité physique rationnelle.

Le programme Kino-Québec est mis sur pied en janvier 1978, après l'arrivée au pouvoir du parti québécois qui apporte des transformations dans le discours politique sur les loisirs et les sports notamment par l'ajout de fortes connotations nationalistes aux volontés modernisatrices du gouvernement du Québec. Entre le rapport Bouchard et la mise sur pied de Kino-Québec, plusieurs études sont menées par le service de planification du Haut-Commissariat à la Jeunesse, au Loisir et au Sport (HCJLS). Ces études dressent l'inventaire des programmes de conditionnement physique offerts aux québécois, cherchent à retracer les perceptions de ces derniers face à leurs condition physique, etc. De son côté, l'Association des Professionnels de l'Activité Physique du Québec (APAPQ), disparue depuis, met sur pied son propre comité d'étude sur les programmes de conditionnement physique. Ce comité propose dans son rapport une «normalisation» de l'organisation des programmes de conditionnement physique pour adultes et systématise la stratégie de contrôle du secteur du conditionnement physique développé dans le rapport Bouchard.

Le programme Kino-Québec, issu directement des propositions du rapport Bouchard et des éducateurs physiques, quoique transformé dans son appellation et dans ses structures, se présente comme un organisme ayant pour but de «. . . Améliorer ou maintenir à un niveau optimum la condition physique de chacun.»[6] La structure de Kino-Québec se résume à une organisation centrale, c'est-à-dire une équipe du service des sports du Ministère du Loisir, de la Chasse et de la Pêche (l'ex-Haut-Commissariat) formée de cinq (5) «conseillers en conditionnement physique», et à une organisation locale composée de cinquante-trois (53) modules Kino-Québec couvrant chacun une portion du territoire québécois.

Chaque module a à son service un coordonnateur, un éducateur physique, qui se charge de mettre en oeuvre les grandes orientations, appelées plans d'actions annuels, définies par l'appareil central, de même qu'un plan élaboré localement. Les modules se présentent comme des structures de «concertation» entre les divers organismes locaux dont un de ces derniers prend en charge la gestion de la subvention de fonctionnement accordée par l'État. Le module est ainsi rattaché à une institution locale ou régionale, municipalité, commission scolaire, etc. sans toutefois que celle-ci ne soit tenue de débourser quoi que ce soit. Le module apparaît alors comme un appendice rattaché artificiellement à un organisme, faisant partie de celui-ci tout en ne participant qu'accessoirement à ses fins; ses actions sont coordonnées par l'appareil central et par la table de concertation, sorte de conseil d'administration formé de divers organismes du milieu ayant décidé de s'associer à Kino-Québec.

Les coordonnateurs de modules sont en fait les agents chargés d'assurer la démocratisation sociale et spatiale des pratiques corporelles professionnalisées d'où l'idée de quadriller le territoire québécois en cinquante-trois (53) modules où autant de professionnels s'emploieront à réaliser la médiation entre les sciences du conditionnement physique, apanage d'une minorité «d'experts», et la population. Littéralement, en tant que conseillers, ils ont à remplir les fonctions suivantes:

> «S'assurer que la population ait un minimum de connaissances en regard de la pratique de l'activité physique (...)
>
> Lorsque sollicités, ils fournissent des avis techniques sur l'aménagement de certaines installations sportives (...)
>
> Lorsque sollicités, ils donnent des avis sur les différents aspects de la programmation, tels que l'évaluation, la prescription d'exercices, etc.»[7]

Le point central concernant le programme Kino-Québec réside dans le fait que ce sont les éducateurs physiques qui sont à la base de son élaboration, de sa mise en place, et qui en dirigent les destinées puisque les fonctionnaires chargés d'élaborer les grandes orientations du programme sont aussi des éducateurs physiques allant chercher l'expertise dont ils ont besoin dans les universités où ils ont été formés.

Ces professionnels se reconnaissent justement par leur mode privilégié d'accès aux appareils d'État qui ont connu une croissance phénoménale depuis les années '60. Par leurs stratégies, ils ont amené l'État à intervenir dans le champ de la condition physique tout en exerçant une influence décisive sur les politiques dans ce secteur. Ils tentent également de dominer les appareils de l'État consacrés au sport et au loisir dans le but de se tailler une place de choix au sein de ce secteur notamment par la promotion de nouveaux services professionnels qu'ils seraient les seuls à pouvoir assurer.

En quête du contrôle et de l'appropriation de ce nouveau champ de pratiques sociales, les professionnels de l'activité physiques ont cherché une alliance avec l'État. La collusion partielle entre les éducateurs physiques et l'État a pris place sous le gouvèrnement libéral de M. Robert Bourassa qui a précédé celui du parti québécois. C'est en effet sous le gouvernement précédent qu'ont démarré les études commandées par l'État suite aux pressions du «lobby» des «leaders» des éducateurs physiques oeuvrant dans les universités, études motivées par le droit des citoyens à une bonne condition physique. L'identification de ce nouveau droit s'ajoutant au droit, au travail, à l'éduca-tion, etc. au sein d'un État pratiquant une politique de «Welfare State», a permis aux éducateurs physiques de justifier leur présence au sein des appareils d'État en même temps qu'il a justifié l'intervention de celui-ci dans ce secteur.

Avec l'arrivée au pouvoir du parti québécois, les professionnels se doivent de promouvoir le projet nationaliste de ce parti. Bien que leurs intérêts soient différents, ils ne sont pas contradictoires, puisque les deux discours s'imbriquent l'un dans l'autre. D'une part, l'État adhère au discours des professionnels et en permet l'institutionnalisation, d'autre part, les profession-nels de l'activité physique ne sont guère gênés par les connotations nationa-listes «chapeautant» le matériel publicitaire servant à diffuser leur rhétorique.

Bref, mû par deux idéologies qui trouvent intérêt à cohabiter, l'une de type professionnel et l'autre de type nationaliste, le programme Kino-Québec se veut le promoteur d'un corps scientifiquement géré au nom du «projet national». Kino-Québec en tant qu'institution est en effet productrice et repro-ductrice d'un certain discours.[8] Nous nous limiterons ici à la dimension profes-sionnelle de ce discours, ce qui permettra néanmoins de voir la symbolique sous-jacente aux représentations de Kino-Québec en ce qui a trait à la condition physique des québécois et d'entrevoir par le fait même les relations sociales qui sont en jeu.

2.0   La rhétorique de Kino-Québec

Afin de mettre en relief les catégories essentielles de Kino-Québec en tant que lieu de production discursive, nous utiliserons le concept de rhétorique tel que l'envisage Touraine[9] en l'adaptant à notre objet. Selon Touraine, la rhétorique des organisations a deux faces, une polémique où sont identifiés les adversaires et une justificatrice comprenant un principe de légitimation et le projet social de l'organisation.

La rhétorique sert d'abord à écarter les acteurs qui entrent en concur-rence. Il s'agit en fait, par la mise en place d'un discours polémique, de se définir par rapport à ceux qui oeuvrent sur le même terrain social afin de pouvoir, une fois ces derniers disqualifiés, démontrer sa légitimité et revendi-quer un rôle moteur dans l'action.

2.1   Le discours polémique de Kino-Québec

C'est au nom du savoir professionnel et scientifique des éducateurs physiques que Kino-Québec se définit en premier lieu contre les autres acteurs dominant oeuvrant dans le même champ. Deux acteurs sont visés ici: la médecine et ses professions satellites ainsi que l'entreprise privée.

La médecine étant la profession dominante dans le secteur de la santé, les idéologues de la condition physique ne peuvent l'attaquer directement sur son terrain. S'associant à la vaste critique sociale qui tend à se développer, ils tenteront d'abord de la discréditer en faisant état des coûts de santé sans cesse croissants et de la disproportion entre ces coûts et les résultats obtenus. Une fois cette opération accomplie, il s'agira ensuite de présenter un nouveau modèle de santé permettant de gérer les corps à partir de pratiques étrangères à la médecine bien que relevant de la même logique professionnelle. On oppose donc au modèle curatif une définition dite «préventive» de la santé appuyée sur des notions de qualité de la vie et de bien-être. Bref, on s'attaque à la symbolique du pouvoir médical de deux façons: par le biais d'une dénonciation des coûts et de la vaste industrie qu'elle génère et par une critique des pratiques curatives auxquelles on oppose une vision plus rationnelle, plus positive de la santé parce que inspirée de l'idée de prévention.

Les idéologues de la condition physique cherchent également à écarter le secteur privé des services en matière de conditionnement physique, particulière-ment les studios de santé. Ici, on attaque sur trois fronts: 1) La publicité est jugée frauduleuse parce qu'elle fait la promotion de pratiques illégitimes, c'est-à-dire non orientées selon les préceptes de la science du conditionnement physique, parce qu'elle exerce une influence néfaste sur les perceptions de la population et, enfin, qu'elle s'inspire d'une conception de la condition physi-que considérée inadmissible, c'est-à-dire «irrationnelle et sans but»; 2) les pratiques commerciales sont considérées douteuses puisqu'il existerait une disparité entre les coûts et les services offerts; 3) le personnel est défini comme incompétent parce qu'il n'est pas composé de professionnels de l'activité physique.

Ainsi discréditée, l'entreprise privée, selon les idéologues de la condition physique, devrait abandonner, laisser ce champ de pratiques à l'État et aux professionnels qui eux n'auraient d'intérêts que ceux de la population et protégeraient le consommateur en édictant des normes permettant de gérer les corps de façon scientifique.

En deuxième lieu, le discours polémique de Kino-Québec s'adresse aux pratiques populaires et novatrices. À partir d'une critique de la société de consommation où l'on fait état de ses dysfonctions (disparition de l'effort physique causée par la prolifération des machines, etc.) et d'un diagnostic sur les pratiques générales de la population, il s'agit pour les producteurs de ce discours d'imputer un besoin de pratique rationnelle de l'activité physique. Nous verrons ce dernier point plus en détails lorsque nous nous pencherons sur la logique interne du discours de Kino-Québec.

Bref, les idéologues de la condition physique tentent par leur discours polémique d'écarter, d'une part, les autres acteurs dominants oeuvrant dans le même champ et, d'autre part, les pratiques populaires afin de mieux asseoir leur pouvoir d'orientation des pratiques corporelles. Ils doivent cependant justifier leur présence, leurs pratiques devant apparaître plus légitimes que celles qu'ils dénoncent. Les sciences de l'activité physique rempliront cette fonction.

2.2   La science de l'activité physique, fondement d'un nouveau pouvoir en matière de pratiques corporelles

Le problème de la légitimité est fondamental pour les professionnels. La recherche d'une certaine autorité légitime sur un champ de pratiques est en fait l'objet d'un investissement constant étant donné le caractère incessant des luttes pour le contrôle de ces secteurs. «La construction et la défense d'une profession ne sont jamais acquises; elles se répètent au coeur même des actes professionnels.»[10]

Ce problème de légitimité se pose d'autant plus intensément chez les éducateurs physiques par le fait qu'ils ne disposent d'aucune reconnaissance juridique de leurs prétentions, telle l'acquisition du statut de corporation professionnelle. Leur influence sera donc directement dépendante de la crédibilité que saura conférer leur discours. Dans cette optique, leur discours devra s'appuyer sur des assises reconnues socialement. L'élaboration d'une nouvelle science, la science de l'activité physique, appelée également la science de l'homme en mouvement, permettra aux éducateurs physiques qui se présentent dorénavant comme les *professionnels* de l'activité physique, de loger leur discours à l'enseigne de la science et ainsi espérer voir celui-ci acquérir une certaine crédibilité. Le développement d'un discours savant dans lequel les données scientifiques et les jugements moralisateurs cohabitent leur permet, en effet, d'exposer leur vision de la condition physique des québécois qui se justifie par ses connotations scientifiques. Un exemple éloquent de ce genre de pratique nous est donné par l'énumération des bienfaits principalement biologiques et physiologiques de la pratique des activités physiques.[11]

Le terrain scientifique que l'on tente de délimiter s'inspire des sciences biologiques. On cherche en effet à identifier les déterminants biologiques et physiologiques de la performance physique de même que les techniques susceptibles de l'influencer. Le postulat des performances humaines sans cesse perfectibles qui est à la base de ce savoir pose problème au niveau épistémologique. Il permet de s'interroger sur la scientificité de ces travaux même si ceux-ci sont menés à l'aide d'outils scientifiques. De plus, comme le souligne à juste titre Boltanski, la constitution d'un tel savoir régional à partir d'une demande sociale précise, dans notre cas celle de la rationalisation des usages ludiques du corps, engendre, d'une part, des taxonomies et des catégories de perception du corps qui tendent à le réduire à une seule de ses dimensions et, d'autre part, des

«... représentations purement fonctionnalistes du corps, sorte d'outil ajusté à des fins particulières et possédant corrélativement et, en quelque sorte, par essence des besoins particuliers qui doivent être satisfaits pour qu'il puisse remplir les fonctions qui lui sont socialement assignées.»[12]

Ainsi, en même temps que les déterminismes sociaux de la pratique sont écartés, c'est un système particulier d'orientations culturelles en matière de pratiques corporelles qui est développé servant pour ces promoteurs de justification à leur volonté d'agir, de prendre en charge les pratiques d'autrui.

Bref, cette «science» s'inscrit dans un vaste projet de rationalisation dans le sens de l'extension des «... domaines qui sont soumis à la décision rationnelle».[13] En plus de conférer une certaine autorité aux représentations des idéologues de la condition physique, elle a pour fonction de justifier l'existence même des professionnels de l'activité physique en tant que groupe socio-professionnel en les présentant comme les seuls possesseurs de cette science.

Elle sera également la base d'une fragmentation du groupe des éducateurs physiques en deux camps: le premier composé des éducateurs physiques formés aux sciences de l'éducation et le second des nouveaux «spécialistes en sciences de l'activité physique». Ces derniers se parent de tous les attributs du scientifique ce qui selon eux devrait leur donner d'emblée un statut plus élevé, tandis que les premiers ne revêtent que la pâle image du professeur de «culture physique» non rompu à la rigueur de la scientificité.

Ainsi, les pratiques relatives au conditionnement physique, produites à partir des préceptes de la science de l'activité physique, se révèlent comme une nouvelle rationalisation du corps par les moyens techniques mis au point par cette science et comme le lieu de constitution d'un nouveau pouvoir de contrôle des pratiques corporelles pour les tenants de cette science.

Une fois les opposants écartés et le principe de légitimité posé, il reste à présenter un nouveau projet social dont le définisseur revendiquera la direction.

2.3 Le modèle technocratique de la condition physique

Nous qualifierons le projet des idéologues de la condition physique de stratégie de reconversion des pratiques corporelles. Cette stratégie vise à transformer les pratiques qui ont cours en vue de les soumettre aux critères de la décision rationnelle, c'est-à-dire de mettre en place un système de pratiques normées dont la logique s'inspire des préceptes de la science de l'activité physique. Il s'agit d'un processus en deux étapes: 1) Disqualification des pratiques populaires et de celles véhiculées par les autres agents en concurrence; 2) Redéfinition des pratiques en fonction de normes professionnelles.

Cette vaste stratégie trouve sa justification, comme dans le cas de toutes les idéologies professionnelles, dans l'identification préalable d'un besoin présumément ressenti par les individus, que l'on étend à toute la population et appelant le service correspondant. Il s'agit du besoin d'une pratique rationnelle des activités de conditionnement physique. L'économie des besoins en matière de condition physique au sein du programme Kino-Québec, si on délaisse les dimensions proprement industrielles et marchandes qu'elle génère, se présente schématiquement (voir tableau I, page 97).

La logique de l'économie des besoins en matière de condition physique repose sur la fonctionnalité en tant que signe de rationalité scientifique. Il s'agit en fait de mettre en place un système qui, par les relations fonctionnelles existant entre ses divers éléments, se présentera comme une approche rationnelle parce qu'établie à partir de catégories quantifiées, et donc comme la seule façon logique de penser la problématique de la condition physique. Des besoins généraux des québécois au système des carnets d'entraînement et des certificats sanctionnant la pratique, l'économie des besoins en cette matière vise à placer les pratiques à l'enseigne de la rationalité scientifique, celle-ci étant garante de l'efficacité sociale. Au sein de ce système, les possesseurs de la culture corporelle scientifique seront les médiateurs entre la science et la population à qui s'adresse cette stratégie. On y décèle le type de relations sociales recherchées, c'est-à-dire la dépendance des usagers par rapport aux détenteurs du seul savoir légitime.

La structure binaire du système (diagnostic et prescription) correspondante révèle les deux étapes de la stratégie de reconversion des pratiques corporelles évoquées plus avant. Il s'agit d'identifier un mal social et de présenter une solution réclamant la présence de professionnels.

Le diagnostic établi par les idéologues de la condition physique visant à imputer certains besoins réclamant leurs services permet de déceler trois types de besoins: 1) Un besoin général propre à tous les québécois et en particulier aux adultes qui ne peuvent «bénéficier» par le biais de l'appareil d'éducation des services d'un éducateur physique. Ce besoin est inculqué par le biais d'un constat général sur la condition physique de la population; 2) Des besoins spécifiques à certaines catégories sociales, celles-ci étant définies par une opération de reconstruction de la société à partir de catégories «naturalisées» appelées clientèles cibles (femmes au foyer, travailleurs sédentaires, etc.);

TABLEAU I

ÉCONOMIE DES BESOINS EN MATIÈRE DE CONDITION PHYSIQUE

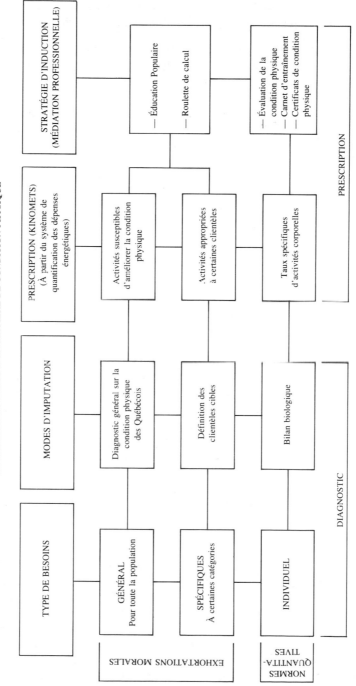

3) Un besoin individuel mesuré par le biais des «facteurs de la valeur physique» établissant le «bilan biologique», l'état de la condition physique de chacun.

Dans l'identification des deux premiers types de besoins, ce sont les exhortations morales qui prédominent, trouvant leur légitimité dans les connotations scientifiques du discours qui les véhicule. Le dernier type de besoin est, somme toute, puisque c'est le propre des professions de s'adresser d'abord à l'individu, le but ultime de la stratégie de prise en charge des pratiques corporelles. Il est identifié selon des normes quantitatives développées par les sciences de l'activité physique dont elles représentent les raffinements les plus subtils.

De la même manière que l'on peut retrouver le diagnostic sur deux registres, soit celui de l'identification des besoins et celui de leurs différents modes d'imputation, la partie prescriptive de l'économie des besoins en matière de condition physique se présente en deux temps, soit les prescriptions en tant que telles élaborées en Kino-Mets[15] et la stratégie mise en place par Kino-Québec pour les induire par le biais de la médiation professionnelle.

Aux besoins généraux et spécifiques correspond dans la dimension prescriptive de l'économie des besoins en matière de condition physique la délimitation des pratiques légitimes à un niveau général et au niveau des clientèles cibles préalablement identifiées. La dépense énergétique encourue par les diverses activités physiques selon le système des Kino-mets est le critère de délimitation des pratiques légitimes. Dans ce système, les pratiques professionnalisées apparaissent comme les plus susceptibles «d'améliorer la condition physique.» La stratégie d'induction de ces prescriptions consiste d'abord à faire ressortir la valeur de ces différentes activités. C'est dans cette optique qu'a été développée une règle de calcul où apparaissent les dépenses encourues par les différentes activités, la population étant désormais apte à voir par elle-même, chiffres à l'appui, quelles pratiques doivent être développées. Il s'agit ensuite de mettre sur pied des programmes «d'Éducation populaire», en grande partie sous la responsabilité des coordonnateurs de modules, qui auront pour objectif d'inculquer les catégories du choix et de la pratique rationnelle des activités physiques.

Le besoin individuel préalablement identifié requiert, dans le but de revêtir un certain caractère de scientificité, une prescription précise et quantifiée. À partir du bilan biologique où sont mesurés les différents paramètres de la valeur physique, une prescription en fonction d'une quantité déterminée d'activités corporelles est établie. Les différents taux de dépense énergétique identifiés sur la roulette de calcul servent de base à la prescription. À chaque niveau de condition physique à atteindre correspond le taux d'activités corporelles à effectuer. Ces activités, colligées dans des carnets d'entraînement, sont sanctionnées à l'aide de certificats de condition physique décernés par les coordonnateurs de modules une fois atteint le taux requis.

Ainsi se dessine l'économie des besoins en matière de condition physique. L'imputation des besoins légitimise la mise en place d'un système d'orientation des pratiques corporelles placé sous le contrôle des professionnels seuls possesseurs du savoir en cette matière devant une population ignorant selon eux ses propres besoins:

> «Les gens ne savent pas trop pourquoi il leur faut être actifs physiquement. Environ 54% des gens actifs disent l'être pour leur propre plaisir, tandis que 40% des gens disent l'être pour leur santé et leur bien-être. Les gens ne connaissent pas les effets de l'hypokinétisme sur leur état général de santé.»[16]

Bref, comme c'est le cas pour toutes les idéologies professionnelles, l'économie du besoin et du service correspondant en matière de condition physique s'élabore sur des conceptions avilissantes pour les individus pouvant, comme le souligne McKnight, se résumer ainsi:

> «Nous sommes la solution à votre problème, vous ne connaissez pas votre problème, vous ne pouvez comprendre ni votre problème ni sa solution, vous n'êtes pas aptes à savoir quelle est la bonne solution.

Transposés en termes d'intérêts du système des services et de leurs besoins, ces postulats se transforment ainsi:

> Nous avons *besoin* de problèmes, nous avons *besoin* de dire lesquels, nous avons *besoin* que vous soyez satisfaits par nos prévenances.»[17]

Mais, cette opération de prise en charge des pratiques corporelles par les professionnels de l'activité physique alliés à l'État, ne se passe pas sans opposition.

3.0 Du refus à la rupture; vers un nouveau modèle en matière de pratiques corporelles?

À toute forme de pouvoir qui tend à s'institutionnaliser, et à fortiori lorsque le pouvoir en question ne tire pas sa légitimité d'une quelconque représentation ou délégation, s'opposent des conduites qui, entre autres, peuvent prendre la forme d'un refus passif ou celle d'une remise en question plus forte par l'émergence de contre-modèles.

Dans le cas qui nous préoccupe, les orientations culturelles des idéologues de la condition physique, au-delà des luttes qui se livrent au niveau institutionnel, ne font pas non plus l'unanimité. Si l'on demeure à un niveau général et que l'on délaisse les variations dans les pratiques engendrées par les habitués des différentes classes et fractions de classes, de même que les propriétés distributionnelles de ces différentes pratiques, pour reprendre les

termes de Bourdieu[18], un bref examen des types d'activités pratiquées par les québécois nous permet de constater que ceux-ci sont surtout friands de marche, de baignade, de randonnée à bicyclette et en ski de fond. Ces activités ont toutes certaines caractéristiques en commun:
— elles requièrent peu d'habileté physique;
— elles exigent peu d'organisation, de structure;
— elles relèvent davantage du jeu et de la spontanéité;
— elles sont définies, organisées, contrôlées par les gens eux-mêmes;
— elles ne demandent aucune intervention professionnelle.[19]

Il y a donc antinomie entre les pratiques populaires et les activités normalisées promues par les idéologues de la condition physique. Ces dernières exigent effectivement des équipements spécialisés et l'apprentissage formel de techniques de plus en plus élaborées.

À cette antinomie entre les pratiques populaires et celles des professionnels s'ajoute une contestation des plus virulentes du type de discours véhiculé par Kino-Québec prenant place lentement. On la retrouve sous trois rubriques: 1) L'émergence d'une critique intellectuelle; 2) le développement de nouvelles pratiques chez les classes moyennes; 3) la montée des organisations populaires en matière de sport et de conditionnement physique.

On assiste présentement à l'émergence d'une critique intellectuelle au Québec, qui n'est pas sans rappeler les travaux de la revue «Quel corps?» en France, où l'on tente de développer une analyse systématique du discours dominant en matière de pratiques corporelles. Cette tendance peut être décelée notamment dans les derniers numéros de la revue *Le desport,* publiée à Montréal.

On assiste également au développement au sein des classes moyennes de nouvelles pratiques inspirées des gestalts, pratiques qualifiées quelquefois d'anti-gymnastiques, qui sous le couvert d'un affranchissement des pratiques répressives dominantes s'inspirent d'un certain néo-libéralisme pour en appeler à une libération du corps et à la croissance personnelle.[20]

Enfin, on assiste à l'émergence de mouvements[21] associés aux groupes populaires dans les villes qui, à partir d'une critique radicale des pratiques corporelles dominantes, sont en quelque sorte les promoteurs d'une auto-gestion des pratiques corporelles relatives au sport et à la condition physique.

Bref, l'institutionnalisation du discours professionnel en matière de condition physique fait face à des conduites d'opposition et de refus qui luttent contre cette nouvelle forme de pouvoir et préfigurent l'émergence de pratiques corporelles alternatives.

Conclusion

La brève analyse que nous venons de mener sur Kino-Québec révèle comment cette institution s'avère un exemple éloquent du type de discours que constituent les discours professionnels en matière de pratiques corporelles et de la façon avec laquelle ils tendent à s'institutionnaliser au sein des sociétés industrielles avancées. Ces nouveaux discours dominants par le développement de stratégies de prise en charge des usages ludiques du corps s'avèrent en effet un nouvel avatar de l'extension sans cesse croissante des domaines soumis à la décision rationnelle, processus s'inscrivant dans celui plus vaste de l'extension des interventions de la société politique dans la société civile ayant cours dans les sociétés industrielles avancées.

NOTES ET RÉFÉRENCES

1. A. TOURAINE, *L'après-socialisme,* Paris, Grasset, 1980. pp. 137-138.
2. Pour un inventaire de ces programmes voir: F. LANDRY, Programmes de conditionnement physique ayant remporté du succès à l'étranger, 1974, annexe au *Rapport du Comité d'étude sur la condition physique des québécois,* Québec, Éditeur officiel du Québec, 1974.
3. Cet article est basé sur une thèse de maîtrise dont il reprend les résultats. Voir J. HARVEY, *La rhétorique de Kino-Québec,* mémoire de maîtrise en sciences du loisir, Université du Québec à Trois-Rivières, juin 1981. 130 p.
4. Dans cet article, la notion de pratiques populaires réfère aux pratiques générales de la population, pratiques que l'on pourrait qualifier de spontanéistes, et ce, par opposition aux pratiques normalisées véhiculées par les professionnels.
5. Le rapport Bouchard est le document central du discours des éducateurs physiques du Québec en ce qui a trait à la condition physique. Il est la première mise en forme de leur vision de la condition physique des québécois et des moyens qu'ils privilégient pour remédier aux maux identifiés.
6. Kino-Québec, *Plan d'action national,* 1980-81, p. 4.
7. Kino-Québec, *Définition des fonctions des coordonnateurs de modules,* novembre 1978, 5 p.
8. P. ANSART, *Idéologies, conflits et pouvoirs,* Paris, P.U.F., 1977. Voir notamment le chap. 3.
9. A. TOURAINE, *Production de la société,* Paris, Seuil, 1973.
10. F. DUMONT, *Les idéologies,* Paris, P.U.F., 1974, p. 80.
11. Kino-Québec, *Mission à long terme et plan d'action 1978-79,* p. 28.
12. L. POLTANSKI, Les usages sociaux du corps, *Annales, Économie, Société, Civilisation,* vol. 26, no 1, 1971, p. 208.
13. J. HABERMAS, *La technique et la science comme idéologie,* Paris, Gonthier, 1973, p. 3.
14. Nous ne saurions trop insister sur le caractère descriptif et provisoire de ce tableau.
15. Un Kino-mets égale une consommation d'oxygène de 3,5 ml $\times$ kg^{-1} $\times$ min.$^{-1}$.
16. Kino-Québec, *Plan d'action 1979-80,* p. 33.
17. J. MCKNIGHT, le professionnalisme dans les services: un secours abrutissant, *Sociologie et sociétés,* vol. 9, no 1, pp. 7-19.
18. P. BOURDIEU, *La distinction,* Paris, Éditions de minuit, 1980.

19. R. LEVASSEUR, *Les professionnels de l'activité physique, agent de libération ou de dépendance,* Communication présentée au 6ième colloque sur les installations et les équipements sportifs organisé par le service des sports de l'Université de Montréal, le 7 mai 1980.

20. Pour une analyse plus complète de ces nouvelles pratiques, voir G. VIGARELLO, *Le corps redressé,* Pairs, Jean-Pierre DELARGE, 1978.

21. C'est le cas du CANAL (Collectif d'Animation et d'Analyse en Loisir) au Québec.

Jean HARVEY
  La mise en condition du corps: Kino-Québec et le discours professionnel
  sur la condition physique

RÉSUMÉ

Le secteur des pratiques corporelles s'avère un domaine privilégié d'observation du développement des discours professionnels au sein des sociétés industrielles avancées. L'analyse d'un cas particulier, celui du discours mis de l'avant par le programme d'incitation à la pratique de l'activité physique qu'est Kino-Québec, permet à l'auteur de faire ressortir les dimensions stratégiques du discours des éducateurs physiques et le projet social qui les anime. De plus, cette analyse permet d'illustrer comment les discours professionnels en matière de pratiques corporelles tendent à s'institutionnaliser. Le projet identifié ici en est un de prise en charge des pratiques populaires, de leur reconversion en pratiques professionnalisées et ce, au nom d'un savoir scientifique dont les professionnels seraient les seuls possesseurs et donc les seuls susceptibles d'en assurer la «nécessaire» diffusion.

Jean HARVEY
  Physical conditioning: Kino-Quebec and its pronouncements on physical
  culture

ABSTRACT

The physical-training sector within advanced industrial societies makes an excellent subject for the study of the development of professional thinking and of its expression. The analysis of a particular case, that of the rhetoric used by Kino-Quebec to encourage people to engage in physical activity provides the author with an opportunity to bring to light how such public utterances by the professionals tend to become institutionalized. Kino-Quebec's purpose is to take charge of such leisure activities among the popular classes and to streamline them into a professional mold in the name of a new science which only the professionals, as its exclusive devotees, can disseminate.

Jean HARVEY
  El acondicionamiento del cuerpo: Kino-Quebec y el discurso profesional
  sobre la condición física

RESUMEN

El sector de las prácticas corporales aparece como un campo privilegiado de la observación del desarrollo de los discursos profesionales en el seno de las sociedades industriales avanzadas. El autor analiza un caso particular: el discurso utilizado en el programa Kino-Quebec, de incitación a la práctica de actividad física. Esto le permite resaltar las dimenciones estratégicas del discurso de los profesores de educación física y el projecto social que los anima. Además, este análisis permite ilustrar como los discursos profesionales en materia de prácticas corporales tienden a institucionalizarse. El projecto que se identifica en este artículo, toma a cargo las prácticas populares, su reconversión en prácticas profesionales y esto a nombre de un saber científico que solo poserían los profesionales y que en consecuencia serían los únicos suceptibles de asegurar la «necesaria» difusión.

Jean HARVEY
  *Körperkultur: Kino-Québec und der professionelle Diskurs über
  Leibesertüchtigung.*

ZUSAMMENFASSUNG

Das Gebiet der Leibesübungen stellt sich als privilegiertes Beobachtungsfeld für die Entwicklung der professionellen Diskurse, die im Rahmen fortgeschrittener industrialisierter Gesellschaften gehalten werden, heraus. Die Analyse eines besonderen Falles, des Diskurses, welcher im Werbeprogramm für Körperkultur von Kino-Québec geführt wird, erlaubt dem Autor, die strategischen Aspekte der Sprache der Sportlehrer und den Gesellschaftsentwurf, der sie belebt, herauszustellen. Die Analyse erlaubt im weiteren zu zeigen, wie die professionellen Diskurse über Leibesübungen zur Institutionalisierung tendieren. Im hier identifizierten Entwurf geht es um die Uebernahme volkstümlicher Praktiken, ihre Konversion in professionalisierte Praktiken, und dies aufgrund wissenschaftlicher Erkenntnis, welche allein Professionelle besitzen, und deren «notwendige» Verbreitung nur durch sie bestellt werden kann.

UNE INTERVENTION PROFESSIONNELLE MILITANTE EN MILIEU POPULAIRE

Richard NICOL

Le loisir n'est-il pas une pratique de classe? Peut-on réussir à intégrer la dimension militante à l'intervention professionnelle en loisir? Cet article traite d'un travail professionnel se dissociant des idéologies dominantes et des pratiques traditionnelles en loisir au Québec. L'expérience marginale dont il sera question a cheminé en même temps que quelques collectifs, animés par de jeunes professionnels, qui ont entrepris l'élaboration de nouvelles perspectives d'analyse du loisir et la recherche de pratiques progressistes afin de concurrencer le corporatisme stagnant.[1] Leur discours questionne sévèrement les analyses positivistes et fonctionnalistes qui tiennent traditionnellement lieu d'explication. Leur vision de la pratique professionnelle remet vigoureusement en cause l'organisation pyramidale du loisir coupée des citoyens, du travail et de l'exploitation quotidienne. Dénonçant le loisir comme un engrenage de l'appareil idéologique culturel qui sert la reproduction des rapports sociaux inégaux, ces nouveaux groupes progressistes, malgré l'éloquente modestie de leurs ressources, tentent de fissurer le discours monopoliste et de contribuer à la production d'une politique du loisir au service des classes populaires. Dans leur sillage et sous leur impulsion, le mouvement ouvrier et populaire commence à considérer le loisir autant dans son analyse de la réalité que dans son cahier de revendications.

Les camps familiaux[2] et le Groupe Ressources-Vacances Sites (G.R.V.S.)[3] ne sont pas étrangers à cette brèche idéologique qui modifie l'échiquier politique du tourisme social au Québec et bouscule un style d'intervention solidement ancré. Dans ce contexte, l'intention est de rendre compte des démarches et des résultats d'une pratique professionnelle visant à correspondre, le mieux possible, aux intérêts objectifs des classes populaires. Celle-ci envisage le loisir comme une expérience de classe et refuse la dissociation mystificatrice du travail et du loisir tout autant qu'elle conteste le cloisonnement du temps et du vécu dans la société capitaliste occidentale. Il s'agit, en définitive, de l'illustration d'une collaboration de classe qui a porté fruit. Nous l'abordons sous l'angle des faits et des enjeux ainsi que sous celui du change-

Loisir et Société/*Society and Leisure*
volume 5, numéro 1, printemps 1982, pp. 105-126

ment des mentalités et des pratiques. Nous effectuons un retour sur l'expérience avec un regard actuel dans l'optique de contribuer à la réflexion des intervenants sur le sujet mais aussi afin de mieux saisir notre propre démarche. Ce texte, qui questionne la pratique professionnelle en loisir, a donc une limite: il traite de l'action dans laquelle nous sommes pleinement engagés; il n'est pas simple de se dégager totalement et de s'en tenir à une interprétation objective des événements. D'autre part, par expérience, nous savons qu'un texte de cette nature a davantage le don d'aiguiser l'appétit que le mérite de dégager des solutions.

1 - Émergence d'une organisation populaire: le Mouvement Québécois des Camps Familiaux

Parmi les quelques associations québécoises directement préoccupées par l'accessibilité aux vacances familiales, les camps familiaux représentent une expérience unique, par le fait qu'ils réalisent des projets originaux contrôlés par les classes populaires.

1.1 Les caractéristiques des camps familiaux

On dénombre actuellement trente-cinq (35) associations familiales localisées dans neuf (9) villes et neuf (9) quartiers de la grande région de Montréal ainsi que dans quatre (4) autres villes du Québec. Celles-ci regroupent plus de mille cinq cents (1500) familles, soit plus de cinq mille (5000) parents et enfants qui en constituent le membership. Durant la période des vacances estivales, elles rejoignent plus de deux mille (2000) autres personnes qui jouissent ainsi de l'accès à des vacances familiales économiques.

Quatre (4) associations ne recrutent que des familles monoparentales alors que deux (2) oeuvrent plus particulièrement auprès des assistés sociaux; la plupart, cependant, accueillent des familles, souvent nombreuses, provenant très majoritairement des classes populaires[4].

Deux tiers de ces associations, composées d'environ vingt-cinq (25) familles chacune, organisent collectivement leur séjour de vacances (2 semaines) dans un camp familial. L'autre tiers, qui peut regrouper plus de cinquante (50) familles chacune, gère ses propres installations sur une base saisonnière ou à long terme, soit en tant que propriétaire, soit en tant que locataire. Ces camps familiaux sont d'anciennes colonies de vacances converties à l'accueil de familles, impliquant une somme fort importante de temps et d'énergies consacrés à leur entretien et à leur restauration. Enfin, deux associations se consacrent au camping. Cinq (5) associations existent depuis près de douze (12) ans, bien que la durée moyenne se situe à environ sept (7) ans. Ceci laisse entendre la jeunesse de quelques-unes dont la création ne remonte qu'à cinq (5) ans. Sept (7) associations affectent plus particulièrement leurs énergies à l'organisation et à la gestion de leur camp familial. La majorité, cependant, réalise un ensemble d'activités communautaires accessibles aux membres et aux habitants du quartier.

Trente-deux (32) associations ont un statut de corporation sans but lucratif alors que trois (3) ont préféré la formule coopérative à fin non lucrative. Dans chacune, les administrateurs (trices) sont, en général, au nombre de sept (7); elles se réunissent, en moyenne, dix (10) fois par année et convoquent les membres à autant d'assemblées générales. Soixante-quinze pour cent (75%) de ces associations ont accès à un local ou à des salles publiques pour leurs rencontres périodiques.

Ces associations fonctionnent à l'année longue et organisent, en plus des vacances qui constituent leur réalisation majeure, diverses activités de loisir et d'éducation populaire: soirée de Noël, partie de sucre, journée de plein air, atelier juridique sur le chômage ou les problèmes de logement, danse sociale, etc. Toutes autofinancent leurs activités soit par le biais de ventes diverses (v.g. chocolat, billets, chandelles, vêtements, macarons, etc.), soit par des soirées dansantes, des bazars, des bingos, des commenditaires et des subventions locales relevant de la discrétion du député provincial de leur circonscription. Toutefois, afin de diminuer le coût des vacances, Centraide-Montréal (institution privée à fins charitables) et le ministère québécois des Affaires sociales subventionnent les associations. Pour sa part, le ministère du Loisir, de la Chasse et de la Pêche (M.L.C.P.) soutient financièrement les associations qui opèrent un camp familial. Ces octrois servent à défrayer en partie les salaires du personnel, les coûts d'entretien et de réparation ainsi que l'achat de matériel didactique de plein air: canot, chaloupe, pédalo, ceinture de sauvetage, etc. Le M.L.C.P., sur une base de projets clairement identifiés, subventionne aussi des travaux d'amélioration locative de plus grande envergure. Finalement, les associations ont accès au programme communautaire du Secrétariat d'État canadien de la région du Québec qui appuie financièrement certains projets occasionnels tels: colloques, études, etc.

1.2   De l'isolement au regroupement

Depuis plus de douze (12) ans, ces associations n'ont cessé de se renforcer. Elles sont fières d'une courte histoire mouvementée, parsemée de victoires et d'échecs, qui est celle d'une tentative constante de s'approprier et de conserver le contrôle de l'organisation des vacances de leurs membres. Mais c'est aussi l'histoire d'une revendication majeure: le droit concret aux vacances familiales pour les classes populaires.

Les animateurs des camps familiaux ont puisé à une double source leur orientation et leur pratique. Ils se sont d'une part inspirés de l'intervention des animateurs sociaux dans les quartiers populaires de Montréal; laquelle intervention a emprunté deux directions: l'une de pression politique auprès des pouvoirs publics, l'autre d'auto-organisation des classes populaires concernant leurs conditions de vie quotidiennes. Ils ont d'autre part puisé chez les animateurs du service d'éducation permanente du YMCA du centre-ville, plus près du mouvement écologique.

Alors qu'elles étaient complètement isolées, il y a quatre (4) ans à peine, soit avant l'arrivée du Groupe Ressources-Vacances Sites, ces associations ont depuis développé et raffermi les liens qui les unissent dorénavant au sein d'un mouvement populaire. Les pionniers, provenant en général des associations ayant le plus d'expérience, ont su assumer un leadership qui a généré une solidarité fondée sur une communauté d'objectifs et d'intérêts concrets respectant l'autonomie de chacune des associations. Car, si toutes visent à organiser des vacances et des loisirs familiaux et communautaires, chacune d'elles possède une identité propre, une spécificité qui la distingue des autres.

Bien que la conscientisation en soit à ses premiers balbutiements, les actions récentes laissent entrevoir une organisation de plus en plus articulée: mémoires au gouvernement et à Centraide-Montréal, élaboration d'une politique des vacances familiales et d'un cahier de revendications.

De plus, les projets de vacances familiales mis de l'avant parlent d'eux-mêmes: organisation collective, vie communautaire, décloisonnement du loisir, coûts économiques, formation continue, cellule familiale comme pôle d'organisation et de vécu du loisir. Jusqu'à tout récemment, les associations luttaient individuellement et isolément, dans l'ombre, affrontant la bureaucratie gouvernementale sans posséder la force, les atouts et les moyens nécessaires. Ce n'est qu'au mois de mars 1980 que sept (7) porte-parole, élus quelques mois auparavant au cours d'une rencontre réunissant des responsables de chacune des associations, divulguaient, au cours d'une conférence de presse, un cahier de revendications fermement discutées et formulées l'automne précédent. Les revendications s'adressaient principalement au gouvernement québécois: reconnaissance réelle de leurs réalisations par l'augmentation substancielle des subventions, prise en considération de leurs expériences dans l'élaboration d'une politique des vacances familiales, consultation régulière sur les projets de politiques et de législations. D'autre part, les associations souhaitaient une plus grande implication de Centraide-Montréal et invitaient le mouvement ouvrier et populaire à défendre le droit aux vacances pour tous.

Après trois années (1978-81) de rencontres, d'échanges et d'actions, tous et toutes les responsables d'associations reconnaissaient la nécessité de se regrouper pour faire valoir leur point de vue et défendre leurs intérêts. C'est à la suite de plusieurs rencontres collectives successives que l'assemblée générale spéciale de fondation du Mouvement québécois des camps familiaux s'est tenue en mai 1981. Les associations ont voulu faire de leur mouvement une organisation qui, s'appuyant sur leurs réalisations, défende le droit aux vacances pour toutes les familles. Cette intention se réflète dans les objectifs identifiés: représenter et défendre les droits et les intérêts des membres, favoriser l'accessibilité aux vacances et aux loisirs familiaux et communautaires, en particulier pour les familles à revenu modeste. Cependant, c'est au cours d'une assemblée générale spéciale qui s'est tenue en septembre 1981, que les responsables d'associations ont définitivement jeté les bases d'un projet d'orientations. Ils ont souhaité développer un mouvement populaire important qui demeure proche et collabore étroitement avec ses membres tout en s'impliquant le plus possible pour défendre le droit aux vacances pour tous et influencer les politiques gouvernementales en faveur des intérêts des classes populaires. Les responsables d'association ont manifesté clairement leur volonté de lutter pour la promotion collective des classes populaires et pour une société plus juste. Pour ce faire, ils se sont entendus pour collaborer avec les groupes populaires et les centrales syndicales tout en signifiant leur détermination à critiquer le tourisme commercial dans le but de lui substituer des alernatives communautaires.

Par la suite, les responsables d'associations ont entériné les programmes d'actions proposés par leur conseil d'administration. Ceux-ci concernent l'assistance technique polyvalente aux membres, la formation et la promotion collective, la recherche et le développememt, l'information et la représentation, la présence en milieu québécois, les relations internationales et les fêtes collectives.

1.3 Les enjeux majeurs

L'arrivée sur la scène du loisir au Québec du Mouvement québécois des camps familiaux, organisation nationale de défense du droit aux vacances, a heurté plus d'un tabou. Le mouvement avance un discours avec lequel les fédérations de loisir ne sont pas familières et confirme son intention, qui n'est pas coutume, de collaborer étroitement avec le mouvement ouvrier et populaire. D'autre part, contrairement à la très grande majorité des fédérations de loisir, le Mouvement québécois des camps familiaux ne se présente pas comme un partenaire de l'État mais comme un des défenseurs des classes populaires. Le Mouvement attise aussi la curiosité des intervenants par ses stratégies pratiques fort différentes des structures traditionnelles. Alors que les fédérations de loisir privilégient l'initiation et l'accessibilité financière aux activités, le Mouvement, par contre, mène des luttes pour le contrôle populaire des vacances et du loisir. Au moment où le gouvernement du Québec valorise politiquement (sans doute pas concrètement si l'on jette un regard lucide sur ses réalisations, ses projets et ses résistances) la prise en charge par les citoyens de leurs loisirs, le Mouvement québécois des camps familiaux fait face à plusieurs enjeux de taille.

Le premier concerne la reconnaissance de son réseau de tourisme social et par conséquent, de la légitimité de ses interventions en matière de vacances familiales. Puisque l'État tarde à franchir le seuil des intentions généreuses, la tâche ne sera pas facile. Cependant, la priorité accordée par le ministère du Loisir aux vacances familiales, les initiatives des camps familiaux en vue de favoriser l'accessibilité réelle aux vacances, l'autogestion par les citoyens de leurs projets communautaires, tous ces éléments devront inévitablement être pris en compte par les autorités gouvernementales responsables de l'ébauche d'une politique du tourisme social au Québec. Déjà, le Mouvement québécois des camps familiaux, a acquis une notoriété dans le milieu et l'on ne peut esquiver ses réalisations lorsque l'on traite du dossier des vacances. D'autre part, des responsables de camps familiaux qui participaient au Congrès du Bureau International de tourisme social (BITS), qui s'est tenu en août 1980 au Québec, y ont reçu un accueil chaleureux de la part de plusieurs associations européennes: Culture-Tourisme-Loisirs (Belgique), Loisirs-Vacances-Tourisme (France), CECOREL (France), Renouveau (France), Fédération Léo Lagrange (France) et Promtour (France). C'est un grand pas en avant mais aussi une importante responsabilité pour une jeune organisation.

Le deuxième enjeu consiste à extrapoler la portée et l'impact des gains législatifs et politiques que fera le Mouvement. Seront-ils tangibles? Profiteront-ils davantage aux classes «moyennes» au détriment des classes populaires? A priori, ce ne serait pas un gain négligeable puisque cinquante pour cent (50%) de la population ne «part» pas en vacances et qu'environ quarante pour cent (40%) de ceux qui le peuvent n'ont d'autres moyens financiers que ceux de séjourner chez des parents et amis. Toutefois, les objectifs du Mouvement sont de favoriser l'accès aux vacances pour les plus démunis: dans quelle proportion en profiteront-ils?

Le Mouvement québécois des camps familiaux demeurera-t-il une organisation ouverte, exempte de corporatisme? Jusqu'à présent, l'assemblée générale a décrété la nécessité de procurer aux membres des services techniques de qualité, tout en manifestant sa volonté de défendre publiquement les intérêts des familles à revenu modeste en général. Si l'on scrute l'histoire de plusieurs fédérations de loisir, la tendance au repli sur soi apparaît avec évidence. Quels mécanismes faudrait-il adopter pour l'atténuer voire même la contrer?

Les camps familiaux sont des installations de vacances très modestes mais contrôlés par leurs membres. En France, la restauration des équipements et l'amélioration du confort, sous la pression de l'implantation des Villages-Vacances-Familles prestigieux, ont semé une désaffectation des membres pour la vie collective et la prise en charge au sein des associations familiales populaires. Il en est résulté une attitude de pure consommation face aux vacances. Le scénario se reproduira-t-il au Québec? La nécessaire rénovation des camps familiaux engendrera-t-elle la démission des membres? L'expérience concluante d'un camp familial tend à faire mentir cette évolution.

Le dernier enjeu majeur concerne l'avenir même de l'organisation québécoise que se sont donné les associations. Subira-t-elle à sont tour la dégénérescence bureaucratique? Réussira-t-elle à conserver d'étroits liens avec sa base? Développera-t-elle une intervention capable de lier projet social et action? Les permanents s'approprieront-ils le pouvoir au détriment des membres? Maintenir un tel dynamisme exige une démarche intégrée de conscientisation et la mise en place de mécanismes de contrôle. L'histoire ramène à la réalité ceux qui «rêvent» de jumeler un discours et des pratiques progressistes au sein d'une organisation influente. N'y a-t-il que l'exemple du Mouvement syndical? Consciente de ces difficultés, l'assemblée générale du Mouvement québécois des camps familiaux a tenu à inscrire dans les règlements généraux son autorité décisionnelle concernant le budget d'opération et son droit de regard sur les programmes d'action. D'autre part, elle s'est donné le pouvoir de révoquer en tout temps les membres du Conseil d'administration. Ce dernier, quant à lui, a déjà entrepris l'étude de ses relations avec les permanents et celle du partage des responsabiltés. Toutes ces mesures suffiront-elles?

La vie collective au sein des associations et du mouvement ainsi que l'organisation communautaire qui est en vigueur annoncent en filigrane les couleurs d'un projet social. Quels sont les gestes, les comportements, les idées à relever qui préciseraient davantage cette nouvelle organisation sociale? La poursuite de l'intervention accompagnée d'une démarche d'enquête et d'analyse nous permettront d'en savoir davantage.

2 Professionnalisme militant et camps familiaux

Après avoir présenté les camps familiaux et explicité leurs démarches de regroupement, nous témoignerons maintenant de la pratique professionnelle militante du Groupe Ressources-Vacances Sites (G.R.V.S.). Ce dernier, après quatre (4) ans d'appui aux camps familiaux, s'est fait hara-kiri en avril 1982 afin de laisser le champ libre au Mouvement québécois des camps familiaux. Le G.R.V.S. a participé très étroitement à toutes les étapes fournies par les associations dans le but de définir et de mettre en route une organisation québécoise capable de porter leur projet. Une fois créée, elle rendrait caduque la structure de soutien que représentait jusqu'alors le G.R.V.S.

2.1 Création d'un organisme de soutien aux camps familiaux: le Groupe Ressources-Vacances Sites

Le Groupe Ressources-Vacances Sites (G.R.V.S.), petite équipe de soutien technique auprès des camps familiaux, a été créé à l'automne 1977 et a commencé à opérer formellement dès janvier 1978. En moyenne, le G.R.V.S.

a pu compter sur les services d'un professionnel et demi et d'une secrétaire à temps plein. Il nous faut toutefois relever l'apport précieux d'étudiants(es) durant l'été qui, grâce à des projets financés par le Secrétariat d'État, a permis la production de plusieurs dossiers et d'outils sans lesquels la mince équipe permanente n'aurait pu suffir à la tâche et progresser aussi rapidement.

C'est à la suite de demandes répétées formulées par maintes associations désireuses de bénéficier, en plus des subventions, d'une aide technique pour supporter la réalisation de leurs projets, que Centraide-Montréal et le Secrétariat d'État entamaient, en septembre 1977, un processus qui devait conduire à la création du G.R.V.S. Des permanents de ces deux institutions étaient déjà très sensibilisés aux problèmes rencontrés par les camps familiaux: plusieurs rapports d'étude avaient d'ailleurs étoffé leur compréhension de la situation. C'est à la fin de l'été 1977 qu'une modeste somme d'argent disponible les a incités à examiner concrètement la possibilité d'implanter enfin une équipe légère de soutien technique au service des camps familiaux. Soulignons toutefois que les camps familiaux ne furent pas associés directement à sa création. Les initiateurs se tournèrent plutôt vers quelques intervenants(es) expérimentés(es) afin de mettre sur pied une structure efficace et bien organisée, guarante d'un travail sérieux dans la communauté. La croissance rapide des camps familiaux et l'encombrement des problèmes techniques qu'ils rencontraient ont amené les initiateurs à placer leur confiance en l'arrivée de spécialistes devant s'enraciner en milieu populaire et activer des réformes en rivalisant avec les professionnels des diverses institutions.

Ce groupe de fondateurs(trices) provenait de divers milieux: outre les quatre (4) professionnels de Centraide-Montréal et du Secrétariat d'État, s'y retrouvaient un directeur et un formateur de camps de vacances, un directeur de centre communautaire de loisir et une enseignante en aménagement à l'Université de Montréal. Ils énoncèrent les principes et les objectifs devant guider le travail des futurs permanents auprès des camps familiaux en prenant appui sur le modèle des Groupes de ressources techniques en habitation.[5] Le groupe fondateur mettait l'accent sur le droit social aux vacances, sur la capacité collective des citoyens à s'organiser, sur leur droit à définir et à concrétiser leurs propres projets ainsi que sur la reconnaissance par les gouvernements, les agences sociales et les centrales syndicales des camps familiaux. De là découlèrent deux objectifs majeurs: 1) assurer le développement des formules communautaires dans le domaine des camps familiaux; 2) militer en faveur de l'accessibilité générale aux vacances familiales au Québec.

2.2 Les professionnels du G.R.V.S.: états de service et idéologies

Afin d'éviter de déformer l'analyse, il est pertinent d'au moins esquisser les états de service et les idéologies des professionnels qui ont orienté dès le départ la pratique concrète du G.R.V.S.. Il serait, en effet, difficile d'apprécier correctement le développement rapide de cette expérience en ne prenant en compte que les seules bonnes volontés. Il est indiqué de préciser, dès le départ, que les professionnels du G.R.V.S. ont entrepris leur travail sans idée préconçue au sujet de l'avenir des camps familiaux; ils pouvaient cependant s'appuyer sur plusieurs expériences professionnelles et militantes.

Dans l'ensemble, outre leurs études universitaires en droit et en récréologie, ils partageaient une réflexion commune et une expérience professionnelle dans le domaine du tourisme social à Tourbec, où ils avaient travaillé ensemble, et à l'Office Franco-Québécois pour la jeunesse. L'un d'eux avait agi à titre de bénévole au sein des diverses instances de la Confédération des Loisirs du Québec en qualité de président de deux (2) organismes québécois de loisir. Ces quelques années d'intervention leur avaient permis de connaître les intervenants, d'acquérir des habilités techniques et d'être sensibilisés aux enjeux en ce domaine. Méconnaissant la pratique concrète en milieu populaire, ils connaissaient pourtant beaucoup de groupes populaires et avaient milité dans des organisations syndicales.

Au chapitre des idéologies, les tendances sociale-démocrate et socialiste cohabitaient sans dogmatisme suscitant toutefois de nombreux échanges. Ceux-ci aboutissaient sans cesse à des compromis liant le pragmatisme et les idées socio-politiques: leur but premier était de bien desservir les associations et d'inviter à la réflexion sur la base du vécu. Plusieurs auteurs alimentaient leurs réflexions: FREIRE, SCHUMPETER, GRAMSCI, etc.

2.3 Les rapports du G.R.V.S. avec les camps familiaux

On le sait, les camps familiaux ne furent pas associés directement à la création du G.R.V.S. qui devait pourtant collaborer avec eux. De plus, quelques responsables d'associations avaient vécu de mauvaises expériences avec des professionnels et des militants. Dès lors, malgré leur pressant besoin d'aide technique, c'est avec scepticisme et méfiance que les camps familiaux accueillirent les professionnels du G.R.V.S. «Vous êtes là pour combien de temps? Pourquoi n'a-t-on pas été consulté et impliqué dans la création du G.R.V.S.? Qu'allez-vous faire de plus et de mieux que vos prédécesseurs?» Des questions pertinentes auxquelles les «nouveaux arrivants» ne pouvaient que répondre: «On fera notre possible et au meilleur de nos ressources!»

Quelques mois après leur entrée en fonction et suite à une rencontre collective à laquelle participèrent quatorze (14) associations, les professionnels du G.R.V.S. ébauchaient une démarche de collaboration dont les éléments essentiels cernaient le souci de respecter la démarche propre de chacune des associations, le souhait d'impliquer le plus de personnes possible dans les projets et la volonté de soutenir la prise en charge plutôt que de réaliser directement les tâches. Ces principes d'intervention ont été respectés tout au long des quatre (4) années d'existence du G.R.V.S.

Juridiquement, dans le but de s'assurer que ses orientations et ses actions répondent véritablement aux intérêts et aux aspirations des camps familiaux, le G.R.V.S. les invitait, dès février 1978, à nommer six (6) délégués(es) qui constitueraient son comité directeur.[6] Si cette proposition fut repoussée unanimement, les responsables d'associations acquiescèrent à l'idée d'y déléguer deux (2) personnes pour les représenter: ce qui leur donnait deux (2) voix sur six (6) au comité directeur.

Deux (2) ans plus tard, à l'hiver 1980, le G.R.V.S. modifiait sa structure juridique en s'incorporant. Puisqu'il existait, à cette époque, un comité porte-parole des camps familiaux qui avait été mandaté pour élaborer une politique des vacances familiales,[7] il fut consulté sur la composition du conseil d'administration du G.R.V.S. Une entente aboutit aux nominations suivantes: trois (3) délégués(es) élus(es) par les responsables d'associations, un observateur du comité porte-parole et trois (3) personnes-ressources qui reçoivent l'assentiment du comité porte-parole et du G.R.V.S. (les trois (3) premières nominations furent les trois (3) personnes qui étaient déjà au comité directeur du G.R.V.S. depuis son origine). Ainsi, le G.R.V.S. était bel et bien compris comme une petite structure autonome au service des camps familiaux contrôlée par des administrateurs(trices) reconnus(es) et acceptés(es) par les deux (2) parties.

Par la suite, et dans le même esprit, le G.R.V.S. et le conseil provisoire d'administration du Mouvement québécois des camps familiaux, signaient un protocole d'entente en mars 1981. Le G.R.V.S. y reconnaissait explicitement le Mouvement et s'engageait à disparaître à son profit au mois d'avril 1982 en lui cédant ses biens et ses actifs; il acceptait aussi d'emblée de préparer l'indépendance politique, financière et matérielle du Mouvement québécois des camps familiaux afin qu'il puisse effectivement prendre son propre envol dès le départ du G.R.V.S.

S'il n'est pas intervenu de conflit majeur entre le G.R.V.S. et les camps familiaux, il mérite d'être souligné que des contradictions sont apparues assez régulièrement. Le G.R.V.S. évoluant parallèlement aux camps familiaux, cette distance l'amenait à envisager certains problèmes et enjeux sous un angle différent de celui des camps familiaux. Il est une évidence aussi que les professionnels y occupaient une place importante. Ainsi, il y eut certains désaccords au sein du conseil d'administration du G.R.V.S. au sujet de la démarche à suivre en vue de créer le Mouvement québécois des camps familiaux. Un point de vue minoritaire, représenté par un délégué influent des camps familiaux, proposait de transformer le G.R.V.S. en regroupement des camps familiaux; l'autre, majoritaire, suggérait d'attendre que les associations déterminent elles-mêmes leur projet. Ce dernier a prévalu.

Les services concrets du G.R.V.S. n'ont jamais été évalués négativement. Toutefois, quelques responsables d'association ne prisaient guère que les professionnels du G.R.V.S. cherchent à élargir le nombre d'associations et de régions bénéficiaires de son appui: ils craignaient d'être eux-mêmes négligés à la suite de cet élargissement. Il est aussi arrivé que les professionnels du G.R.V.S. aient à trancher un litige entre deux associations: ils s'en tirèrent tant bien que mal. Sans sous-estimer l'acuité de ces critiques, en expliquant leurs motivations sans être sûrs d'avoir convaincu, les professionnels du G.R.V.S. ont malgré tout poursuivi leur cheminement. Dans l'ensemble, les associations nous disent avoir toujours été satisfaites des services et jugent pertinent le style d'intervention qui a été développé. Quelques responsables, cependant, ont constamment craint que la présence du G.R.V.S. nuise à leur propre émancipation collective. Ce n'est qu'étape après étape que leurs appréhensions s'estompèrent.

2.4 Les rapports du G.R.V.S. avec le gouvernement québécois

Dès le mois d'avril 1978, outre Centraide-Montréal et le Secrétariat d'État, le ministère du Loisir, de la Chasse et de la Pêche (M.L.C.P.) subventionnait le G.R.V.S. non sans lui donner par la suite beaucoup de fil à retordre en retour; cela, contrairement aux deux premiers qui ont toujours constitué des alliés sûrs. Pourquoi? Nous avons retenu, ici, quatre motifs qui, par ordre d'importance, éclairent les tiraillements répétés survenus entre le M.L.C.P. et le G.R.V.S. Avant de les présenter, il convient cependant d'indiquer que les rapports entre les G.R.V.S. et M.L.C.P. ont été marqués au coin tantôt du conflit, tantôt de la coopération. Les représentations politiques auprès du cabinet du ministre ont toujours été fort amicales et le G.R.V.S. y a trouvé de nombreux interlocuteurs intéressés et ouverts. Quant aux fonctionnaires, le G.R.V.S. a perçu et reçu à la fois des appuis et des oppositions, ce dont il sera question ici.

2.4.1 *Deux interprétations de la politique gouvernementale*

Le G.R.V.S. a été créé tout juste après la publication du «Livre vert sur le loisir au Québec».[8] Ce document gouvernemental dénonçait vigoureusement la multiplication inconsidérée des structures fédératives en loisir et appelait à la fusion de fédérations québécoises préoccupées relativement d'une même activité. Le gouvernement reconnaissait aussi ses torts à ce chapitre en disant qu'il y avait contribué par son intervention axée principalement sur l'octroi de subventions. Par la suite, en septembre 1979, le «Livre blanc sur le loisir au Québec»[9] plaçait le citoyen au centre de toute politique en matière de loisir et lui reconnaissait le droit au loisir ainsi que celui de le prendre en charge.

Au départ, le M.L.C.P. acceptait de subventionner le G.R.V.S. à condition qu'il soit un programme «autonome» de l'Association des camps du Québec (A.C.Q.) voué un an plus tard, soit à partir d'avril 1979, à s'intégrer complètement à l'intervention de cet organisme. Ainsi, l'A.C.Q. deviendrait l'unique interlocuteur gouvernemental pour toute question reliée aux camps de vacances. Au cours de l'année 1978-79, découvrant réciproquement leurs grandes différences, l'A.C.Q. et le G.R.V.S. (comme programme «autonome») refusèrent de se voir dicter leurs conduites et signèrent un protocole d'entente reconnaissant explicitement l'autonomie du G.R.V.S.. L'A.C.Q., pour sa part, était d'accord pour accueillir et supporter le G.R.V.S., comme programme «autonome» en son sein, jusqu'au mois d'avril 1980, moment où le G.R.V.S. devrait chercher refuge ailleurs.

Ce front commun face au M.L.C.P. provoqua des tiraillements entre les fonctionnaires. Entériner le G.R.V.S. en tant que structure autonome, c'était reconnaître par ce fait même, un futur regroupement des camps familiaux à subventionner, soit une nouvelle structure. D'un autre côté, les énoncés du «Livre blanc sur le loisir» invitaient à voir d'un bon oeil la mise sur pied d'un regroupement d'associations populaires qui concrétisait le principe de la prise en charge par les citoyens de leur loisir. Finalement, assis entre deux chaises, le M.L.C.P. «coupa la poire en deux»: il reconnu l'autonomie du G.R.V.S. et soutenant financièrement l'engagement d'un professionnel à temps plein et d'une secrétaire à mi-temps tout en accordant la même chose à l'A.C.Q. Dans ce contexte, le G.R.V.S. était mandaté pour soutenir les associations d'utilisateurs alors que l'A.C.Q. devait s'occuper des associations locataires ou propriétaires de camp. Le G.R.V.S., grâce à un surplus accumulé continua à fonctionner, la deuxième année, comme si rien n'était arrivé, avec deux professionnels à plein temps (jusqu'en janvier 80, où l'un fut obligé de quitter faute de moyens financiers) et une secrétaire à mi-temps. La porte était entrebâillée vers un éventuel regroupement des camps familiaux... Ces derniers étaient d'ailleurs très réticents à la perspective d'adhérer à l'A.C.Q. Malgré que cette dernière se montra ouverte à les accueillir, les camps familiaux la percevaient comme trop distante de leur réalité. D'autre part, les camps familiaux anticipaient un conflit d'intérêt entre les deux groupements, vu les assises sociales fort différentes de leur membership. En effet, l'Association des camps du Québec (ACQ) regroupe avant tout les propriétaires de camps de vacances pour jeunes, tandis que les camps familiaux regroupent des utilisateurs à revenu modeste. Par ailleurs, le modèle d'intervention en vigueur à l'A.C.Q. de même que les idéologies véhiculées par son assemblée générale ne rejoignaient pas la réalité progressiste et populaire des camps familiaux.

Après deux ans de «coexistence pacifique» avec l'A.C.Q., qui servait, entre autres, très amicalement de circuit juridique pour la réception des subventions, le G.R.V.S. s'engageait résolument sur la voie de l'autonomie et devenait, en février 1980, une corporation sans but lucratif. Ce qui allait tout à fait à l'encontre des volontés de certains fonctionnaires. Par cette décision, entièrement soutenue par un comité ad hoc des camps familiaux mis sur pied expressément pour faire débloquer l'impasse, le G.R.V.S. a fait reconnaître, en pratique l'existence spécifique des camps familiaux et leur droit à l'auto-détermination. C'est un pas qu'ils ne tardèrent pas à franchir. . .

2.4.2   Un mode de représentativité contesté

Le M.L.C.P. n'a jamais véritablement et clairement reconnu le modèle de représentation adopté par le G.R.V.S.; il questionnait constamment la pertinence des actions du G.R.V.S. par rapport à son interprétation des besoins des camps familiaux. Le modèle de représentativité du G.R.V.S., n'étant pas conforme aux normes et aux règles habituellement admises, le M.L.C.P. insista pour que les camps familiaux se regroupent en association le plus rapidement possible. Au G.R.V.S., appuyés par le comité porte-parole des camps familiaux, nous souhaitions que la décision se prenne en temps et lieu. Nous faisions remarquer au M.L.C.P. que cette organisation nouvelle méritait un traitement particulier. D'autre part, nous lui faisions valoir que le plus grand facteur d'adéquation entre les besoins des camps familiaux et nos réponses était leur adhésion: notre représentativité était justifiée par la participation régulière des associations et leurs demandes répétées de services. Si le G.R.V.S. avait fait fausse route, l'inertie aurait remplacé le dynamisme, démontrant par ce fait même l'isolement du G.R.V.S. et sa non-représentativité.

2.4.3   Une interprétation divergente du style d'intervention

Au cours des deux (2) premières années d'opération, le M.L.C.P. n'admettait qu'avec réserve la pratique professionnelle mise de l'avant au G.R.V.S. À ses dires, celle-ci correspondait moins à une intervention en loisir qu'à une action communautaire, ce qu'il n'avait pas mandat de soutenir financièrement. Les fonctionnaires du M.L.C.P. ont toujours rencontré des difficultés à identifier un programme existant auquel ils pourraient rattacher le G.R.V.S. Le M.L.C.P. a aussi tenté d'orienter différemment la pratique professionnelle du G.R.V.S. en faisant valoir son point de vue. Au G.R.V.S. nous défendions une démarche de soutien auprès de citoyens démunis et désireux de contrôler leur loisir. Aussi était-il inconcevable d'offrir uniquement des services universels sans se préoccuper de la vie associative, de la promotion collective et de la réflexion socio-politique. Le M.L.C.P. n'était pas habitué à ce genre de pratique que l'on retrouve surtout en milieu syndical et dans les autres secteurs sociaux (logement, santé, chômage, aide sociale, etc.).

2.4.4 *Méfiance et malaise face au discours progressiste*

Certains professionnels à temps plein et/ou saisonniers du G.R.V.S. participaient et participent encore activement au Collectif d'Animation et d'Analyse en Loisir (CANAL) qui se définit comme un regroupement de militants progressistes en loisir.[10] Cette situation a provoqué des soupçons au M.L.C.P. Était-ce bien les responsables d'associations qui définissaient le contenu du discours ou étaient-ils manipulés inconsciemment par les professionnels du G.R.V.S.? Évidemment, le M.L.C.P. n'était pas habitué à subventionner une organisation militante en loisir. Est-ce si incroyable que des citoyens puissent penser autrement que les autorités gouvernementales? N'était-ce pas étonnant, qu'à une assemblée générale spéciale du Mouvement québécois des camps familiaux, qui s'est tenue les 26 et 27 septembre 1981, les représentants présents adoptent unanimement une proposition de leur conseil d'administration à l'effet d'engager le personnel du G.R.V.S. afin qu'il poursuive son travail jugé excellent?

C'est ainsi que le G.R.V.S. a subi, sans trop riposter, le harcèlement des coupures budgétaires et le chômage des professionnels. Il a même envisagé, en avril 1980, de poursuivre l'essentiel des actions sur une base «bénévole» plutôt que de se plier aux exigences du M.L.C.P. Appuyé constamment par les camps familiaux, le G.R.V.S. a lutté pour assurer leur autonomie. Aujourd'hui, alors que le Mouvement québécois des camps familiaux existe bel et bien, ces gestes d'antan apparaissent d'une importance irréfutable.

2.5   Sur le développement des idées et de la pratique

Si, en arrivant au G.R.V.S., les professionnels s'appuyaient sur une expérience vécue, ils ne possédaient pas pour autant un modèle théorique d'information. Ils entreprirent de réaliser leur mandat sans préjuger des fins et sans esquisser, par avance, les mécanismes à mettre au point.

Parachutés en quelque sorte auprès d'associations populaires méconnues, ils s'employaient, dans un premier temps, à accompagner méthodiquement chacune des associations dans leurs projets et leurs démarches. Ils apportèrent un soin particulier à solutionner des problèmes concrets. Ce n'est que progressivement, tirant les leçons de cette coopération étroite avec les associations, que les professionnels du G.R.V.S. commencèrent à envisager les éléments d'une pratique intégrant le militantisme. Mais c'est aussi en confrontant leurs point de vue entre eux, avec le conseil d'administration du G.R.V.S. et les responsables des camps familiaux qu'ils furent en mesure de cerner davantage leur intervention et sa portée. Aussi la pratique professionnelle militante du G.R.V.S. est-elle le résultat d'une fusion de savoirs et d'expériences diverses. C'est une expérience collective qui n'appartient en propre à personne. Les professionnels ont cheminé autant que les responsables d'associations.

D'autre part, les professionnels du G.R.V.S. ont eu la chance de trouver des lieux d'échanges et d'encouragement fort utiles au CANAL et à la revue Desport[11]; ce qui a permis d'esquiver l'isolement et d'assurer l'apport théorique et pratique de militants(es) critiquant l'intervention avec des lunettes différentes.

2.6 Professionnalisme et militantisme: coexistence pacifique ou liens organiques?

Un travail bien fait est-il bourgeois? Ses critères de reconnaissance le sont-ils? Les réalisations de qualité ne doivent-elles être que l'apanage des technocrates? L'artisanat et l'amateurisme sont-ils populaires et révolutionnaires? Faut-il opposer professionnalisme et militantisme?

Ces questions génèrent fréquemment des tensions, voire des déchirements entre militants(es). Au G.R.V.S., les professionnels n'ont pas cherché à établir un équilibre mais d'abord à faire du travail reconnu socialement et dont les retombées profitent aux camps familiaux. Nous étions d'avis que les milieux populaires méritaient un appui professionnel et compétent pour rehausser la qualité et le prestige de leurs initiatives. Sous peine de se voir taxés de technocrates ou d'alliés de l'esthétique et de la scientificité de l'État Bourgeois, nous avons utilisé au maximum toutes nos compétences et tous nos contacts pour favoriser le développement des camps familiaux et l'accès aux vacances pour le plus grand nombre de familles possible.

Doit-on privilégier la qualité de la discussion politique lorsque l'on est militant(e) et la qualité des productions lorsque l'on est professionnel(le)? Le professionnel peut-il être militant? Le militant peut-il s'associer aux travaux dont les critères d'évaluation sont élaborés par l'élite universitaire qui sert trop souvent la reproduction des classes dominantes? Y a-t-il une «critériologie» militante?

Au G.R.V.S., nous avons intégré le militantisme au professionnalisme i.e. que nous avons commencé par libérer les responsables d'association des difficultés primaires avant même d'entamer résolument l'étude des orientations sociales et politiques. Mais comment introduire cette dimension dans une pratique aux couleurs technocratiques? Les contradictions, passées régulièrement au crible de l'analyse, se sont toujours vues infirmer ou confirmer au contact des responsables des camps familiaux et des vacanciers. En ce sens, ces derniers constituaient notre baromètre.

Les professionnels du G.R.V.S. ont refusé d'appuyer ce qui leur semble un faux débat. Pour eux, le travail réalisé avec les meilleures compétences est nécessaire à la mobilisation dans un monde qui privilégie la connaissance.

D'autre part, nous avons cru sentir que les associations populaires étaient épuisées et fatiguées de l'artisanat qui est bien sympathique mais ne mène nulle part. En réalité, professionnalisme et militantisme nous apparaissent aujourd'hui, suite à l'expérience vécue, intimement liés. Nous ne pouvons pas dissocier les dimensions professionnelles des dimensions militantes aussi bien dans le camp de l'action culturelle que dans celui de l'action sociale.

Reprenons, pour des fins strictement d'analyse, ces deux grands pôles d'une intervention en loisir.

2.7   Les dimensions professionnelles

De plus en plus de fédérations québécoises de loisir partagent la volonté de rentabiliser leurs ressources au maximum tout en visant l'amélioration qualitative de leurs actions. C'est dans cette optique que le G.R.V.S. est intervenu et qu'il a participé à la concertation sur la politique de tourisme social à mettre en oeuvre au Québec à partir de l'expertise des fédérations. Le G.R.V.S. a joué la carte de doter les milieux populaires d'un groupe de ressources reconnu pour la qualité de son travail et de ses réflexions; et ce dans le but de discuter sur un même pied avec les divers intervenants et de participer au leadership associatif dans le domaine du tourisme social.

Auprès des camps familiaux, le G.R.V.S. a toujours porté une attention soignée à confectionner des dossiers complets et étoffés dans le but d'obtenir des victoires mobilisantes. Il a aussi utilisé régulièrement les compétences spécialisées des étudiants en architecture, en aménagement, en sciences juridiques, graphisme, en animation. Le G.R.V.S. n'a pas non plus négligé les études économiques et a incité les camps familiaux à se saisir de leurs problèmes de rentabilité. Les responsables d'associations ont fort apprécié les outils développés par le G.R.V.S. afin de supporter leur développement. Ils se caractérisent par la qualité technique malgré des ressources modestes et leur simplicité qui permet aux gens de les reproduire aisément.

Le G.R.V.S. a investi beaucoup d'énergie dans l'information et la formation. Les camps familiaux ont acquis une meilleure connaissance des enjeux et des intervenants tout en développant des habiletés techniques polyvalentes. Le G.R.V.S. a cependant évité de créer une élite militante coupée de la base en multipliant les appels à une participation massive au sein de toutes les associations et du Mouvement.

Auprès du milieu québécois, le G.R.V.S. s'est fait remarquer par ses analyses de la réalité du tourisme social et ses propositions concrètes de développement. De concert avec les autres intervenants, le G.R.V.S. a défendu des projets, des politiques et des intérêts économiques face à l'État. Si ces actions s'appuyaient davantage sur une politique social-démocrate plutôt que socialiste, elles avaient le grand mérite de représenter des enjeux réels pour l'ensemble de la population qu'il fallait défendre énergiquement.

Le G.R.V.S. a donc oeuvré autant à la base qu'au sein des grandes structures québécoises du loisir. Cette dualité a consolidé sa présence et ses actions, même si cette situation n'était pas facile à vivre.... Dans le milieu, le G.R.V.S. a présenté cette double image: celle d'un groupe d'intervention professionnel et celle d'une équipe progressiste qui défend les intérêts des classes populaires. Au G.R.V.S., le professionnalisme a toujours signifié: s'organiser le mieux possible pour lutter et gagner!

8. Dimensions militantes

Il faut faire attention de ne pas être entièrement absorbé par les tâches quotidiennes afin de saisir et de préparer l'avenir. C'est dans cet esprit que le G.R.V.S. portait une attention aussi spéciale aux dimensions militantes de ses actions qu'à leur efficacité et leur efficience. Dans ce contexte, les productions servaient de support aux contenus et démarches progressistes.

Le G.R.V.S. a été très présent dans les milieux syndicaux et populaires contribuant ainsi à leur prise de conscience des réalités du loisir et des vacances vécues par les travailleurs et les classes populaires. Il a participé et soutenu l'élaboration de dossiers progressistes et de plate-forme de revendications. Mais, pour les professionnels du G.R.V.S., le projet social devait être vécu tout de suite malgré les énormes contraintes structurelles et idéologiques. Plutôt que de se contenter strictement de préparer le grand soir révolutionnaire, ils ont misé sur un climat chaleureux, sur le plaisir d'apprendre, sur des relations nouvelles préfigurant les nouveaux rapports sociaux et sur le goût de réfléchir en profondeur. Au niveau du Mouvement, il était fondamental de développer une organisation qui reflète véritablement le projet social latent et qui, en conséquence, s'attardait à la conception et à l'opérationnalisation d'une équipe de permanents fonctionnant sur une base collégiale et ayant de bonnes conditions de travail.

Pour le G.R.V.S., la mobilisation des responsables de chacune des associations était essentielle. Il s'est employé à développer la solidarité entre les associations et le sentiment d'appartenance à un mouvement populaire. Toutefois, il fallait éviter que le développement d'un regroupement québécois mobilise indûment les énergies au risque d'affaiblir la base et la vitalité de chacune des associations. Six (6) comités porte-parole «ad hoc» ont été formés au cours des trois (3) ans qui ont précédé l'élection du conseil d'administration du Mouvement québécois des camps familiaux. Onze (11) hommes et vingt (20) femmes ont ainsi été élus(es) en provenance de treize (13) associations, soit plus de quarante pour cent (40%) des associations en contact avec le G.R.V.S. Ce dernier agissait à titre d'animateur et de soutien technique auprès de ces comités, dont chacun des membres était aussi responsable que les autres. Il n'y avait donc pas «d'officiers» et les tâches à réaliser étaient distribuées au fur et à mesure selon les disponibilités et les souhaits de toutes et chacun. Soulignons qu'au cours d'une douzaine de rencontres collectives convoquées pour préparer la fondation du Mouvement, une moyenne de trente-deux (32) personnes provenant d'une moyenne de seize (16) associations y ont participé, soit plus de cinquante pour cent (50%). De plus, quatre (4) femmes et deux (2) hommes en provenance de six (6) associations ont siégé à titre individuel successivement au comité directeur et au conseil d'administration du G.R.V.S.

Les professionnels du G.R.V.S. ont toujours été conscients qu'un de leurs rôles était de rivaliser avec les professionnels des institutions afin d'obtenir le maximum de gains à court et moyen terme et d'activer des réformes rendues nécessaires au bénéfice des camps familiaux et des classes populaires. Dans cette optique, ils agissaient en tant que conseillers politiques auprès des associations en réalisant des dossiers révélateurs des enjeux et en rédigeant des documents politiques reprenant, en les reformulant, les points de vue des responsables sur différentes questions discutées au cours de rencontres collectives d'échanges. Le résultat le plus percutant de cette démarche militante est l'achat, financé par le gouvernement, de deux (2) camps de vacances par deux (2) associations populaires qui n'arrivaient pas à faire bouger la bureaucratie.

Si les professionnels du G.R.V.S. n'ont jamais placé l'action politique sur un piédestal, ils l'ont intégrée au cheminement individuel et collectif des associations. C'est à partir des situations et des problèmes concrets que fut abordée l'analyse sociale. Au Québec, dans le domaine du loisir, il est déjà passablement subversif de parler des classes populaires et des pratiques de classe... Les professionnels du G.R.V.S. ont suscité des réflexions entre les responsables sur la place du tourisme et du loisir dans la société capitaliste; non dans une perspective d'alignement sur leurs propres idées, mais dans un esprit de questionnement pour les dépasser.

Cette dimension de l'action ne fait que s'amorcer. Le G.R.V.S. s'est surtout attardé à soutenir la création du Mouvement à qui appartient cette tâche de conscientisation. Cependant, le G.R.V.S. a distribué beaucoup d'articles et d'informations, aux points de vue divers, auprès du Conseil d'administration du Mouvement et a pris le temps de discuter avec les personnes intéressées à comprendre davantage et à aller plus loin au chapitre de l'analyse.

Les professionnels du G.R.V.S., parallèlement à leur travail, ont été sollicités de plus en plus afin de participer à des discussions sur la pratique en milieu populaire et afin de jeter un éclairage militant sur la réalité du loisir et des vacances au Québec. Devenant peu à peu des «spécialistes» de la lutte populaire en loisir, soutenus par les uns, contestés par les autres, les professionnels du G.R.V.S. ont obtenu malgré tout une reconnaissance sociale et professionnelle qui les a fait respecter dans le milieu. C'est à ce moment qu'entrent en jeu les contradictions et les intérêts de classe qui ne s'estompent pas aussi facilement!

Conclusion: l'ouverture à d'autres débats

S'il est un secteur social qui a été peu investi par le mouvement populaire et ouvrier ou par les militants tout simplement, c'est bien celui du loisir. Le loisir est perçu comme frivole et inoffensif ou, à tout le moins, comme un secteur d'action sociale peu prioritaire. Les professionnels du G.R.V.S. ne croient pas que le loisir soit le front principal de lutte mais le considère comme un front important au niveau des conditions de vie.

En période de crise économique, le loisir ne sert-il pas à freiner les résistances? Les rares militants(es) du loisir sont sollicités(es) et affrontent des responsabilités de conscientisation qui dépassent les sommes d'énergies disponibles dans un domaine où ne fait que s'amorcer une critique progressiste. Ils doivent rivaliser sérieusement avec les «personnalités» fonctionnalistes solidement implantées dans les milieux universitaires et professionnels. De plus, ils doivent inventer des pratiques et entamer l'analyse idéologique dans un domaine presque vierge, étanche aux transformations. Pour ce faire, ils empruntent aux acquis de l'organisation communautaire, de l'éducation populaire et de l'action politique, ce qui n'est pas simple.

L'intervention professionnelle militante du G.R.V.S. en loisir suggère qu'en décloisonnant l'action, on arrive à une capacité de comprendre les autres secteurs et les enjeux socio-politiques en général. Ne retrouve-t-on pas une certaine universalité dans les pratiques militantes? Une chose demeure: le professionnel militant devra toujours conserver une vue d'ensemble et posséder une vision du monde s'il veut intervenir correctement.

NOTES ET RÉFÉRENCES

1. On peut nommer les collectifs suivants:
   a) Comité de rédaction de la revue Desport;
   b) Association des jeunes travailleurs de Montréal;
   c) Association québécoise du jeune théâtre;
   d) Vélo-Ville;
   e) Collectif Socialisme et Santé;
   f) Collectif d'animation et d'analyse en loisir;
   g) Mouvement québécois des camps familiaux.
2. Nous entendons par camps familiaux, une trentaine d'associations familiales populaires qui s'organisent des activités de loisir et des vacances communautaires. Quand nous parlerons des «camps familiaux», nous ferons référence autant aux associations qu'aux installations de vacances qui les accueillent. Les camps familiaux se sont regroupés en mai 1981 pour former le Mouvement québécois des camps familiaux.

3. Le G.R.V.S. est une petite équipe autonome de soutien technique auprès des camps familiaux. Il ne regroupe pas les camps familiaux mais appuie leurs projets.

4. Le Groupe Ressources-Vacances Sites a réalisé, durant l'été 1980, une courte enquête exploratoire auprès de 130 vacanciers provenant de 8 associations populaires différentes du Mouvement québécois des camps familiaux. Cette étude, qui a été publiée à l'automne 1980, a permis de dégager entre autres les points saillants suivants:
   — 54,6% des familles interrogées étaient monoparentales et 95,8% de celles-ci avaient une femme comme unique chef de famille;
   — la moyenne d'enfants des familles monoparentales est de 2 alors qu'elle est de 3 pour les familles biparentales;
   — 80,2% des chefs de famille monoparentale ont 44 ans ou moins alors que c'est le cas pour 64,4% des chefs de famille biparentale.
   — on constate que dans la population des camps familiaux, seulement 11,2% des chefs de famille ont une scolarité de niveau collégial ou universitaire et qu'une forte majorité (67,2%) se retrouve dans le groupe de 8 à 12 années de scolarité. D'autre part, 21,6% d'entre eux ont entre 0 et 7 ans de scolarité.
   — 81,8% des familles monoparentales ont un revenu inférieur à $9000.00 contre 30,8% des familles biparentales.
   — pour 84% des répondants(es), le camp familial signifie l'accessibilité concrète aux vacances.
   BERTRAND, Georges, Martin ROY et Bernard TREMBLAY, *Les camps familiaux: profil des vacanciers,* Montréal, octobre 1980.

5. Les groupes de ressources techniques en habitation sont des petites structures autonomes financés par l'État. Les professionnels en architecture qui y travaillent ont pour principal mandat de soutenir les démarches des citoyens qui désirent se regrouper en coopératives pour acheter et rénover un bloc de logements.

6. Le G.R.V.S. ne s'est incorporé qu'à l'hiver 1980. De 1978 à ce moment, le G.R.V.S. était une association «bona fide»: il constituait un programme autonome de l'Association des camps du Québec qui servait de circuit juridique pour la réception des subventions accordées spécifiquement au G.R.V.S. Ce dernier a été dirigé en 1978 et en 1979 par un comité directeur et, dès l'incorporation, par un conseil d'administration.

7. Politique du Mouvement des camps familiaux, Ronéotypé, Montréal, Février 1980.

8. CHARRON, Claude, *Prendre notre temps, Livre Vert sur le loisir au Québec,* Gouvernement du Québec, éditeur officiel du Québec, 4ᵉ trimestre 1977.

9. Gouvernement du Québec, *On a un monde à récréer, Livre Blanc sur le Loisir au Québec,* éditeur officiel du Québec, 1979.

10. Le CANAL a été créé en 1973, par quatre (4) étudiants en récréologie dissidents du discours et des pratiques professionnelles mis de l'avant à l'Université du Québec à Trois-Rivières. Le CANAL a publié jusqu'à ce jour huit (8) numéros d'un journal modeste titré: «Le droit à la paresse» et cinq (5) dossiers traitant du syndicalisme en loisir, s'une stratégie du travailleur en loisir, de la pauvreté et des travers de la sociologie actuelle du loisir, du regroupement des organismes nationaux de loisir du Québec et d'une lutte pour la conservation du patrimoine. De plus, il a publié le volume *«Loisir et pouvoir populaire»* (éditions Desport, Montréal, 1980).

11. On retrouve à la revue *Desport* (94 est, rue Ste-Catherine, Montréal, H2X 1K7) des professionnels de l'activité physique et du loisir qui développent un discours progressiste.

Richard NICOL
Une intervention professionnelle militante en milieu populaire.

RÉSUMÉ

Un courant alternatif est en marche au Québec. Il dénonce les idéologies dominantes en loisir et met de l'avant une pratique militante. L'auteur procède à l'analyse de deux associations populaires qui incarnent ce nouveau courant. Il s'agit en premier lieu du Mouvement québécois des camps familiaux, organisation de défense du droit des classes populaires aux vacances; en second lieu du Groupe ressources-vacances sites, organisation d'intervention professionnelle militante en loisir. L'auteur se propose de faire ressortir les traits singuliers des pratiques militantes de ces organisations et de leur conflit avec l'État. L'auteur termine en soulignant les difficultés du militantisme en cette matière au Québec.

Richard NICOL
Militant professional action in a popular milieu

ABSTRACT

In terms of the leisure picture, Quebec is ambivalent: on the one hand, the dominant ideologies shaping leisure are denounced; on the other, militant practice is encouraged. The author analyzes two popular groups which illustrate the new trend. They are the Mouvement Québécois des camps familiaux whose aim is to defend the popular classes' right to a vacation; and the Groupe ressources-vacances-sites which is a militant, professional action group. The author's purpose is to stress the particular features of these two organizations' militant thrust and of their conflicts with official policy. In conclusion, the difficulties experienced by militant action is this area are shown.

R. NICOL
Una intervención profesional militante en medio popular.

RESUMEN

Una corriente alternativa está en marcha en Quebec. Denuncia las ideologías dominantes en recreación y tiene una pràctica militante. El autor procede an análisis de dos asociaciones populares que encarnan esta nueva corriente. Se trata en primer lugar del «Movimiento Quebequense de Campos Familiares», organización de defensa del derecho a vacaciones de las clases populares. En segundo lugar del «Grupo Recursos-Lugares de Vacaciones», organización de intervención militante en recreación. El autor se propone resaltar los rasgos singulares de las prácticas militantes de esas organizaciones. El autor termina subrayando las dificultades del militantismo en esta materia en Quebec.

Richard N<small>ICOL</small>
  Militant-professionnelle Intervention in breiten Volksschichten.

ZUSAMMENFASSUNG

Eine alternative Bewegung setzt sich in Québec in Gang. Sie brandmarkt die herrschenden Freizeitideologien und fordert auf zu militanter Praxis. Der Autor analysiert zwei populäre Vereine, die diese neue Bewegung verkörpern. Es handelt sich zum ersten um die «Mouvement québécois des camps familiaux», einer Organisation zur Verteidigung des Rechts breiter Volksschichten auf Ferien; zum zweiten um die «Groupe ressources-vacances sites», eine Organisation für militant-professionnelle Intervention in Freizeitgestaltung. Der Autor beabsichtigt, die besonderen Züge der militanten Praxis dieser Organisationen, wie auch ihre Konflikte mit dem Staate herauszustellen. Der Autor unterstreicht zum Schluss die Hindernisse, die militante Bewegungen auf diesem Gebiet in Québec im Wege stehen.

ANIMATION ET CULTURES PROFESSIONNELLES

Deuxième partie: France

LES ANIMATEURS SOCIO-CULTURELS EN FRANCE LIMITES D'UNE PROBLÉMATIQUE DE LA PROFESSIONNALISATION*

Jacques ION

Il en va de l'analyse des animateurs du secteur socio-culturel comme de celle des «cadres» selon BOLTANSKI[1]. La croissance de ce groupe professionnel ne peut être appréhendée indépendamment du processus social de nomination et de codification, qui aboutit à l'autonomiser comme réalité différenciable. Or, si, en France, l'appellation «animateurs» paraissait acquise il y a une vingtaine d'années, les querelles taxinomiques semblent, aujourd'hui, refleurir, qui tendent presque toutes à inscrire ce nouveau-né qui a pourtant déjà bien grandi dans une tradition reconnue, celle de l'école de la République et de ses nombreux surgeons. Si l'on peut concevoir que la récente victoire de la gauche ait pu redonner vigueur à ces revendications de filiation, la recherche de paternité légitime lui est pourtant antérieure. Lors d'un colloque tenu fin 1979, l'un des responsables d'une des principales organisations gestionnaires d'animateurs se refusait déjà explicitement à employer le terme d'animateur comme d'ailleurs celui d'animation socio-culturelle pour leur préférer ceux d'éducateur et d'éducation populaire.[2] Dans cette dénégation, il n'y a donc pas seulement le désir de s'inscrire dans une tradition de la gauche française: nous y lisons aussi, au-delà des débats sémantiques qui ponctuent la définition d'une profession en devenir, l'affirmation d'une volonté de situer son action hors des limites et du champ d'emprise des pouvoirs publics. Il s'agit de convoquer les ancêtres sur le berceau et de se construire une autre légitimité que celle de la reconnaissance étatique.

Nous voudrions montrer, au contraire, que les animateurs ne sont pas les héritiers seulement de ce qu'il leur plaît de se rappeler et que leur constitution, en tant que groupe professionnel, doit tout autant à d'autres facteurs et notamment à une conjoncture socio-politique particulière. Ce faisant, nous n'entendons pas pour autant les caractériser comme agents exécutifs d'une régulation étatique. Car — telle est du moins l'hypothèse méthodologique que nous

---

* Cet article a bénéficié des remarques de l'équipe du CRESAL où travaille l'auteur; il doit notamment beaucoup à l'aimable collaboration d'André MICOUD qui en a suivi et critiqué l'élaboration définitive.

Loisir et Société/*Society and Leisure*
volume 5, numéro 1, printemps 1982, pp. 129-152
© PUQ

suivons ici — c'est, au contraire, en ne déniant pas le processus de professionnalisation des animateurs socio-culturels, ni ce que ce processus doit à l'intervention multiforme et complexe de l'État, que peuvent être approfondis, contre
une perspective réductionniste, le rôle concret de ces nouveaux agents dans la
société civile et leur place dans la structure sociale.

Nous ne proposerons donc pas ici une sociographie de la population des
animateurs. Mais nous tenterons de décrire, à partir d'aujourd'hui et des
contradictions présentes, avec mais aussi par-delà l'histoire de la professionnalisation, *le processus de légitimation d'une profession et son insertion dans le
corps social.*

1   La constitution du métier d'animateur

L'étonnant est peut-être moins la perdurance des débats sur les critères de
définition de la profession d'animateur, que le fait même qu'un seul terme, en
dépit des remises en cause dont il est l'objet, ait réussi, un temps, à désigner des
situations si contrastées. Car de qui s'agit-il en effet? Tout au plus d'une dizaine
de milliers de personnes.[3] Plutôt des hommes que des femmes; plutôt des jeunes
que des vieux, encore que cette pyramide des âges nécessite un regard attentif à
la diversité des générations qui s'y empilent; de niveau scolaire sans cesse
croissant au fur et à mesure que s'étend la dévalorisation des titres universitaires; dispersés dans plusieurs types de syndicats; salariés de groupements
«bidon», de gigantesques organismes à vocation publique ou militante, d'associations volontaires, d'associations para-publiques, de comités d'entreprises,
de collectivités locales (département, communes), de troupes théâtrales ou de
l'État; vacataires, spécialistes de techniques artisanales, artistiques ou des
médias, agents coordonnateurs, diffuseurs culturels, opérateurs de vie sociale,
gestionnaires d'équipements, gendarmes de banlieues, instituteurs ou professeurs en détachement; héritiers de l'action sociale, des entreprises de rénovation de l'École ou de l'Église, de la décentralisation théâtrale, de l'éducation
populaire, du syndicalisme ouvrier, des mouvements de jeunesse ou des congés
payés de 1936. Bref, il ne serait guère besoin de forcer les traits pour tirer le
portrait de la population «animateurs socio-culturels» du côté de l'inventaire
selon Jacques PRÉVERT.

Mais à relever seulement les caractéristiques de diversité, on oublierait
l'essentiel, à savoir l'existence de dix mille professionnels rémunérés en
définitive par l'État et ses différents services, soit directement, soit par le biais
de subventions. Nouveaux spécialistes de notre vie quotidienne à qui un quart
de siècle environ a suffi pour se donner une existence sociale, pour acquérir une
légitimité, pour constituer au sens propre un nouveau service public. Qui eût pu
imaginer, il y a seulement quelques décennies, que la récréation des enfants,
des adultes ou du troisième âge, ou encore l'éveil de la vie sociale de quartier,
puissent faire l'objet d'emplois spécialisés rémunérés?

C'est cette légitimité à intervenir publiquement qu'il faut donc d'abord questionner.

1.1 La professionnalisation dont l'État est maître d'oeuvre est inséparable de l'émergence d'un champ d'action socio-culturelle

Ce n'est qu'à partir du début des années soixante que *le terme «animateur»* s'impose progressivement en France pour désigner uniformément, malgré leurs statuts et leurs origines fort diverses, différentes catégories d'agents (bénévoles ou professionnels); sous ce terme, se constitue ainsi une représentation de ce qui peut alors être désigné comme une population spécifique, intervenant dans un champ repérable — le champ de l'action socio-culturelle — même si les frontières de ce champ restent et resteront floues avec les champs voisins où l'intervention publique est plus anciennement reconnue (action sociale, éducation et jeunesse, voire aménagement urbain). L'objectivation de ce champ de l'action socio-culturelle ne peut être dissociée des multiples initiatives de l'État: aide considérable au développement d'espaces spécialisés (équipements tels que clubs de jeunes, maisons de la culture, foyers, etc,) promotion, à travers la mise au point et la généralisation de programmes de formation, d'une technique d'intervention: l'animation; mise en place de structures de financements; diffusion d'une idéologie spécifique, celle du développement culturel.[4] Des lieux et des temps spécifiques, une technique, des professionnels, une idéologie, tels sont les ingrédients mixés par l'État il y a à peu près une vingtaine d'années et qui, à la fois, constituent l'infrastructure de l'action socio-culturelle et participent à ce qu'on pourrait appeler sa naturalisation sociale: rendre évident et donc nécessaire un ensemble autonomisé d'activités.

C'est dans ce cadre que doit être placée la naissance du métier d'animateur. Non que ce dernier supplée brusquement l'action des militants engagés au sein des associations ou des quelques dizaines d'instituteurs en poste dans les grands mouvements nationaux d'Éducation Populaire; mais parce que c'est désormais dans un nouveau cadre institutionnel, et surtout dans un système de référence tout autre, que se pense leur activité. Il n'y a pas professionnalisation d'une pratique existante. C'est le neuf qui crée la nécessité d'une pratique professionnelle même si, dans les faits, il n'y a pas rupture entre le bénévole et le professionnel. À long terme d'ailleurs se creuse l'écart entre les deux statuts, tant au niveau du recrutement que du mode d'exercice lui-même.[5]

Connaître le cadre de naissance du métier, c'est donc se donner les moyens de mieux comprendre toutes les significations du processus de professionnalisation. À cet égard, rappeler le rôle de l'intervention étatique dans la constitution du champ d'action socio-culturelle ne suffit pas; il faut aussi en dire les modalités concrètes. Et pour cela, revenir d'abord rapidement sur les conditions d'émergence du champ à la fin des années cinquante, au début des années soixante.

● Et en premier lieu, sur *l'idée fondatrice du champ* lui-même: cette idée, celle qui donne légitimité à l'action socio-culturelle elle-même, est une idée neuve. C'est celle qui énonce que des activités, regroupées sous le nouveau qualificatif de «socio-culturel» et ainsi autonomisées des pratiques sociales dans lesquelles elles s'inséraient jusqu'alors, puissent et requérir des compétences particulières et être prises en charge par la collectivité.

Certes, elle n'était pas totalement étrangère aux institutions déjà existantes qui vont constituer une part du réseau, ni à une partie des hommes qui les animent. Mais elle était alors difficilement imaginable en dehors des instances réputées pouvoir intervenir dans l'encadrement des loisirs de jeunes ou la formation des jeunes et des adultes. Tout au plus, peut-on dire qu'existait une interrogation, voire des expérimentations sur le mode d'intervention auprès de ces populations. Ainsi pourrait-on, par exemple, retrouver trace de l'idée d'animation[6] dans de nombreuses organisations nées ou développées dans l'entre-deux-guerres, que ce soit en terrain catholique (la Jeunesse Ouvrière Chrétienne, la Jeunesse Agricole Chrétienne par exemple), en terrain laïc (cf. les Auberges de Jeunesse et, plus directement, le Centre d'Entraînement aux Méthodes d'Éducation Active), ou à travers certaines initiatives du Front Populaire en 1936-1937.[7] On remarquera au passage que la plupart de ces expériences visent des publics spécifiques: l'élaboration de pratiques nouvelles va de pair avec la désignation de populations particulières à prendre en charge. Selon Jean-Paul TRICARD, il s'agirait là d'une caractéristique assez répandue dans tout le travail social en général.[8] À cet égard, on notera la fortune d'une notion comme celle de «non-public», issue du mouvement de décentralisation théâtrale, mais vite étendue à l'ensemble du champ.

Mais qu'un renouveau pédagogique puisse avoir lieu et place en dehors des organisations scolaires et péri-scolaires du double réseau laïc et clérical, il s'agit là de quelque chose de très récent. Il faudra attendre la confrontation durant la seconde guerre mondiale, au travers de l'expérience de la Résistance en commun, d'intellectuels socialistes ou communistes et d'intellectuels chrétiens, puis le rassemblement national des années d'après-guerre pour que cela soit concrètement envisageable. C'est à la lisière de l'État central, dans les administrations de mission du Plan, les commissions spécialisées qui lui sont connexes et les colloques que se rencontrent alors ceux que BEAUD et VILLENER ont fort justement appelé «les ingénieurs culturels»[9]: militants responsables d'association d'éducation populaire, artistes, grands commis de l'État et chercheurs. Et c'est de cette rencontre, hors de leurs institutions d'origine, que s'élabore, se formalise et mûrit, peu à peu, à partir de thématiques diverses (celles de l'éducation populaire, de la démocratisation culturelle, de la participation), une idéologie unifiée du développement culturel, et que s'objective et se légitime l'idée d'une intervention des pouvoirs publics hors de l'école et des groupements privés; il s'agit bien de répondre à la «crise de civilisation» et, plus concrètement, à la faillite des modes traditionnels de socialisation engendrés par l'industrialisation capitaliste rapide de la France. Si donc il serait faux de nier le rôle tant des structures que des hommes issus de l'Éducation Populaire dans l'avènement du champ socio-culturel, il paraît capital de relever que cet héritage n'est assimilé qu'à condition de s'inscrire dans une problématique nouvelle, qui fait de la participation consciente de tous les individus à l'essor du pays une nécessité (mettre tout le monde «dans le coup» n'est-ce pas la signification de la recherche effrénée du «non public»?).

Dans le cours de l'émergence de l'idée socio-culturelle, on notera le rôle particulier joué par les sciences humaines (alors récemment intégrées à l'Université) et plus spécialement par certains sociologues, dont plusieurs sont à la fois universitaires et militants d'associations nationales. Ils participent très directement parfois à cette élaboration de sens qui va cimenter les institutions anciennes ou nouvelles intégrées dans le champ socio-culturel. Outre la théorie sur la société des loisirs, n'est-ce pas à eux que l'on doit pour partie l'extraordinaire expansion d'une problématique des besoins dont il faut remarquer combien à la fois elle s'inscrit dans une thématique ancienne de la diffusion du savoir, puis de la culture, comment elle justifie la prise en compte de besoins dits nouveaux, et comment elle rend possible la thématique dont le succès va alors aller croissant de l'autonomie culturelle des individus et des groupes? Nous ferions volontiers l'hypothèse qu'il s'agit d'une problématique de liaison, permettant la transition entre les idéologies de la démocratisation et celles du développement, autorisant la pénétration du champ par les techniques sociographiques et constituant le véhicule référentiel des techniques d'animation.[10]

·   • L'idée du socio-culturel est dans l'air militant et technocratique. La mise en place d'administrations spécialisées et de *moyens spécifiques* lui donne corps. Après l'espèce de coup de force qu'avait constitué, en 1936, la constitution d'un secrétariat d'État aux Loisirs, et l'éphémère «Ministère» Jeunesse, Arts et Lettres de 1947, c'est sous la cinquième République qu'est créé le Ministère des Affaires Culturelles (en 1959) et que le Secrétariat d'État à la Jeunesse et aux Sports voit ses moyens d'intervention considérablement augmentés. Mais alors que les conjonctures du Front Populaire, en 1936, et des gouvernements d'union de 1945-47 s'étaient accompagnées d'une véritable effervescence des mouvements d'Éducation Populaire, toute une part de la gauche associative ne peut, dans les années 1958-1965, que s'inscrire visiblement en marge d'un processus dont elle est pourtant, en partie, productrice: le contexte politique d'une part (le gaullisme), mais aussi l'intermède du règne d'André MALRAUX, ont pu, il est vrai, lui masquer, un court temps, l'ampleur des procédures mises en place; le temps que fassent long feu la conception du Ministre faisant de l'art un anti-destin, son idéologie du salut par la culture artistique et son rêve de couvrir la France de Maisons de la Culture. Car, dans le même temps, s'imposaient les structures de l'action socio-culturelle qui allaient donner droit de cité (au sens fort du terme) à des milliers d'animateurs aujourd'hui à la recherche d'une autre reconnaissance. On ne saurait dire ici toutes les procédures et tous les moyens concrets qui ont donné consistance à l'action socio-culturelle et l'ont ainsi autonomisée comme champ spécifique. Rappelons seulement, et très brièvement, trois types d'instruments inaugurés par la politique des pouvoirs publics.

D'abord, l'institutionnalisation, sinon des filières, du moins de programmes de formation et la création de diplômes spécialisés: même si, au fil des années, les titres se sont modifiés (DECEP, BASE, CAPASE, DEFA, etc.) et si ces modifications traduisent des inflexions notables,[11] on ne saurait mésestimer le poids de telles mesures dans la construction progressive d'une population de professionnels. Ce type de formation autorisant la procédure de capitalisation d'unités de valeur, comme le contenu de ces unités qui font la part belle aux techniques psycho-sociologiques et à l'enquête de terrain, ne sont pas sans effet dans la constitution de savoirs spécialisés ou de référents implicites qui peuvent donner une certaine unité à des catégories d'agents issus d'origine très diverse. Là encore, il ne s'agit pas d'une création ex nihilo et on ne saurait attribuer à une décision étatique ce qui est aussi le résultat d'un important travail de toute la population d'«ingénieurs culturels» cités plus haut. Comment nier, même si, souvent, elles s'en défendent, le rôle capital joué dans l'élaboration de ces diplômes et de ces formations par de grandes organisations nationales possédant d'ailleurs leurs propres centres de formation (Ligue de l'Enseignement, Fédération Française des Maisons de Jeunes et de la Culture, l'I.N.F.A.C. créé spécialement à cet effet en 1963 à partir du Centre de Culture Ouvrière, etc.)? Il est vrai que, là comme ailleurs, le dernier mot reste à l'État central, même si celui-ci ne saurait être perçu comme un appareil homogène, ainsi que l'indiquent assez clairement, à propos du contenu des diplômes, les tractations entre les différents ministères concernés (Jeunesse et Sports, Santé, Agriculture, Culture et, aujourd'hui, «Temps Libre», «Solidarité», etc.).

Un autre instrument mis en place par l'État au début des années soixante montre d'ailleurs assez clairement le caractère multiforme et diffus et pourtant décisif de l'intervention étatique dans le champ de l'action socio-culturelle: l'Éducation Populaire, dont le rôle principal est de permettre le financement de postes d'animateurs professionnels. Il est cogéré à la fois par différents ministères (précisément les mêmes que ceux intervenant à propos de la formation), par des organismes para-publics (comme la Caisse Nationale des Allocations Familiales), par des collectivités locales et par des associations loi 1901. La part de l'État dans le financement des postes, fixée à 50% en 1964 lors de la création du FONJEP, n'a cessé de décroître depuis pour atteindre aujourd'hui à peine un peu plus du quart, le complément étant donc de plus en plus apporté par les autres partenaires et notamment les associations elles-mêmes. Mais le FONJEP reste le principal distributeur annuel d'emplois d'animateurs professionnels (moins d'une centaine en 1965, près d'un millier en 1981 avec le changement de pouvoir). Et surtout, par le suivi des dossiers qu'elle effectue, l'administration y exerce de fait le rôle dirigeant, capable par le biais de l'attribution des postes, d'intervenir dans l'orientation des associations qui en sont bénéficiaires (bien que celles-ci soient juridiquement employeurs). Ainsi le FONJEP a-t-il été un des moyens, par exemple, de l'incitation à la fédéralisation d'associations locales au sein de regroupements nationaux et, plus généralement, de la transformation des associations adhérentes en partenaires du service public.

Troisième exemple du mode d'intervention de l'État, celui des équipements. Une constatation s'impose: les équipements exemplaires — ceux créés ex nihilo (ou presque) qui entendaient constituer la vitrine de la politique d'action socio-culturelle — n'ont eu qu'un destin éphémère: ainsi, des Maisons de la Culture: vint-cinq prévues au V° Plan, seulement quinze en réalité fonctionnant aujourd'hui. Ainsi de l'opération «mille clubs» de jeunes, lancée à grands bruits, et dont il ne reste bien souvent, aujourd'hui, que les ruines d'équipements saccagés. Par contre, le succès considérable des M.J.C. laisse parfois oublier que ce qui est devenu un nom commun synonyme d'équipement socio-culturel désigne toujours une association qui se veut indépendante et d'Éducation Populaire. Nées pendant la seconde guerre mondiale, issues de «La République des Jeunes» et de fait tout imprégnées de l'idéal républicain qui fonde leur mode d'organisation (parlementarisme interne) et leurs objectifs («banc d'essai des citoyens» et «lieux privilégiés de la démocratie»), les M.J.C. ont, très tôt, multiplié, sur une base territoriale ouverte à tous — ce qui constituait en soi une nouveauté alors importante — les activités techniques et les actions d'animation. Elles se sont trouvées, à leur corps défendant, annexées en quelque sorte par le secrétariat d'État à la Jeunesse et aux Sports, par le biais de l'octroi de postes FONJEP et par un subventionnement massif. Que leur Fédération ait conservé le culte de ses origines après cette tentative à maints égards réussie d'annexion est tout à fait louable; qu'elle prétende en être sortie complètement indemne relève, sans doute, de l'incantation. Il est vrai que les épreuves de démantèlement qu'elle dut subir de la part des gouvernements successifs peuvent excuser cette volonté dénégative. De façon plus générale, on remarquera qu'après une phase d'essai de contrôle direct des grandes associations, l'État s'est vite tourné vers des modalités plus souples d'intervention, privilégiant notamment le développement d'institutions et d'équipements de type mixte associant à leur administration, à côté des usagers et des représentants d'associations, des représentants des organismes semi-publics (offices d'H.L.M., Caisses d'Allocations Familiales) et des Pouvoirs Publics (Municipalités, Conseils Généraux et Ministères), dans lesquels il garde, en dernier ressort, le dernier mot par le biais de la maîtrise des circuits de financement.

Progressivement, l'action socio-culturelle s'impose ainsi concrètement sur le terrain, dans les bourgs ruraux, mais aussi et surtout dans les zones urbaines, inscrivant visiblement de nouveaux lieux et transformant les modalités d'insertion et d'intervention des anciens équipements, par exemple ceux liés à la querelle scolaire telles que les Amicales Laïques ou les centres sociaux; pour ces derniers, c'est l'adaptation aux nouvelles normes ou le déclin. Subvention rime ici avec professionnalisation et technicisation. Le maintien et a fortiori la conquête de nouveaux publics passent par l'adaptation et, sinon l'abandon, du moins le repli du drapeau confessionnel ou politique, même si, dans les conseils d'administration, les enjeux partisans sont peut-être plus violents qu'avant. L'équipement socio-culturel, l'animateur socio-culturel accèdent à la reconnaissance sociale. Ils s'intègrent à la panoplie des réponses aux ainsi-nommés nouveaux besoins de la société urbaine, au même titre que les centres commerciaux ou le nombre d'enseignants. Ils rentrent dans les grilles officielles d'équipement des nouveaux quartiers que promeuvent les responsables nationaux de l'urbanisme. Pas de problème dans un quartier sans qu'il soit fait appel à l'intervention d'un professionnel dont l'existence était encore presque inconnue une décennie plus tôt. Ainsi se trouve reconnu un nouveau type de service public.

Encore convient-il d'indiquer que ce processus de naturalisation conduit sous l'égide de l'État dans le cours des années soixante ne s'est pas déroulé sans heurts ni contradictions, ni ne saurait être paralysé comme le seul effet d'une intervention politico-administrative. On y a vu participer, parfois malgré elles, des associations anciennement implantées. On pourrait, à l'occasion, y débusquer des alliances étonnantes. C'est à préciser cette dialectique du vieux et du neuf, de la base et du sommet, qu'on sera seulement en mesure d'apercevoir, derrière la professionnalisation de nouveaux quasi-fonctionnaires peut-être autre chose.

1.2   Les animateurs au sein des enjeux des transformations sociales

Dire, comme nous pensons l'avoir montré, que l'État a été, en son échelon central, maître d'oeuvre du processus de professionnalisation, ne signifie pas pour autant lui accorder une intentionnalité. C'est seulement indiquer le rôle capital de l'intervention administrative dans une conjoncture particulière où l'État se trouve — se fait? — le point de convergence d'initiatives particulières et pourtant convergentes. Comment, en effet, rendre compte de l'émergence du champ d'action socio-culturelle sans reconnaître le rôle des «ingénieurs culturels» à la fois représentants d'institutions novatrices, intellectuels, porte-parole et insérés dans les périphéries de l'appareil d'État? Comment en rendre compte sans l'existence d'institutions capables d'assurer l'infrastructure immédiate- ment disponible au prix de leur transformation et de leur insertion dans les dispositifs mis en place par l'État? Comment en rendre compte sans la «demande d'État» exercée localement par de nouvelles couches sociales en veine de visibilité publique et pour lesquelles l'investissement dans le champ socio-culturel représente souvent le premier pas de leur reconnaissance sociale?

Si donc l'État est bien au coeur du processus, affirmer sa fonction de catalyse n'a de sens que pour autant qu'on s'affranchit d'une conception strictement juridique de l'État. Il faut analyser ce que représentent les soutiens et les initiatives privées qui ont permis le succès de cette entreprise, voire qui l'ont favorisée. Il faut pouvoir rendre compte de la rapidité même de l'implan- tation des nouvelles institutions malgré des désaveux officiels des grands mouvements associatifs nationaux. Bref, il faut comprendre à quelles condi- tions sociales s'est faite cette naturalisation de la fonction d'animateur et examiner concrètement les modalités d'insertion de l'action socio-culturelle dans la société française, dans les rapports des classes qui la structurent et la transforment.

Or, l'exercice de la fonction d'animateur a souvent polarisé des opposi- tions passionnées et l'émergence du champ d'action socio-culturelle a été marquée, durant toute la durée des années soixante, par toute une série de conflits locaux retentissants dont la presse nationale s'est faite largement l'écho. De quelque façon qu'on les observe, on peut présenter ces conflits principalement comme des conflits entre *animateurs* (ou créateurs engagés dans un processus d'animation) *et édiles locaux*. C'est, en effet, à l'échelon des municipalités que les pratiques de l'animation et des animateurs font essentiel- lement problème. Les conflits surgissent autour d'équipements importants comme des Maisons de la Culture ou des théâtres des centres dramatiques nationaux (CAEN, BOURGES, NICE, THONON-LES-BAINS, SAINT- ÉTIENNE, etc...) ou d'équipements plus modestes, généralement des M.J.C. (par exemple à PARIS, à NICE encore, à NANTES et en des centaines d'autres lieux). Partout, c'est chaque fois les normes du système culturel qui sont en question. Cette contestation peut s'exprimer aussi bien à propos du contenu jugé subversif de spectacles, ou du type de programmation artistique, qu'à propos des attitudes envers la contraception, ou des attitudes envers les pratiques spécifiques de jeunes adolescents. La plupart de ces conflits sont l'occasion d'une mobilisation militante d'envergure.

Or, cette mobilisation oppose, aux responsables municipaux représen- tants des couches moyennes traditionnelles (professions libérales, commer- çants, petit patronat, certaines fractions des employés) une population issue des *nouvelles couches moyennes* telles que techniciens, cadres moyens et surtout enseignants et personnel des services médicaux et sociaux en pleine expansion, beaucoup plus mobiles et résidant généralement dans les quartiers récemment urbanisés. Nous avons montré ailleurs que ces dernières catégories sociales, non seulement constituent une part importante du public de l'action socio-culturelle et des bénévoles qui en gèrent les modalités concrètes d'exercice, mais ont joué un rôle considérable dans les différentes associations, regroupements d'associations ou groupes de pression qui ont contribué localement à la mise en place des structures de l'action socio-culturelle.[12] Notons que ces mêmes groupes sociaux sont aussi ceux qui constitueront plus tard le fer de lance de ce que l'on a coutume d'appeler et les nouveaux mouvements sociaux (écologie, régionalisme) et les luttes urbaines (transports en commun, rénovation, etc.).

Or, si dans la plupart de ces conflits, ces nouvelles couches sociales se heurtent, directement ou non, aux élus municipaux, il est remarquable de noter que tous les conflits sur l'action socio-culturelle, presque sans exception, se sont organisés pratiquement selon le même schéma selon lequel, face aux représentants locaux, les animateurs et le réseau qui les soutiennent, bénéficient, sinon de l'accord explicite, du moins de la bienveillance des représentants de l'État central. Sans doute, faut-il apporter des retouches à ce tableau général: d'une part, cet appui se différencie selon une distinction que nous retrouverons d'ailleurs plus tard; il est quasiment total concernant les institutions de création et de diffusion artistique (Maison de la Culture, Centre Dramatique de province) même si les crédits vont se restreignant au fil des ans; il est plus nuancé concernant les équipements de moindre taille et les institutions directement en prise sur la vie sociale de quartier (la Fédération Française des M.J.C. par exemple subira de rudes assauts de la part de certains Ministères). D'autre part, cet appui se enforce ou s'efface selon les types d'alliances que le bloc social au pouvoir cherche à nouer dans le pays; ainsi verra-t-on, de façon presque caricaturale, se succéder deux phases très différentes au début des années soixante-dix: d'abord un gouvernement CHABAN-DELMAS (dans lequel l'actuel ministre socialiste de l'Économie, Jacques DELORS, joue un rôle important de conseiller) ouvert en direction des couches moyennes et de la bourgeoisie libérale, qui prône sous couvert de «Nouvelle Société», la concertation, la participation et l'éducation permanente. Puis, cette expérience est brusquement interrompue par le Président POMPIDOU qui nomme un gouvernement «d'ordre moral», dirigé par Pierre MESSMER (ex-ministre des Armées) et comprenant Jean ROYER, défenseur du petit commerce, de la vertu et de la morale et où l'académicien DRUON, nommé Ministre des Affaires Culturelles, se révèle véritable pourfendeur des animateurs-«agitateurs».

Ces fluctuations mêmes sont révélatrices. Elles indiquent que l'action socio-culturelle représente un enjeu entre les deux fractions des couches moyennes, celle défenseur des petits propriétaires, qui tient la plupart des mairies et constitue l'appui traditionnel de la bourgeoisie au pouvoir, et celle des nouveaux salariés, qui aspire à se constituer comme force sociale au niveau local et qui représente la possibilité d'un nouveau compromis pour la classe dominante à la recherche d'alliances plus durables. (Entre 1954 et 1975, les couches moyennes traditionnelles sont passées de près de 40 à environ 15% seulement de la population active tandis que les secondes sont passées de moins de 20 à près de 40%).[13] À travers l'action socio-culturelle, les nouvelles couches salariées n'expriment pas seulement un modèle culturel ou un système de valeur. Au plan municipal, elles mettent en cause les formes mêmes d'organisation des hégémonies locales, par la mise en valeur des nouvelles formes de groupement et par l'investissement des lieux symboliques qui composent le nouveau paysage urbain. Du même coup, se trouve posé en d'autres termes que ceux strictement professionnels le rôle de l'animateur socio-culturel.

À ce stade, et avant d'essayer de montrer cet au-delà du professionnalisme, s'impose une remarque de méthode qui peut, en retour, éclairer le point de départ de notre analyse. La dénégation du processus de professionnalisation-technicisation qui se manifeste aujourd'hui chez de nombreux animateurs en poste de responsabilité et la volonté concomittante d'ancrage dans une tradition militante ne sont-elles pas, pour partie au moins, l'effet d'une lecture implicite du type très mécaniste du surgissement de la profession à laquelle, d'ailleurs, les sociologues ont largement contribué. Plus explicitement, ne peut-on pas dire que les recherches en termes de champ, d'appareil idéologique, ou de micro-pouvoirs, malgré leur appartenance à des champs théoriques fort différents (de BOURDIEU à FOUCAULT en passant par ALTHUSSER), présentent toutes le même défaut d'une réduction de l'analyse au seul secteur en cause, et conduisent automatiquement à considérer les professionnels y intervenant exclusivement comme des techniciens d'un nouveau secteur étatique, donc comme des agents de la régulation étatique? Or c'est, au contraire, à considérer ces nouveaux professionnels dans leurs pratiques quotidiennes, dans les interférences qu'ils entretiennent avec d'autres champs, dans leur place complexe dans la structure sociale, sans rien nier de leur statut de technicien, que peuvent être dépassées les apories sur la professionnalisation-normalisation comme les incantations à la ferveur des anciens idéaux.

C'est ce que nous allons essayer de montrer rapidement à partir d'un examen de la situation présente d'une profession que vingt années à peine d'ancienneté ont pourtant déjà fortement ancrée dans la trame des rapports sociaux localisés.

2 L'insertion des animateurs dans la société civile

Si les animateurs sont de moins en moins des militants de la tradition républicaine et laïque, le moindre des paradoxes n'est peut-être pas celui-là qu'à force de professionnalisation, voilà qu'une part importante d'entre eux occupent, aujourd'hui un rôle particulier dans les rapports politiques, même si ce rôle n'est guère visible; car c'est au prix de leur intégration dans la société civile que ces professionnels peuvent parfois retrouver — mutatis mutandis — la place que leurs aînés militants tenaient bien avant la seconde guerre mondiale.

Telle est, du moins, l'hypothèse que nous proposons et sur laquelle nous voudrions maintenant avancer quelques éléments d'illustration, sinon de preuves. Chemin faisant, nous serons conduits d'abord à indiquer le cours actuel du devenir de la profession, ensuite à préciser ce que nous paraît être, aujourd'hui, sa place dans le corps social.

2.1   La particularisation des objectifs et la diversification des exercices professionnels

Si l'État, à son niveau central, a joué le rôle essentiel d'impulsion, ce sont de plus en plus les Municipalités ou les associations qu'elles contrôlent (directement ou non) qui occupent, aujourd'hui, une position centrale dans la gestion du personnel d'animation. D'une part, parce que l'État a délégué une part de ses attributions et choisi progressivement des formes décentralisées permettant, à travers une politique contractuelle, la mise en place d'institutions plus souples et plus adaptées aux particularismes locaux (cf. par exemple les «Centres d'Animation Culturelle» en lieu et place des Maisons de la Culture, et la politique des «Contrats de Pays»). D'autre part, parce qu'avec le remplacement du personnel politique communal (amorcé lors des élections municipales de 1971 et réalisé massivement lors de celles de 1977), l'action socio-culturelle tend à occuper une place de choix dans les orientations politiques des nouvelles municipalités. Quant à la récente victoire de la gauche au plan national, elle ne peut qu'aller dans le sens d'un renforcement de la place des professionnels de l'animation, comme semblent déjà l'indiquer et l'accroissement important des crédits consacrés à financer paritairement des postes d'animateurs, et les débats en cours au plus haut niveau sur une modification de la loi de 1909 sur les associations pouvant aboutir à la création d'un nouveau statut, celui d'associations dites «d'utilité sociale». Toutes choses qui ne peuvent d'ailleurs être envisagées, là encore, hors du contexte plus général qu'exprime assez bien l'émergence d'une idéologie pratique du local[14] et dont les animateurs sont à la fois (parmi d'autres) producteurs et objets. Conjonction sur le terrain du local dont, toutefois, il ne peut être rendu compte simplement en termes de contexte socio-politique, mais qui — selon nous — se trouve aussi aller de pair avec l'évolution même de la pratique professionnelle des animateurs socio-culturels.

Ce que nous voulons indiquer par là, c'est que la naturalisation sociale de l'action socio-culturelle est indissociable d'une transformation du statut de l'animation. En effet, progressivement, de *technique,* l'animation est devenue *fin en soi*. L'enquête de terrain, l'inventaire des «besoins», le travail en groupe, l'implantation spatiale ne sont plus conçus comme les instruments d'un projet global d'éducation, mais deviennent les moyens de découverte et de mise en valeur des spécificités des groupes ou des personnes. Ce qui était outil critique des pédagogies scolaires et du fonctionnement traditionnel des mouvements d'éducation populaire (inculcation par le maître d'un savoir sur une somme d'individus considérés comme égaux) est posé comme objectif: c'est l'expressivité généralisée, c'est-à-dire la capacité à dire et traduire en pratiques les particularités concrètes d'un groupe ou d'un individu. Extraordinaire mutation qui renvoie à des transformations d'une toute autre ampleur et qui concerne les changements mêmes des représentations sociales de l'individu et leur articulation à un fondement du champ politique.[15] Concrètement, cette évolution se traduit par l'orientation progressive de la profession d'animateurs dans deux directions différentes: d'un côté, l'animation d'une population géographiquement circonscrite, de l'autre, la spécialisation vers des techniques d'expression individuelle.

Dans le premier cas, le plus souvent à partir d'un équipement, l'implantation territoriale tend à définir un espace d'exercice professionnel à la fois condition et objet même du métier. Le «quartier» est ainsi problématisé par l'existence même de l'équipement ou l'action de l'animateur et se présente comme réalité sociale et spatiale à construire, lieu nécessaire de relations, lieu «réel» et particularisé entre le citoyen (ou plutôt l'habitant) et le pouvoir municipal. Que ce soit sur le mode «trivial» de l'encadrement ou de la surveillance des bandes de jeunes, c'est-à-dire là où l'action socio-culturelle rejoint le travail social des éducateurs de prévention ou des assistants de service social de secteur, ou sur le mode «noble» de la promotion de sociabilités territorialisées, l'animateur de quartier, professionnel de la communication sociale spatialisée, participe alors — qu'il le veuille ou non — de la mise en cause du fonctionnement du jeu politique municipal, par la valorisation de l'ordinaire local et/ou de «sa» population spécifique. Non seulement il instaure de fait de nouveaux lieux de régulation, mais il intervient tout en même temps dans les processus de restructuration des formes localisées des rapports politiques.[16] Et il ne manque pas d'exemples et du rôle essentiel des animateurs dans la mise en place de nouvelles structures de participation ou de contestation dans la vie locale, comme les comités de quartiers par exemple, et de la participation de nombre d'entre eux aux nouvelles équipes municipales mises en place en 1977.[17]

Mais l'inscription des animateurs dans la société civile peut présenter d'autres formes tout à fait à l'écart du champ politique. À côté de la spécificité du groupe ou du territoire, ce peut être celle des individus eux-mêmes qu'il s'agit, selon le vocabulaire en usage, de «faire exprimer». Les techniques (yoga, vannerie, poterie, tissage, etc.) ne sont plus conçues comme instruments d'un travail dont la finalité serait autre (pédagogique ou relationnelle), mais comme moyens directs d'expression de la personnalité d'un individu. La voie se trouve ouverte à une hyper-technicisation et une spécialisation des activités par degré de technicité. Il faut d'ailleurs noter que cette deuxième forme n'est pas exclusive de la première et qu'un même équipement socio-culturel peut, par exemple, à la fois offrir des activités très spécialisées de haut niveau en direction d'un public limité et géographiquement très large et jouer un rôle de promotion du seul quartier où il se trouve implanté.

De plus, entre ces deux pôles principaux, l'animation de populations spécifiques homogènes (jeunes, troisième âge, immigrés) peut représenter une direction intermédiaire que symbolisent l'inflation de discours sur les cultures populaires ou les tentatives de muséification des mémoires dominées.

Dans tous les cas, singularité des individus ou des groupes, on conviendra qu'on est loin de la double représentation républicaine du savoir social unifié et du citoyen incarnation de l'universel humain sur laquelle a fonctionné l'Éducation Populaire des décennies durant. On comprendra mieux ainsi comment, parmi les savoirs autorisés du champ scientifique, après la psycho-sociologie (faire exprimer les «besoins») et la sociologie (étude des «milieux»), c'est aujourd'hui l'ethnographie, voire l'anthropologie, qui tend à devenir la discipline de référence obligée des travailleurs sociaux en général et des animateurs en particulier.[18] Ainsi serait réalisé — selon la profession elle-même — l'idéal de l'animation qui réside, on le sait, dans la disparition de l'animateur. À cette différence près que l'animateur ne disparaît pas.

À ce tableau sommaire des situations d'animation, il faut ajouter une dernière touche: la disparition quasi complète des créateurs, c'est-à-dire précisément de ceux qui, pour la plupart, ne voyaient dans l'animation qu'une technique pour élargir le public culturel. On remarque, en effet, qu'au fil des ans, l'animation comme concept et comme pratique s'est trouvée abandonnée par un des courants fondateurs de l'action socio-culturelle, celui de la décentralisation théâtrale. Il n'est guère de créateurs et pas seulement du monde du théâtre, mais de l'ensemble des arts du spectacle (danse, musique, etc.), qui ne se soient plaints d'être contraints, pour vivre, de noyer leur art dans la «sauce» animation. Ainsi se trouvent, aujourd'hui, re-problématisées, au sein même des institutions culturelles, des oppositions qui paraissaient, il y a quinze ou vingt ans, en voie d'extinction: création/expression, individu/groupes, national/régional. Sans doute, l'échec de toutes les tentatives visant à atteindre les couches populaires n'est-il pas pour rien dans cette remise en cause. Sans doute, la tendance «localiste» inhérente au développement de l'action socio-culturelle a-t-elle aussi contribué à rejeter des artistes sur des terrains moins hasardeux. Mais, plus fondamentalement on peut se demander si la constitution du réseau d'action socio-culturelle, il y a une vingtaine d'années, n'a pas recouvert en fait deux processus sociaux distincts que l'on pourrait brièvement désigner comme suit:

● D'une part, un processus de *transformation-actualisation de la culture cultivée* pour lequel l'action socio-culturelle aurait permis la constitution d'un nouveau public (les nouvelles couches moyennes salariées), l'élaboration, ou plutôt la diffusion, de nouvelles formes artistiques (promotion d'un théâtre autre que celui dit de boulevard ou promotion auprès d'un public autrement plus vaste que celui d'avant-guerre de courants non figuratifs en arts plastiques), la formation de créateurs spécifiques (les directeurs de compagnies issues de la décentralisation par exemple) et l'instauration de nouveaux lieux (Maisons de la Culture par exemple).

● D'autre part, un processus qui déborde largement le seul champ culturel pour toucher aux problèmes mêmes de la vie collective urbaine pour lesquels l'action socio-culturelle a pourvu, non seulement des professionnels (les animateurs) et des lieux (l'ensemble des équipements), mais aussi des modèles d'intervention sociale propres à modifier les modes de régulation traditionnels de la *gestion locale des populations*. Mais, en même temps, ce même mouvement crée aussi les conditions d'agglomération du public concerné par la rénovation culturelle, à un tel point qu'encore aujourd'hui les créateurs ne sauraient se passer de ces rabatteurs que peuvent constituer les animateurs en poste dans les quartiers, dans les équipements ou dans les Comités d'Entreprises, ni même du réseau d'infrastructures construit par l'action socio-culturelle.

Le divorce paraît donc consommé entre créateurs et animateurs, les premiers n'usant plus des seconds que dans la mesure où ils constituent encore — surtout en province — la clé d'accès à un marché. Certes, il faudrait faire exception pour certains groupements existants (par exemple le groupe «Pour une Autre Action Culturelle») qui tentent d'allier créativité populaire, animation sur le terrain et diffusion culturelle. Mais ne sont-ils guère que des modèles, d'ailleurs vite rejetés aussi bien par ceux qui s'énoncent créateurs que par ceux qui s'énoncent militants? En conséquence, même si les deux décennies passées ont enregistré une extrême diversification des situations d'animation, même si la profession d'animateur reste peut-être un des viviers où le monde du spectacle puise ses artisans, nous pensons, d'une part, que la distance ne fait que croître entre deux populations (celle des créateurs liés à la décentralisation et celle des animateurs), bien qu'elles aient pu être confondues le temps de l'émergence de l'action socio-culturelle, d'autre part qu'il demeure encore possible de réunir, comme en face et dans un même ensemble, les multiples visages des professionnels de l'animation.

2.2 De nouveaux intellectuels intermédiaires?

Car même si le fossé paraît se creuser entre l'animateur de rue en mission de gérer la cohabitation difficile du «résident» et du loubard, le technicien spécialisé travaillant dans l'accouchement des potentialités expressives des groupes homogènes ou du cadre moyen, et le metteur en scène de la bonne vie sociale en charge de préfiguration dans les villes nouvelles, leur reste en commun, malgré toutes les dénégations possibles dans le registre du «spontané», leur travail similaire de médiation. Les images, aujourd'hui si répandues dans la profession, de l'éveilleur, de l'éclosion, du respect des identités, de la non-intervention, ne peuvent dissimuler les activités de mise en relation, d'incitation au regroupement ou à la participation. C'est pourquoi, même si l'animation est de moins en moins une technique, l'animateur n'est pas près de disparaître. Même la Fête ne jaillit pas d'elle-même et requiert travail d'organisation; tout comme le «soyez naturel» suppose un spécialiste du spontané. . .

Peut-on dire plus et postuler un lien entre la diversité même des situations d'animation et leur fonction médiatrice? Ou, plus exactement, ne peut-on pas se demander si ce n'est pas leur insertion particulière dans la société civile, hors des instances reconnues de socialisation (l'école, la famille, etc.) ou à leur marge, que se situe l'essentiel de leur rôle? On ne peut ici que rappeler quelques indications. Comme, par exemple, la faculté de l'animateur de quartier à s'ériger, de par l'ambiguïté même de son statut, de par l'absence même de définition des tâches qui lui sont octroyées, en intermédiaire obligé, aussi bien pour une part de la population que pour les instances du pouvoir local. N'est-ce pas dans sa capacité unique à jouer des interstices ou des chevauchements institutionnels pour bricoler des systèmes de financement ou des interventions que réside une part de son propre pouvoir? Alain BOURDIN et Nuria PUIG relèvent excellemment, parlant de l'ensemble des travailleurs sociaux,[19] leur habileté extrême à «constituer des systèmes d'action» et, moyennant ce que les auteurs appellent cette «gestion rusée des petites ressources», à faire entrer leur système d'action dans des négociations officielles. Nous ajouterons que c'est même à ces multiples petits prix que les animateurs peuvent être en position de constituer une instance de recours, d'expression, voire de représentation, court-circuitant les instances institutionnelles, et en tant que tels partenaires officieux mais pourtant nécessaires. Dans ce cas, l'existence de l'animateur est indissociable de sa *capacité à faire exister:* faire exister «un quartier», un «non-public», une catégorie sociale ou démographique. Pouvoir nommer et faire reconnaître une population et s'en faire, sinon le représentant, du moins à tout coup le médiateur. Il y a là un rôle qui dépasse le cas de l'exemple en question, qui est celui de tout animateur culturel lorsqu'il gère un public au service des créateurs ou des diffuseurs de spectacle; par exemple, dans certaines institutions para-municipales ou dans certaines associations, l'animateur détient de fait le monopole d'accès au comité d'entreprise et au public potentiel que ce dernier peut mobiliser.

On pourrait alors caractériser globalement les animateurs comme des intermédiaires. C'est le genre qu'emploie Laurent THÉVÉNOT pour définir l'ensemble des nouvelles professions des secteurs sociaux et para-médicaux: par ce terme, l'auteur entend marquer que ces nouveaux professionnels possèdent une fonction technique auprès d'un large public. Pour ce faire, ils se réfèrent à ceux qui, au-dessus d'eux, détiennent et contrôlent la totalité de ce savoir (les psychologues ou les médecins par exemple).[20] De cette définition, on retiendra que la notion d'intermédiaire sert surtout à qualifier un rôle de transmission, du haut vers le bas. À ce titre, elle a l'avantage de dire la différence entre, par exemple, l'artiste et l'animateur et, en même temps, de relever que cette frontière demeure instamment objet de luttes, «luttes de classement» dit BOURDIEU;[21] ces luttes qui transparaissent si clairement aussi bien à travers les débats déjà évoqués entre «action culturelle» et «action socio-culturelle», entre «création» et «animation» qu'à travers les essais de «reclassement» tentés par nombre de professionnels à partir des procédures de formation permanente pour accéder à des fonctions de responsabilité et surtout conquérir des titres universitaires qui les mettent à l'égal des détenteurs de savoirs (les sociologues par exemple); luttes qu'exacerbe aujourd'hui, dans une conjoncture de chômage, l'entrée sur le marché de l'emploi de l'animation de nombreux diplômés psy et socio.

Mais peut-on seulement décrire les animateurs comme des *relais* de savoir? À leur manière, ils sont aussi *élaborateurs* de savoirs partiels (que se disputent d'ailleurs les élus, voire les sociologues) et dont la détention est partie prenante de leur rôle de médiation. Et la fonction d'intermédiaire s'exerce aussi dans l'autre sens à tel point, nous l'avons vu, que l'animateur peut se poser en rival de l'élu comme représentant d'une «base» que lui-même s'est définie. Au-delà des idéologies de l'expression des besoins et des cultures latentes, il y a la connaissance de populations spécifiques, de réseaux sociaux, de circuits relationnels et une capacité à les mettre en oeuvre et à les organiser. Il y a, intimement mêlé à une intervention concrète, un travail d'intellectuel, de production efficiente des catégories, d'ailleurs moins lié à la détention d'un savoir qu'à l'occupation d'une place spécifique. Là est peut-être l'essentiel: installés pour promouvoir la prise en charge des individus par eux-mêmes, ils subsistent moins par les techniques qu'ils peuvent utiliser à cette fin, que par leur capacité à rester en situation de médiation.

Mais n'y a-t-il pas plus: indépendamment du contenu intrinsèque — que l'on peut qualifier d'intellectuel — de ses activités, n'est-ce pas la fonction même de l'animateur qui relève du qualificatif d'intellectuel au sens où l'emploie GRAMSCI?[22] Peut-être faudrait-il préciser et dire «intellectuel de terrain», inséré dans le monde social et que l'on pourrait situer dans le sillage des instituteurs de la III° République intervenant en milieu extra-scolaire qui disputaient aux clercs de l'Église, au nom de l'idéal laïc et positiviste, la direction intellectuelle des couches populaires.

Évidemment, une telle homologie appelle deux remarques: d'abord, évidence qu'il convient pourtant de ne pas perdre de vue, la socialisation de la fonction; il s'agit, aujourd'hui, de fonctionnaires ou quasi-fonctionnaires intervenant publiquement et non d'agents exerçant leurs activités sur le mode caritatif ou militant. Deuxième point: le savoir de référence de ces praticiens — emprunté moins à des systèmes de valeurs reconnus comme tels qu'à des corpus scientifiques tels la psychologie ou la sociologie, lesquels constituent les relations sociales ou l'expression de la personne comme objets de savoir, tandis que ces objets de savoir fondent des objets d'intervention et des professionnels de ces interventions. Bref, la fin, à savoir l'harmonie du corps social, hier pensée comme dépendante de l'accès de tous au savoir, est désormais aussi le moyen; ou inversement, le moyen, l'intervention problématisée en terme d'animation (c'est-à-dire donner vie) est également la fin.

Les instituteurs hier, les animateurs aujourd'hui, voire le bas clergé des paroisses avant-hier. Il y a comme une place structurelle commune à ces catégories de petits clercs que nous qualifierons volontiers d'intellectuels intermédiaires. Intellectuels intermédiaires parce qu'à la fois, de par leur formation, ils sont fonctionnellement en poste pour relayer, donner sens et contenu aux mythes organisateurs sociétaux et parce qu'en même temps, de par la place qu'ils occupent concrètement, ils sont les vecteurs de l'intégration d'une part importante des populations dans le jeu politique local et national. Les instituteurs ont occupé, en France, une position-clé dans le système politico-culturel de la III° République. Concernant les animateurs, peut-on, avec raison gardée, interroger plus avant cette apparente proximité de position dans la configuration des rapports sociaux? Cela déborderait le cadre du présent article. Et pourtant, un dernier rapprochement s'impose.

L'utopie éducative, comme l'utopie socio-culturelle, ont recruté leurs agents chez les membres des nouvelles couches moyennes en voie d'ascension sociale, sinon d'accès sur la scène politique. Les instituteurs ont constitué l'armée de campagne de «la couche sociale nouvelle» dont GAMBETTA, en 1872, évoquait alors l'«entrée dans les affaires politiques». L'orateur désignait par là, non le prolétariat bien sûr, mais l'ensemble de la petite bourgeoisie urbaine des professions libérales (pharmaciens, médecins, avocats, vétérinaires, enseignants, journalistes) acquises au scientisme ambiant et qui allait constituer la base du personnel politique de la République, Troisième du nom. De nouvelles couches moyennes, aujourd'hui presque exclusivement salariées, apparaissent à leur tour sur la scène politique locale et nationale; leur émergence, en tant que force sociale, ne saurait être entièrement dissociée des luttes culturelles et urbaines qui se sont développées dans le contexte d'anomie engendré par la troisième vague d'industrialisation-urbanisation. Serait-ce le destin des intellectuels intermédiaires que d'articuler, dans la pratique, les transformations des sociétés civiles et politiques, des systèmes de valeur qui régissent le corps social et des formes de sociabilité où, quotidiennement, ils prennent à la fois corps et racine?

NOTES ET RÉFÉRENCES

1. L. BOLTANSKI, «Les systèmes de représentation d'un groupe social: les cadres», in *Revue Française de Sociologie*, XX, 4, octobre-décembre 1979, pp. 631-667; cf. notamment p. 631 à 636.

2. Cf. le débat «Action culturelle/Action socio-culturelle» in *Les Cahiers de l'animation*, n° 30, 4ème trimestre 1980, Paris; notamment p. 27 sq.

3. Cf. Les estimations faites par G. POUJOL, «Les animateurs en chiffres», in *Les cahiers de l'animation*, n° 22, 4ème trimestre 1978, INEP, Paris, pp. 1-10; et «la profession» in *Les cahiers de l'animation*, numéro spécial «La formation des animateurs socio-culturels», 3ème trimestre 1980, p. 45-50. Ces deux numéros contiennent, en outre, de nombreuses indications sur la variété des statuts, des pratiques et des professions d'animateurs socio-culturels. On trouvera aussi des données intéressantes et une bibliographie dans le dossier documentaire n° 18-19 établi par l'UNESCO (collect. «Développement Culturel»): *La formation des animateurs culturels*, 139 p., rédigé par Pierre MOULINIER, ainsi que dans l'ouvrage de synthèse de G. POUJOL, *Le métier d'animateur*, Privat, Paris, 1978.

4. Sur l'histoire de la création de ce champ, nous renvoyons à la première partie du chapitre de l'ouvrage écrit avec B. MIÈGE et A.N. ROUX, *L'appareil d'action culturelle*, Éd. Universitaires, Paris, 1974, pp. 17 à 46.

5. Cf. notamment M. SIMONOT, in *Pour*, n° 59, mars-avril 1978, p. 18 sq.

6. L'idée n'a pas d'antécédent direct puisque, jusqu'alors, le mot ne référait qu'à la capacité personnelle d'impulser un groupement ou une entreprise, ou à des techniques assez spécialisées (animateur de spectacles, technicien de marionnettes ou de dessins animés). C'est seulement dans la seconde moitié de ce siècle que la notion viendra désigner la capacité à donner une vie propre (selon son sens étymologique) à des groupements sociaux, rompant ainsi avec l'idée d'inculpation qui avait dominé l'ensemble du courant d'Éducation Populaire.

7. Sur cette histoire spécialisée, on consultera avec profit «Éducation Populaire 1920-1940», in *Les cahiers de l'animation*, n° 32, 2ème trimestre 1981; et: «Éléments pour l'histoire de l'Éducation Populaire», actes du colloque de l'I.N.E.P. année 1975, in *Documents de l'INEP*, n° XXI, octobre 1976.

   Sur les filiations des pratiques d'animation, on peut se reporter au rapport touffu de Bernard BARRAQUE et Jean-Pierre GAUDIN, intitulé fort significativement *La charité doit devenir technicienne* (Ministère de l'Environnement, décembre 1979, 326 p. dactylo.) dont on trouvera les principales analyses dans l'article de B. BARRAQUE «Cadre de vie et encadrement», dans la revue *NON* n° 8, juillet-août 1981, pp. 59-79.

8. Cf. J.P. TRICARD: «L'initiative privée et étatisation parallèle: le secteur dit de l'enfance inadaptée», document dactylo., 55 p. C.R.E.S.G., Lille, 1981, à paraître in *Revue Française de Sociologie*.

9. Cf. P. BEAUD et A. WILLENER, «La culture action», in *Communication*, n° 14, 1969, pp. 84-96.

10. Il serait intéressant ici de comparer le processus français de professionnalisation avec ce qu'il a été dans d'autres pays, notamment ceux des pays de l'Est, mais aussi avec les pays anglo-saxons où la tradition militante paraît avoir été beaucoup moins forte. Dans ce cas, c'est le champ référentiel lui-même qui est tout autre: cf. la notion de récréologie aux États-Unis. Sur ce point, cf. M. BELLEFLEUR, «Une animation à l'américaine», in *Les cahiers de l'animation*, n° 33, 3ème trimestre 1981, I.N.E.P., Paris, pp. 79-86.

11. Cf. les documents déjà cités: n° hors série des Cahiers de l'animation du 3ème trimestre 1980 et P. MOULINIER, op. cit. À noter qu'on passe de spécialistes en Éducation Populaire, puis en Socio-Éducatif, enfin en Animation.

12. Pour une analyse détaillée de ces nouvelles catégories sociales et de leur rôle dans l'action socio-culturelle, nous renvoyons au chapitre 4 de l'ouvrage déjà cité (J. ION, B. MIÈGE et A.N. ROUX, op. cit. p. 137-200).

13. Sources: INSEE: chiffres composés en regroupant, d'une part, les agriculteurs, les commerçants et artisans et une partie des industriels, d'autre part, les cadres moyens, une partie des cadres supérieurs et des employés.

14. Ce que nous avons appelé ailleurs «l'indiscuté», à savoir la participation nécessaire, la reconnaissance du pouvoir associatif, l'obligation des nouvelles règles de la démocratie locale qui constituent aujourd'hui le référent obligé de tout discours sur/par l'institution politique communale. Cf. J. ION, A. MICOUD et J. NIZEY, *Associations résidentielles et Institutions municipales, le cas de Saint-Étienne*, rapport CRESAL, Offset 1979, et «La Commune entre l'État et le quartier. Quelques notes sur l'évolution des types de légitimation de la pratique politique municipale», in *Espaces et Sociétés*, n° 34-35, juillet-décembre 1980, pp. 83-96.

15. Nous avons développé cette argumentation, d'une part dans une communication au Colloque international sur la culture populaire au XXᵉ siècle (Université de Québec à Trois-Rivières, avril 1980): «Du savoir de la République aux cultures populaires», dans *Cultures populaires et sociétés contemporaines* (sous la direction de Gilles Pronovost), Québec, Presses de l'Université du Québec, 1982, p. 170-183, d'autre part, dans une communication à la Table Ronde *«Vie privée — Vie publique»* (Lyon, octobre 1980): «De la formation du citoyen à l'injonction à être soi, l'évolution des référents dans le champ de l'action socio-culturelle», à paraître in *Espaces et Société*.

16. Guy SAEZ, à partir d'un autre type d'analyse, note également, de façon plus générale, comment les institutions socio-culturelles contribuent à accélérer une nouvelle polarisation des institutions publiques sur le «local». Cf. F. D'ARCY, C. GILBERT et G. SAEZ, *Nouvelles hypothèses sur l'action socio-culturelle*, C.E.R.A.T. Grenoble, ronéo 1979, 224 p.

17. Cf. notre article, J. ION et A. MICOUD, «L'expérience récente des Comités de quartier à Saint-Étienne» in *Revue Internationale d'Action Communautaire*, n° 4/44, Montréal, aut. 80, pp. 160-166.

18. Idéologie pratique et idéologique théorique ne sont jamais loin l'une de l'autre, comme en témoigne le dernier ouvrage de Pierre GAUDIBERT dont le titre *Du culturel au sacré* est à lui seul tout un programme (Éd. Casterman, Paris, 1981, 164 p.).

19. A. BOURDIN et N. PUIG, *Devenir du travail social et théorie du néo-local*, communication au colloque du comité «Politiques locales» de l'A.I.S.L.F., Nancy, octobre 1981, document *ronéo, 15 p.*

20. L. THÉVÉNOT: «Les catégories sociales en 1975: l'extension du salariat» in *Économie et Statistique*, juillet-août 1977, pp. 24-25.

21. P. BOURDIEU et L. BOLTANSKI, «Le titre et le poste», in *Actes de la recherche en sciences sociales*, n° 2, mars 1975.

22. Cf. A. GRAMSCI, *Cahiers de prison 10, 11, 12 et 13*, coll. «bibliothèque de philosophie», Gallimard, Paris, 1978, 552 p., p. 312 et 326: «On peut observer d'une manière générale que dans la société moderne, toutes les activités pratiques sont devenues si complexes et les sciences se sont si étroitement mêlées à la vie que chaque activité pratique a tendance à créer une école pour former ses propres dirigeants et ses propres spécialistes et par conséquent a tendance à créer un groupe d'intellectuels spécialistes d'un niveau plus élevé».

Jacques ION
Les Animateurs Socio-Culturels en Fance

RÉSUMÉ

À l'inverse du discours dénégatif qui tend à replacer les animateurs socio-culturels dans la tradition de l'Éducation populaire, l'auteur entend montrer que c'est, au contraire, en reconnaissant le rôle de l'État dans la constitution et la légitimation du métier d'animateur que peut être saisi l'au-delà de ce processus de professionnalisation qui est l'immersion des animateurs dans la société civile. Cette insertion doit être située dans le contexte de l'émergence des nouvelles couches moyennes en tant que force sociale. Elle se réalise au prix d'une transformation des référents de modes d'intervention des animateurs. Transformation qui tend à la fois à creuser le fossé entre créateurs culturels et animateurs et à faire de ces derniers de nouveaux intellectuels intermédiaires en position de relais entre les populations et les pouvoirs locaux.

Jacques ION
Socio-cultural workers in France

ABSTRACT

Taking a position contrary to those who would tend to deprecatingly locate France's socio-cultural workers back into the tradition of Popular Education, the author seeks to show that it is, instead, through the recognition of the role of the State assigned to it by the constitution, and of the legitimacy of these workers' profession, that the full significance of this process of professionalization and their eventual immersion into society can be understood. This insertion must be viewed within the context of the emergence of new middle-class groups, a new social force. It is being implemented through a transformation of the criteria guiding the choice of particular strategies by the recreation professionals. This transformation tends to both widen the gap between those who create cultural programs and those who implement them, and to make of the latter a new group of intellectuals acting as a link between the people and local authorities.

Jacques ION
Los animadores socio-culturales en Francia

RESUMEN

Contrariamente al discurso denegatorio tendiente a situar los animadores socio-culturales en la tradicìon de la educación popular, el autor trata de mostrar que el transfondo del proceso de profesionalización de los animadores, es decir de su inmersión en la sociedad civil, no puede comprenderse sin el reconocimiento del rol del Estado en la constitución y en la legitimación del oficio de animador. Esta inserción debe situarse en el contexto de la emergencia de nuevas clases medias como fuerza social. El costo de esta inserción es la transformación de los modos de intervención de los animadores. Transformación que tiende por una parte a aumentar las distancias entre los creadores culturales y los animadores y por otra parte a constituir a estos últimos en intelectuales intermediarios entre la población y los poderes locales.

Jacques ION
Die soziokulturellen Animateurs in Frankreich

ZUSAMMENFASSUNG

Im Gegensatz zur negativen Redeweise, womit die soziokulturellen Animateure in die Tradition des Volkshochschulwesens abgeschoben werden, will der Autor zeigen, dass im Gegenteil nur unter Anerkennung der Rolle des Staates bei der Bestimmung und Legitimation des Animateurberufs die weiteren Dimensionen dieses Professionalisierungsprozesses, d.h. die Immersion der Animateure in die bürgerliche Gesellschaft, begriffen werden können. Diese Einordnung ist im Kontext des Aufkommens neuer Mittelklassen mit sozialem Machtanspruch zu behandeln. Sie vollzieht sich auf Kosten einer Transformation der Bezugspunkte, woran die Interventionsweisen der Animateure sich orientieren. Es geht dabei um eine Transformation, die sowohl die Kluft zwischen Kulturschaffenden und Animateur erweitert, als auch die Animateur zu neuen Intellektuellen befördert, die die Lücke zwischen Bevölkerung und lokaler Verwaltung überbrücken können.

APRÈS VINGT ANS D'EXISTENCE L'ANIMATION AU SEUIL D'UNE MUTATION?

Marie-Josèphe Parizet

Est-il possible de comprendre ce qui se passe actuellement dans le secteur de la vie associative et de l'animation socio-culturelle en France?

Pour qui n'a pas gardé un contact continu avec ce champ de recherche et veut tenter de faire le point, un double constat s'impose: 1) Les associations sont l'objet d'un intérêt croissant tant sur le plan informatif pour un large public (édition de guides d'associations et bientôt d'un annuaire avec mise à jour régulière) que pour les acteurs directement concernés (par exemple, outre la très nombreuse presse des associations, l'existence de revues spécialisées à caractère scientifique, tels les Cahiers de l'Animation ou ceux de l'ADRAC). Comme le fait apparaître la bibliographie de l'Institut d'Histoire du Temps Présent[1] des recherches de plus en plus nombreuses se développent, tant en droit — les plus anciennes — qu'en histoire — où la période postérieure à 1901 est encore très mal connue —, qu'en sociologie qui n'a guère commencé à s'intéresser à ce phénomène que dans les années soixante (période qui correspond au début de l'animation proprement dite). 2) Ce secteur de la vie sociale est le lieu d'un débat aigu où s'affrontent des thèses adverses concernant leurs rapports au pouvoir à partir de problématiques antinomiques. Les deux derniers numéros des Cahiers de l'ADRAC qui présentent une anthologie critique d'ouvrages sur l'animation[2], illustrent à point ce débat. Appareil idéologique d'État, moyen par excellence de contrôle social ou facteur important de changement social, mouvement social contestataire, que sont les associations volontaires et l'animation? En poussant à bout les conséquences de ces thèses opposées, en schématisant à l'extrême, on peut dire qu'il y a: ceux qui croient

Loisir et Société/Society and Leisure
volume 5, numéro 1, printemps 1982, pp. 153-178
© PUQ

— scientifiquement ou non! — que les associations volontaires et l'animation ont de toutes manières quelque chose à voir avec la progression de la démocratie, et ceux qui n'y croient pas. Plus précisément, d'un côté des thèses humanistes et optimistes, de l'autre des thèses désabusées qui ne peuvent envisager l'intervention dans ce secteur, que comme «entièrement récupérée». Pourtant il y a aussi ceux qui — prenant appui ou non — sur d'autres types d'analyses, pensent que les associations et l'animation ne peuvent ni totalement échapper au pouvoir pour lequel elles sont forcément un enjeu, ni totalement lui être asservies, mais à certaines conditions être capables de le contester.

Ce double constat ne peut être gratuit. Si ce type de phénomènes sociaux suscite un tel intérêt croissant et passionnel, c'est qu'il y a des raisons pour cela. Comprendre ces raisons, du moins tenter de les comprendre, nous acheminera peut-être vers la compréhension de ce qui est en train de se passer sous nos yeux, dans ce secteur à certains égards en effervescence.

Une première raison simple de cet intérêt, c'est à n'en pas douter la spectaculaire croissance depuis ces dernières années, de l'associatisme en France. Une autre plus récente serait à attribuer à l'avènement de la gauche au pouvoir qui a clairement affiché ses intentions de favoriser les associations volontaires. Quant au caractère passionnel de cet intérêt et du débat qu'il suscite, il est certain qu'il est encore accentué par ce changement du contexte politique. La question des relations du secteur associatif avec le pouvoir n'est certes pas nouvelle, mais elle prend ici un relief nouveau. Si contrairement à son prédécesseur, ce gouvernement tient à favoriser les associations, que veut-il et que va-t-il réellement en faire? Quelles vont être par-delà les intentions de part et d'autre, les relations de dépendance ou d'autonomie relative qui vont réellement se nouer entre elles et lui? Question d'importance mais qui renvoie à son tour à d'autres questions.

En effet, si ce débat apparaît aujourd'hui exacerbé, ne serait-ce pas, parce qu'il est lui-même symptômatique d'une évolution qui se serait produite — ou serait en train de se produire — dans ce secteur de la vie sociale, non sans se réaliser avec des à-coups et des contradictions que réfracterait pour une part le discours le concernant? Notre hypothèse est qu'une telle évolution est en cours et que nous sommes peut-être au seuil d'une mutation nécessaire. À l'appui de cette hypothèse, nous percevons un ensemble d'incides d'autant plus convaincants lorsqu'ils sont mis en perspective par rapport aux années soixante et aux années soixante-dix, sur lesquelles se superpose la date spécifique de 1968. Sans prétendre ici à un bilan ou à un tableau d'ensemble sur l'associatisme et sur l'animation en France, nous voudrions seulement en nous appuyant sur des recherches auxquelles nous avons participé, ou que nous avons nous-même menées, faire apparaître, grâce aux possibilités de comparaison de trois coupes dans le temps, les éléments de continuité, et de discontinuité, qui nous ont amenée à formuler cette hypothèse. Mais en premier lieu, nous sommes ramenés à un phénomène central autour duquel, à notre avis, se joue l'élément moteur de cette évolution: l'institutionnalisation de l'animation. Ce phénomène qui démarre vers les années soixante, va mettre plusieurs années avant de s'installer véritablement.

Un phénomène marquant: l'institutionnalisation de l'animation

Concrètement, cela s'est traduit par: la mise en place d'équipements collectifs pour des Maisons de Jeunes et de la Culture, des Centres socio-culturels, des équipements de quartiers, de foyers ruraux, des Mille-Clubs, etc . . . Cela s'est traduit encore, en vue de «l'animation» de ces équipements, par la création d'une nouvelle profession — celle d'animateur (socio-culturel ou socio-éducatif), avec son organisation progressive, la préoccupation de la mise sur pied de son statut et de la formation de ses membres.

Par rapport à la société cela signifie l'émergence d'une nouvelle fonction sociale[3], explicitement reconnue par le VIe Plan en 1971, au titre de «fonction collective». Fonction à laquelle on assigne un rôle très important: essentiellement celui d'agent du «développement culturel», lequel doit être «l'affaire de tous», au lieu d'être celle «de quelques-uns et l'apanage d'institutions spécialisées» (cf. texte du VIe Plan), et celui «d'élément essentiel de l'éducation permanente» (cf. Commission des Activités sportives et socio-éducatives du VIe Plan).

Son émergence et sa mise en place s'étendent sur une période assez longue, et sous des régimes politiques différents. Réalisée effectivement par la Ve République (particulièrement des IVe au VIe Plans — entre 1962 et 1975), il s'agit pourtant selon l'économiste G. Bessaïd d'une «expérience née et mûrie sous la IVe République[4], et dont l'idée remonterait, selon le juriste A.H. Mesnard, à la période de l'entre-deux guerres, avec la reconnaissance «de l'action des groupes et des mouvements en matière de loisirs et de culture».[5]

Ce phénomène d'institutionnalisation de l'animation s'insère dans un processus plus large d'institutionnalisation de la culture elle-même, (cf. la création du Ministère des Affaires Culturelles en 1959 et celle des Maisons de la Culture), sous l'impulsion donnée par Malraux à une politique ambitieuse pour partager à toutes les catégories sociales l'héritage de la culture universelle. Il correspond à la création d'un nouveau secteur d'intervention de l'État: la culture — ou l'action culturelle — constitue désormais un nouveau secteur de la politique.

Pour cela il a fallu une mutation assez importante des conceptions de la planification — faire entrer la culture dans le plan, (l'innovation était de taille!) — qui s'est concrétisée par la création de nouvelles structures (de «décloisonnement» et de «coordination interministérielle», de «concertation permanente», entre les divers partenaires publics et privés de l'action culturelle).

Structures spécifiques que l'on voulait capables «d'évolutivité et de souplesse», et peu bureaucratiques.*Pour en arriver là, il a fallu franchir plusieurs étapes[4]: c'est-à-dire passer d'une conception de la planification concernant uniquement l'économique, puis le social, à une conception qui intègre enfin le culturel. Notamment par le biais des équipements sociaux collectifs dans lesquels on trouvera les équipements culturels. Des équipements on est alors passé à l'animation, car il ne fallait «pas seulement du béton» (Chaban Delmas, 1971) mais «du béton» et des hommes.

À travers cette rétrospective brossée à trop grands traits, on voit l'importance qu'a pu avoir pour les pouvoirs publics ce phénomène. Mais que dire des effets réels, concrets, dont nous maîtrisons aujourd'hui encore mal la connaissance, pourtant 20 ans après son démarrage, vers 1960? R. Labourie écrit en 1979 dans les Cahiers de l'Animation[6], à propos de l'analyse d'un ouvrage sur Bordeaux[7]: «une évolution générale tout à fait analogue à celle qui caractérise l'ensemble de la situation socio-culturelle urbaine depuis 15 ans: la désagrégation des appareils privés confessionnels et laïques (oeuvres, patronages) et la mise en place de nouveaux appareils publics à travers des institutions modernistes: MJC, foyers de jeunes, centres sociaux, clubs et équipes de prévention.» Sans doute est-ce là un aspect très important de cette évolution. Mais ne comporte-t-il pas un autre aspect qui à nos yeux ne l'est pas moins? À savoir, l'irruption d'un système institutionnalisé dans un secteur qui jusque là était demeuré presque exclusivement réservé aux associations volontaires et au militantisme bénévole...

Un nouvel appareil de contrôle social?

Cette irruption dans le secteur associatif signifie-t-elle que l'on ait affaire à la création d'un nouvel appareil[8] parallèle ou complémentaire à l'appareil scolaire, et par là même à un nouvel instrument de contrôle social? Si tant est qu'il existe, comment pourrait-il échapper à l'emprise du système social dont il est issu? Nier cette évidence conduirait à des analyses faussées à l'avance. Mieux vaut alors en prendre acte d'emblée, et s'efforcer d'avancer dans l'élucidation de ses rapports avec la société et avec les pouvoirs; rapports complexes dont nous voudrions ici dégager quelques aspects.

D'un appareil constitué, ou en voie de l'être, l'animation culturelle présentait déjà dès les années soixante-dix toutes les apparences[3]: existence d'un dispositif en équipements et institutions déjà impressionnant par sa cohérence et son étendue, répondant en cela au caractère de «maillage institutionnel» préconisé par le VIIe Plan, caractère très étendu de ses finalités concrètes visant «tous les aspects de la vie culturelle et sociale», toutes les catégories de population, à travers «une animation concertée pour un développement global». L'animation se présente comme un «système» intégré désormais à la société.[9]

Elle s'enracine dans un projet culturel qu'il faut analyser non seulement du point de vue de ses finalités explicites mais aussi du point de vue de la fonction idéologique qu'il remplit. En effet, on peut montrer[10] que le projet de «démocratisation culturelle»[11] qui sous-tend l'animation est lié à une conception de la culture située au-dessus des conflits, facteur d'harmonie sociale dont le caractère apparent de neutralité ne l'est pourtant guère dans une société de classes. De fait, du XVIIIᵉ siècle où on en trouve trace, jusqu'à Malraux, en passant par le Front Populaire et la Libération, la culture est considérée comme un facteur actif d'unité nationale. De même que le projet culturel est «global», de même l'animation devra tendre à être une «animation globale». La fonction qui lui est assignée se décompose en une fonction culturelle (réparer les inégalités sur ce plan), et en une fonction sociale («briser les barrières») entre classes. Fonction argumentée à partir d'une analyse de la société industrielle «déséquilibrante et anxiogène», dont elle est censée par l'établissement du maximum de communication pallier les carences en tant que «élément essentiel de dialogue». Faut-il, en ajoutant qu'elle est considérée comme un «auxiliaire» trop souvent «sous-estimé» du développement économique, aller plus avant dans la démonstration pour montrer qu'elle peut, — et c'est bien ce qu'on en attendait —, être un instrument de «régulation sociale»?

Quelle conclusion en tirer sinon qu'elle constitue en effet un enjeu pour les pouvoirs et un instrument possible de contrôle pour les populations auxquelles elle s'adresse? Cela n'est pas moins vrai pour l'École. Songe-t-on — à moins de se situer dans une perspective vraiment utopienne — à supprimer cette dernière?

D'ailleurs, les choses ne sont pas simples. D'autres questions surgissent: en effet si les finalités qui lui ont été assignées trouvent leur accomplissement dans la réalité, est-ce à dire que le contrôle social s'exerce pleinement à travers elles? D'autre part pourquoi faudrait-il rejeter tous les effets de son intervention? Si l'animation contribue à réduire les inégalités culturelles, est-ce pour autant un mal en soi? Si elle favorise la sociabilité (et par là l'intégration sociale), dans une société où on a maintes fois souligné l'éclatement des cadres de la socialité traditionnelle (dont on ne peut pas dire qu'il ne s'y exerçait pas un contrôle social... et non des moindres!) va-t-on préférer que les gens s'y désespèrent de solitude?

Mais d'abord que sait-on de ses effets réels, concrets? L'observation de certains d'entre eux devrait nous rendre plutôt circonspects. Les limites concrètes que nous lui voyons, nous amènent à remarquer que s'il n'est pas possible que l'animation ne participe pas d'un certain contrôle social, elle ne se réduit pas à ce rôle, pour une série de raisons que nous allons tenter en partie d'éclairer.

L'animation: échec ou semi-échec?

Chercher à évaluer les effets réels de l'animation implique au premier chef une préoccupation méthodologique sérieuse, qui tient à sa nature même faite de sa très grande hétérogénéité.[12] Une analyse différentielle doit être faite qui devrait tenir compte d'une série de critères (dont, la nature de l'institution ou de l'association en question, ses finalités, ses références idéologiques, ses résultats objectifs, son type de rapports au(x) pouvoir(s), etc.). Une telle évaluation devrait également distinguer notamment: les résultats obtenus par rapport aux activités spécifiques de l'institution, et par rapport à ses fonctions de sociabilité, (puisque celle-ci apparaît à la fois comme une de ses finalités et de ses fonctions essentielles). Il faut bien dire qu'un bilan d'ensemble détaillé est impossible faute d'éléments d'informations statistiques minimales suffisantes. Pourtant à partir d'enquêtes réalisées dans des régions de France fort diverses, dont les résultats vont tous dans le même sens, il se dégage une tendance générale.

Avec une fréquentation globale des équipements oscillant, d'après l'IAURP[13] entre 5% et 10%, on ne peut pas dire que l'animation soit vraiment une réussite dans son ensemble. D'autre part, cette fréquentation est sélective: les classes populaires sont très peu atteintes par les activités de diffusion culturelle proprement dites. Cette sélectivité s'opère donc par le biais des activités (les activités dites socio-éducatives et d'animation de la vie sociale attirent un peu plus les classes moins favorisées). Dans les MJC, les activités dites «de foyer» attirent préférentiellement les jeunes de milieux populaires par rapport aux activités structurées. Elle s'opère aussi sur le plan de la ségrégation dans l'espace: d'après J.P. Augustin, «les institutions socio-culturelles ne font pas partie de l'espace social de tous (...) elles ont du mal à accomplir la mission de structuration du quartier qu'elles se donnent».[7] Les classes préférentiellement touchées sont les classes moyennes.

Bien entendu, les effets de l'animation ne sont pas nuls — sinon on imagine mal comment elle aurait pu subsister. Mais du point de vue des effets attendus, ils ne sont que partiels, ou bien pas ceux que l'on recherchait. Ainsi sur le plan culturel, la sélection subsiste, toutes les couches dominées de la population ne sont pas atteintes. Ce qui entraîne a fortiori le maintien des barrières sociales. Les effets culturels obtenus, non négligeables cependant, au vu de certains praticiens militants et critiques, ne sont que des effets circonscrits à tel type de population, à tel groupe spécifique, quand ce n'est pas certains individus parmi eux. Même remarque sur le plan de la sociabilité. Ce qui là non plus n'est cependant pas négligeable, quand on songe à l'importance de la vie associative du point de vue de la sociabilité, comme l'a fortement mis en relief l'historien Agulhon,[14] de même que cela nous était apparu comme une constante dans les enquêtes sur la vie associative et l'animation réalisées dans le cadre du Groupe de Sociologie du Loisir tant en Moselle qu'à Paris.

Mais, le grand ébat entre «action globale» et «action différenciée» en direction de telle ou telle classe sociale, qui avait été tranché en faveur de la première, se trouve infirmé sur le terrain. Ce n'est pas d'une animation globale dont il s'agit, mais d'une animation, de fait différenciée.

Or, si l'on en croit P. Gaudibert, l'importance de l'effet attendu à propos de l'action culturelle: «une mutation aussi considérable et aussi profonde dans la vie nationale tout entière que ne l'avait fait la mise en place du système de l'enseignement public dans les années 1880-1890»,[15] alors, de ce point de vue là, on peut parler d'un échec!

Ne serait-ce pas lié pour une part, à la manière dont l'institutionnalisation de l'animation a été mise en oeuvre, par le précédent gouvernement? Comme nous le montre une analyse rétrospective portant sur la période des années soixante et soixante-dix, il y avait une politique ambitieuse au niveau des intentions, pauvre comparativement à celui des réalisations, qui ne s'était pas donné les moyens de ses fins.

Paradoxes de la politique socio-culturelle

1   Décalage au niveau financier

On observe d'abord un double phénomène de «rétrécissement» comme le montre G. Bensaïd[4] entre les recommandations des Commissions préparatoires et ce qui est effectivement inscrit au Plan, entre ce qui est inscrit et ce qui est effectivement réalisé.

Au départ, l'insuffisance des budgets pour la culture est notoire et a été maintes fois soulignée. Certes, il y a bien la croissance des dépenses de l'État dans ce domaine, mais à partir d'un très petit budget: celui des Affaires culturelles représente un cinquième seulement du budget de l'O.R.T.F.

D'autre part, les orientations du Plan ne seront pas toutes réalisées: c'est le cas du IVe Plan en matière culturelle: six maisons de la culture seulement seront réalisées sur les vingt prévues.

2   Décalage au niveau institutionnel

Contrastant avec la recherche de cohérence, de globalisation, de coordination, fréquemment mises en avant dans les instances de la planification, et dans les principes de la politique culturelle, nous pouvons là aussi prendre acte d'une réalisation limitée et imparfaite: jusqu'au Ve Plan inclusivement, il n'y a pas de politique culturelle cohérente. Analysant les questions posées à propos de l'action culturelle dans le domaine de l'animation[5] A.H. Mesnard fait état de la «confusion actuelle dans le choix des objectifs et des moyens» et il ajoute à la suite de cette analyse: «On peut cependant espérer qu'à la suite des commissions du VIᵉ Plan, (Affaires culturelles, activités sportives et socio-éducatives) une plus grande cohérence sera progressivement obtenue dans l'action des Pouvoirs Publics . . .»

À divers indices, on voit que les structures — du moins certaines — fonctionnent mal: ainsi dans le secteur de la jeunesse, on peut constater le manque de liaisons interministérielles, et l'absence de moyens du Haut Comité pour y parvenir,[16] quand ce ne sont pas les structures elles-mêmes qui sont mises en question: ainsi le Conseil du Développement Culturel créé en 1971 sera supprimé en 1973.

Un autre principe qui avait été mis aussi fortement avant, laisse beaucoup à désirer dans son application: la pratique de la concertation subit de nombreuses entorses et le mauvais exemple vient d'en haut. Ainsi la consultation des Commissions compétentes pour examiner les lois-programmes a fort laissé à désirer, le fonctionnement du Haut-Comité de la Jeunesse également.

Dès le départ, certains membres de la Commission des Affaires Culturelles du VIᵉ Plan avait adressé une lettre extrêmement critique, le 16 avril 1971, au Président de cette Commission stigmatisant à la fois l'insuffisance des moyens financiers, la représentativité et le mode de fonctionnement prévu pour le Haut Comité consultatif du développement culturel, etc . . . (cf. Rapport de la Commission des Affaires Culturelles du VIᵉ Plan).

3   Une politique hésitante pour l'animation

● Les dépenses pour l'animation sont fortement concurrencées par d'autres secteurs de la politique culturelle.

La répartition des dépenses culturelles se fait entre différentes fonctions — animation, conservation, diffusion — entre lesquelles le VIᵉ Plan recommandent «un équilibre vivant et souple». Qu'en est-il de cette répartition?

En 1969, on pouvait constater que «la conservation-diffusion du patrimoine artistique» pèse très lourd avec 38% des dépenses culturelles totales de l'État, tandis que l'animation n'arrive qu'au quatrième rang de ces dépenses avec 14,1%.

De plus, ce budget pour l'animation (budget global réparti entre différents ministères) est un budget en régression: en 1965, les dépenses pour l'animation constituaient environ un cinquième des dépenses culturelles. Quatre ans plus tard, elles avaient diminué de près de 10%.

● L'animation subit le contre-coup des difficultés budgétaires du Secrétariat d'État à la Jeunesse et aux Sports.

Certes, tout en étant encore fort modeste (0,71% du budget de l'État pour 1977), ce budget a notablement progressé depuis la libération où il ne représentait que 0,44% du budget national).

Mais d'une part, il y a eu des périodes où ce budget a très nettement régressé pour descendre à un minimum en 1951 avec 0,20% du budget national tandis que dans une période plus récente, il diminuait encore notablement: en 1965 son budget représentait 11,8% des dépenses culturelles de l'État (pour les différents ministères concernés), en 1969, il n'en représentait plus que 6,9%.

D'autre part, lorsqu'il s'accroît, cette croissance est ou bien insuffisante, ou bien de toutes manières plus lente que d'autres.

• Une politique où les choix traduisent le privilège du sport au détriment du reste.

Dans une recherche approfondie sur l'administration de la Jeunesse et des Sports parue en 1968, M. Amiot et M. Freitag avaient montré cette priorité du sport et même sa «prédominance massive». En 1977, sur l'ensemble des dépenses de fonctionnement de la Jeunesse et des Sports, 9,2% seulement seront consacrés aux dépenses pour la Jeunesse autres que le Sport. Et cependant, le VIIème Plan a inscrit dans son programme parmi les actions prioritaires, les associations et Mouvements de Jeunesse.

• Une politique où les choix budgétaires montrent que les sacrifiés sont les associations et les collectivités locales.

En 1971, seulement 117 associations nationales sur les 179 agréées ont bénéficié de subventions.

Entre 1968 et 1972, les subventions de fonctionnement des associations et collectivités locales sont passées de 175 à 150 millions, c'est-à-dire qu'elles ont diminué de 14%. En 1977 est prévue une diminution de 13,4% par rapport à 1976, des subventions d'équipements pour les collectivités. Situation grave, déplorée même par certains Secrétaires d'État et qui a entraîné, depuis plusieurs années, de vives protestations des associations.

Le C.N.A.J.E.P. (Comité National des Associations de Jeunesse et d'Éducation Populaire) qui regroupait en 1970 84 associations nationales sur les 170 agréées (dont les plus importantes), a mené plusieurs fois campagne sur ce thème.

Volonté de contrôle et conséquences de l'extension de l'intervention de l'État

Le développement de l'action culturelle de l'État a eu, entre autres conséquences, des changements importants dans les rapports entre l'État et les partenaires concernés, et certaines de ces conséquences sont graves.

1   De nouvelles modalités d'intervention

En ce qui concerne les modalités de la politique culturelle en général, les principes de concertation et de contractualisation masquent à peine un contrôle de plus en plus précis tandis que la recherche de la coordination maximale présente un autre versant que celui de l'efficacité, celui d'un danger évident de dirigisme culturel et de contrôle idéologique accru.

En fait même si une telle coordination est imparfaite, ou que le contrôle s'exerce en partie dans la confusion, ces orientations traduisent un fait nouveau très important: comme le montre A.H. Mesnard, on est passé d'une attitude non interventionniste de l'État excluant aide ou contrôle d'aucune sorte à une intervention dans le style de la tradition de l'État libéral, non sélective, reconnaissant et subventionnant toutes les activités agréées (qui était encore celle de la IVème République) jusqu'à des formes d'intervention et de contrôle multiples, différenciant au contraire fortement ces activités (quitte à favoriser en même temps des activités concurrentielles).

2   De la nouvelle politique culturelle au contrôle des Associations

L'histoire des rapports entre les Associations et l'État pendant les trente dernières années traduit bien cette évaluation.

Si l'on se réfère aux analyses de M. Amiot,[18] on peut distinguer les étapes suivantes: «une période d'évitement réciproque, une période de collaboration (1958-1966), une période de reprise en main où enfin l'État manifeste son intention de s'occuper seul et mieux des loisirs de la Jeunesse». C'est notamment l'après-1968 et l'époque des Mille Clubs. Ce contrôle n'est cependant pas uniforme.

3   Une intervention différentielle

Comme nous l'avons vu, il existe des critères sélectifs d'intervention — le domaine le plus touché étant le secteur socio-éducatif et les associations. Outre l'intérêt évident que présente leur contrôle, on peut aussi y voir une des conséquences du traitement différentiel concernant les Affaires Culturelles d'une part, le Secrétariat d'État à la Jeunesse et aux Sports d'autre part, ce dernier étant comme le démontre Amiot, à propos des «avatars d'une administration centrale», dans une situation de «marginalité».[18]

De même la nature de l'intervention n'est pas indépendante du statut différencié des associations elles-mêmes et de leur degré d'institutionnalisation: car, le contrôle sera d'autant plus facilité que le degré d'institutionnalisation sera plus poussé.

4   Une accélération du processus d'institutionalisation

L'intervention accrue des Pouvoirs Publics dans le domaine socio-culturel a entraîné et s'est appuyé en même temps sur un processus d'institutionnalisation de la culture, il en est de même pour l'institutionnalisation de l'animation et des associations. Comme nous allons le voir dans le chapitre qui suit.

5   Hypothèses à partir de deux processus complémentaires: un champ surveillé, une extension contrôlée

Ce champ surveillé, c'est celui des associations volontaires, privées d'argent, mais non exemptes pour autant de tutelle à la fois administrative et idéologique. Le secteur le plus institutionnalisé d'entre elles n'y échappe pas, comme on aurait pu le penser dans un premier temps. Après une période où elle a été particulièrement favorisée entre 1958 et 1968 «note M. Amiot,[18] «la F.F.M.J.C. entre en disgrâce, elle est violemment attaquée à la suite de la Ligue de l'Enseignement».

La F.F.M.J.C. au cours de la crise aiguë et complexe qui la secouera en 1969, sera «accusée d'être politisée à la base, et manipulée par le syndicat C.G.T. des Directeurs de Maisons de Jeunes».

L'extension contrôlée, c'est la recherche de la mise en place progressive de tout un réseau d'animation, auprès de nouvelles couches de population non encore touchées jusque là, et préférentiellement semble-t-il, dans un espace urbain où la fonction de socialisation, et donc de contrôle social, était la moins bien remplie.[19]

Dans le passage précédemment cité, M. Amiot signale à propos des Mille Clubs, que les jeunes doivent les gérer eux-mêmes, «en-dehors des idéologies des fédérations avec lesquelles l'État avait collaboré» auparavant, tandis que Mesnard écrit de son côté:[5] «il s'agit donc bien d'une nouvelle politique menée par les Pouvoirs Publics, depuis 1968, en multipliant les équipements intégrés ou les petits équipements polyvalents, de poursuivre une politique d'institutionnalisation de l'action culturelle, mais de l'étendre, cette fois, à des milieux non politiques ou confessionnels qui n'avaient pas jusqu'alors été touchés, et à toutes les parties du territoire».

Ainsi dans un cas, il s'agit de stopper le développement en coupant plus ou moins les vivres, et en opérant une main mise idéologique — c'est le renforcement du contrôle des associations; dans l'autre, il s'agit d'étendre le champ de l'intervention, par la mise en place de l'animation. Ces deux processus constituent les deux faces complémentaires d'une tentative de contrôle accru.

Que s'est-il passé pendant ce temps du point de vue des associations elles-mêmes?

Évolution interne des Associations

1 Une transformation des fonctions des associations

Pour A. Meister, spécialiste de la sociologie des associations,[20] il y aurait eu: «transformation des associations de lutte en associations de fonctionnement» puis «transformation interne» (liée à la «complexité croissante des tâches des dirigeants, spécialisation des associations, tendance vers l'unifonctionnalité»), pour aboutir au «passage de l'associationnisme de fonctionnement à l'associationnisme institutionnel», phase dans laquelle on est passé de celle de la contestation à celle du «contrôle de l'application des lois qui donnent satisfaction à certains sinon à la plupart des revendications posées à l'origine».

2 Une évolution qui va du «mouvement» vers «l'institution», des «associations volontaires» à l'«animation socio-culturelle»

C'est d'abord l'évolution analysée dans leur rapport par M. Amiot et M. Freitag, concernant la tendance des associations de jeunesse et d'éducation populaire à passer du mouvement, forme historique antérieure, se caractérisant par «une ferme définition des valeurs à servir et des buts à atteindre», à «l'institution», forme nouvelle apparue à la Libération, qui est «d'abord un organisme technique, mettant ses services à la disposition de jeunes ou d'adultes en évitant de mettre l'accent sur les différences d'idéologies politiques ou confessionnelles».[18] L'exemple type en est le FFMJC (à la naissance de laquelle ont présidé d'ailleurs des membres de mouvements).

Pour la nouvelle venue qu'est l'animation socio-culturelle proprement dite, «l'institutionnalisation» est un cadre tout trouvé et adéquat (ainsi on pratique beaucoup l'animation dans les MJC). Cela se passe bien toujours à l'intérieur du même cadre juridique de la loi 1901, mais celle-ci aussi a changé.

3 Une différenciation des statuts

La trajectoire d'institutionnalisation n'est pas uniforme. Comme le fait apparaître la diversité des statuts, il y a institutionnalisation et institutionnalisation... Sans doute l'extension du champ des associations volontaires à des domaines de plus en plus variés, en est-elle une des causes.

Selon R. Brichet, on pouvait estimer à environ 20 000 le nombre annuel de créations d'associations.[21] Ces associations peuvent être différenciées [5] selon les «critères formels» de leur statut juridique (associations non déclarées, reconnues d'utilité publique, agréées) — «leur degré d'autonomie dans leur financement et leur gestion, à l'égard des pouvoirs publics» (associations ordinaires, associations mixtes, associations démembrées).

Des associations non déclarées, sans personnalité juridique, aux associations agréées, on passe du moindre degré au plus fort degré d'institutionnalisation... l'agrément étant «incontestablement pour les pouvoirs publics un moyen de se constituer des auxiliaires» (Mesnard).

Les différenciations se sont faites à partir de la même loi d'origine, la loi du 1er juillet 1901. Mais comme le démontre J.M. Garrigou-Lagrange dans son travail important sur les rapports des pouvoirs publics avec les associations, ce n'est pas que cette loi «ait été sensiblement modifiée: elle demeure inchangée dans ses traits essentiels. Mais l'usage qui en a été fait, a profondément évolué».[22]

Modification des pratiques administratives

Ici les travaux des juristes nous apportent encore une information indispensable.

1   Une modification de «l'usage» de la loi 1901

Nous avons un exemple significatif avec le phénomène posé par les associations «administratives». C'est une telle évolution qui a permis notamment la multiplication d'organismes «faussement privés qui ne relèvent que de lui», permettant à l'État d'accroître ses possibilités d'intervention, alors que déjà «dans le domaine de l'action sociale et socio-éducative, les relations entre les services publics et les associations privées sont devenues si étroites parfois qu'il apparaît indispensable de les reconsidérer».[23]

Le phénomène du développement de ces organismes «faussement privés», c'est-à-dire des associations «administratives», ou associations «démembrées» a soulevé de vives polémiques et attiré une mise au point très critique du Conseil d'État qui y voyait un moyen d'entretenir la confusion dans les relations avec les véritables institutions privées et un usage abusif du cadre associatif par l'Administration elle-même.

2   Un phénomène «d'interpénétration» du public et du privé dans le secteur des associations

L'évolution que nous venons d'observer avec la loi 1901, aurait d'après J.M. Garrigou-Lagrange concerné de nombreuses associations.

Selon lui, une telle évolution serait liée à un «phénomène général», «phénomène de grande ampleur caractéristique des dernières décennies: la tendance au rapprochement et à l'interpénétration des institutions privées et des pouvoirs publics.[22]

Les choses semblent se passer en effet comme s'il y avait eu un double processus de privatisation de l'État, et d'étatisation du privé. M. Amiot écrit à propos des associations:[18] «D'organismes telles qu'elles étaient, certaines associations sont devenues des organismes de décentralisation, puis des services déconcentrés. Leur personnel permanent, de plus en plus nombreux, réclame un statut solide, celui des fonctionnaires. S'achemine-t-on vers une centralisation irréversible?»

Il y a une fort inquiétante question qui nous renvoie au problème de l'accroissement du contrôle lié à l'extension de l'intervention de l'État. Un tel contrôle n'est-il pas facilité d'autant plus par cette interpénétration, par cette centralisation.

3   La loi 1901 a en définitive évolué vers une diminution importante de l'autonomie des associations

«La multiplication des contrôles sur les associations et organismes privés apparaît aussi comme la rançon de l'extension des tâches de l'État», écrit encore J.M. Garrigou-Lagrange qui poursuit à propos des «altérations profondes» du statut de 1901: «Le contrat qui le fondait en droit devait être le garant de l'autonomie de l'association: celle-ci n'a pas résisté aux innombrables textes imposant des statuts-types, dictant leur comportement aux fondateurs et aux membres de l'association, introduisant en son sein des représentants de l'administration. L'accumulation des contrôles a rendu dérisoire les dispositions fort succintes contenues dans la loi de 1901».

Pressions extérieures divergentes et courants contradictoires à l'intérieur de l'Animation

L'analyse des juristes, le constat qui en découle est sévère. Étant donné que l'animation culturelle a une large base dans les associations 1901, la modification des pratiques administratives concernant cette loi la concerne aussi au premier chef. C'est bien tout le secteur associatif dont l'animation, qui est visé.

Certes, ce ne serait pas la première fois que les pouvoirs s'efforcent de contrôler les formes plus ou moins spontanées de la sociabilité collective. Cela était vrai sous l'Ancien Régime, cela l'a été pendant la Révolution, cela l'a été après.[24] Pour la période présente, cela l'a été beaucoup plus après 1968. Ce qui n'est pas sans gravité, car le droit d'association appartient à la catégorie des libertés publiques parmi les plus importantes. L'animation est devenue un instrument de contrôle lui-même contrôlé!

Pourtant s'en tenir à cette face de la question serait éluder l'autre face qui ne requiert pas moins l'attention. L'historien Agulhon écrit à propos des «confréries de toutes sortes» interdites en 1792: «. . . l'histoire devra nous dire quelque jour en combien de pays et sous quelles modalités il y en eût des survies discrètes ou clandestines».[24] Qu'en est-il pour l'animation? Pour comprendre ce qui se joue maintenant, il est nécessaire de retourner à ce qui a été à son origine: la conjonction des deux séries de phénomènes, eux-mêmes issus d'une évolution globale de la société.

D'une part, une évolution de l'État moderne renforcée par une tradition historique française, à partir de besoins suscités par un certain stade de développement économique de la société capitaliste (qui nécessitait un accroissement du niveau général de formation). La tendance moderne à l'extension du rôle étatique s'est investie dans un secteur dont l'État français aurait été d'une manière précoce conscient plus que les autres (Mesnard): le secteur culturel.[25] À la fin des années soixante, la France apparaissait comme l'un des pays européens où l'institutionnalisation de l'animation était la plus avancée.[26]

D'autre part, un courant revendicatif dans la ligne de la revendication ouvrière du Front Populaire de 1936 venant de la pression d'Associations d'Éducation Populaire, de mouvements de jeunesse, puis de collectivités locales,[27] et s'appuyant sur la prise de conscience de nouvelles valeurs. Valeurs du loisir dans la société industrielle bien mises en évidence par Dumazedier,[28] qui ont incité à la recherche de nouvelles manières collectives d'occuper le temps libre. Sans doute faut-il y ajouter la déstructuration de la vie sociale traditionnelle qui incitait d'autant plus à la recréation de nouveaux réseaux de sociabilité.

Ainsi, la revendication populaire et collective a-t-elle objectivement rencontré les intentions de l'État et les intérêts de la société capitaliste. Mais chacun va s'engager dans cette affaire avec sa stratégie propre, qui alors tôt ou tard heurtera celle du ou des partenaires obligés. D'où le croisement de lignes de force divergentes dont la moins gagnante en apparence (celle issue du courant revendicatif militant) n'a jamais cessé à notre avis d'être présente.

Ce sont ces forces extérieures qui agissant d'une manière divergente sur l'animation, vont selon les cas renforcer ou contrarier son évolution interne. Le schéma doit être encore complexifié parce que tant les facteurs externes que les facteurs internes à l'animation comportent aussi leurs propres contradictions.

Comment cela se présente-t-il concrètement? Du point de vue de l'État: celui-ci met en place les éléments essentiels du système de l'animation culturelle. Mais: 1) Il ne va pas jusqu'au bout; sa politique est contradictoire, 2) pire encore, peu confiant dans le système qu'il a lui-même instauré, il multiplie les moyens de contrôle. Du point de vue des acteurs collectifs qui ont poussé à la réalisation du système de l'animation: 1) ceux-ci se sentent lésés, protestent à différentes reprises, 2) mais il semble aussi qu'ils commencent à avoir des doutes voire à remettre en question d'une certaine façon l'animation.

Du point de vue de l'intérieur du système de l'animation lui-même, des courants idéologiques différents coexistent: un courant allant dans le sens de l'institutionnalisation, mais qui se décompose en une ligne dure poussant à son accentuation (plus de «technicisation» des méthodes, priorité et primauté pour les animateurs professionnels). Et en ligne souple mettant l'accent sur la résurgence de l'animation «spontanée», «naturelle», «diffuse», et sur une revalorisation des animateurs bénévoles. Enfin un courant qui va dans une ligne proprement militante, cherchant à faire avancer les prises de conscience collectives à travers les multiples facettes de la vie sociale, et par là, la démocratie. On peut situer dans cette ligne, les luttes collectives pour la conquête de ce que J. Dumazedier appelle un «pouvoir culturel»,[29] et où G. Poujol voit l'existence de conflits permanents avec les forces instituées.[30]

L'existence de ces contradictions internes ne paraît guère surprenante si on les relie aux origines de l'animation. Faut-il s'étonner qu'elle porte la marque d'une naissance si contradictoire? Elle ne l'est pas davantage si on considère que l'animation, comme tout phénomène complexe participant du «phénomène social total» est un microcosme où la société se réfracte en y répercutant ses conflits...

Il en est d'autres plus profonds encore, qui peuvent s'alimenter de la substance idéologique des premières, et qui concernent les processus d'évolution des associations et des institutions. Tels deux mouvements symétriques inversés, — l'un va dans le sens d'une rigidification, d'une cristallisation en structures (c'est l'évolution évoquée plus haut de la transformation du mouvement vers l'institution); — l'autre va dans le sens d'une déstabilisation des structures, d'un mouvement qu'on pourrait qualifier «d'anti-institutionnel» à l'intérieur même de l'institution.

L'articulation de ces facteurs internes et externes peut se faire au moins selon trois schémas différents les plus vraisemblables:

1) conjonction entre les tendances internes au durcissement de l'institution-nalisation (primauté du courant «dur») et le renforcement du contrôle étatique;

2) conjonction entre les tendances internes à la déstabilisation de l'institu-tion (ou bien encore primauté du courant institutionnel souple) et le maintien du contrôle étatique fort;

3) conjonction entre des tendances à la déstabilisation interne et un desserre-ment du contrôle étatique.

À notre avis, on peut faire l'hypothèse que: le schéma 1 a prévalu pendant un certain temps et notamment dès l'après 1968; le schéma 2 a plutôt prévalu jusqu'a une toute récente période; le schéma 3 pourrait éventuellement se réaliser à partir d'un nouveau contexte politique impliquant un réel changement de comportement de la part de l'État. Les deux premiers schémas ont déjà entraîné des conflits plus ou moins aigüs, le troisième pourrait peut-être favoriser une mutation en souplesse de l'animation.

Nous fondons cette interprétation en nous référant à l'évolution parcou-rue depuis les années soixante, plus précisément du point de vue de l'évolution du bénévolat qui nous paraît un très bon indicateur de tendance. On peut discerner dans cette évolution, à la fois des éléments de continuité avec le maintien d'une ligne non-institutionnelle et militante, tandis que l'institutionnalisation avait introduit une certaine rupture.

Continuité et discontinuité dans l'animation: de la professionnalisation au retour au bénévolat?

Une trajectoire discontinue. Nous avons trois points de repères dans le temps pour l'évaluer, chacun à dix ans d'intervalle. Une enquête de Moselle avec M.F. Lanfant,[31] en 1962-1963; une enquête en région parisienne,[32] en 1972-1973; et les informations dont nous pouvons disposer en cette année 1982.

Entre les années soixante et les années soixante-dix, nous observons une trajectoire qui va selon nous, du «bénévole militant», au «bénévole-technicien», produite par l'institutionnalisation de l'animation. Il y a vingt ans, c'est le règne du militant bénévole. Celui-ci est issu de la base, bien implanté généralement dans son milieu social ou local, en accord idéologique avec son organisation, et très impliqué personnellement dans l'action militante. Dix ans plus tard, on observe une véritable «mutation», comme si l'apparition en force de l'animateur professionnel avait déteint par osmose sur le premier. Spécialisé dans une ou plusieurs activités, c'est un homme compétent possédant des techniques pratiques ou pédagogiques. Bien que bénévole, il apparaît comme un animateur investi officiellement en quelque sorte, lui-même institutionnalisé. Son rôle est complémentaire de celui d'un professionnel dont on réclame la «neutralité». Cette mutation nous était apparue à l'époque comme un indicateur très sérieux des conséquences de l'institutionnalisation de l'animation. Aujourd'hui la question d'une résurgence de l'animateur bénévole-militant nous paraît se poser d'autant plus que celui-ci n'avait jamais complètement disparu de l'horizon.

Une continuité plus ou moins souterraine. D'abord parce que le bénévole a toujours été présent, y compris aux meilleures périodes d'apogée du professionnel et de l'institutionnalisation. Les bénévoles étaient alors explicitement appelés à la rescousse des professionnels: on considérait que l'animation ne pouvait pas tenir sans des milliers de bénévoles! Ensuite parce que, même s'il a été éclipsé pendant tout un temps et relativement dévalorisé au profit du professionnel, l'ancien modèle du militant bénévole n'a jamais cessé totalement d'exister, voire même de constituer une sorte de modèle idéal de référence. Sans doute, l'institutionnalisation lui avait-elle porté un coup, en allant jusqu'à altérer sa nature... Mais on peut se demander si aujourd'hui cela ne joue pas à son tour contre elle, et si ce n'est pas précisément un certain rejet de l'institutionnalisation et du professionnalisme qui est en train à la fois de faire ressurgir le militant-bénévole et de déstabiliser plus ou moins l'institution?

Vers une désinstitutionnalisation relative?

Déjà en 1972,[32] nous avions observé, s'insinuant en quelque sorte jusque dans les interstices des institutions, des pratiques qui concrétisaient l'existence du courant institutionnel précédemment évoqué: valorisation d'activités non structurées comme les activités de foyers; ou, développement d'une certaine conception de l'animation et du bénévolat la plus large possible. Dans cette perspective, n'importe qui, dès lors qu'il prenait la plus petite responsabilité pouvait faire de l'animation bénévole. Tout adhérent, à la limite tout passant était un animateur en puissance. Il pouvait faire n'importe quoi dans un groupe formel ou informel. Comme si l'institution suscitait en elle-même son propre antidote! Tandis que, autour d'elle, ou carrément à côté, fleurissaient, sur la lancée de 1968, des petits groupes spontanés, informels, plus ou moins éphémères, des formes diversifiées «d'animation sauvage». On pouvait se demander à l'époque quelle était la portée de ces pratiques minoritaires et nous pouvions d'ores et déjà faire l'hypothèse qu'elles étaient peut-être, plus qu'il n'y paraissait, annonciatrices de changements futurs.

Maintenant il faut se demander si les «interstices» d'alors ne sont pas devenus carrément une «brèche»? Ou si, selon l'expression d'un responsable d'une grande fédération, au cours d'un débat sur un thème proche, certaines institutions ne sont pas en train «d'exploser»? Selon un responsable d'un autre secteur important de l'animation, il y aurait un «fourmillement» de petits groupes d'usagers s'efforçant à prendre en compte la vie quotidienne, (environnement, santé, groupes de femmes, etc...) les groupes ne tiennent pas à être inféodés à de grosses associations; s'ils profitent d'un équipement, ils ne tiennent pas pour autant à renoncer à leur autonomie.

Y aurait-il effectivement amplification des tendances plutôt marginales et anti-institutionnelles qu'on pouvait déceler il y a une dizaine d'années? En l'absence de données précises de comparaison, on peut cependant le penser, ne serait-ce que si on se réfère au mouvement global sans précédent d'accroissement de l'associationnisme sous toutes ses formes. D'après une enquête du CREDOC en 1979: 46,8% des Français (20 millions) appartiendraient à une ou plusieurs associations. En presque vingt ans, le nombre de créations annuel d'associations aurait presque triplé (de 12 000 en 1960 à 34 690 en 1978), tandis qu'on estime au moins à 250 000 le nombre de celles qui existent actuellement. Bien entendu, cet associationnisme se caractérise par une diversité qui ne fait que s'accroître elle aussi. Il paraît se diversifier dans de nouvelles formes de militantisme créatrices de formes inventives et de valeurs différentes[33] ou bien dans de nouvelles formes de bénévolat qui pourraient bien être héritières de ce «bénévole-technicien» de la précédente période. Plutôt spécialisé comme lui dans telle ou telle activité, il n'est pas — du moins ne semble pas à l'origine — rattaché à une enracinement local ou idéologique, mais correspondant plutôt à la quête d'une autre manière d'occuper le temps libre en rendant un service collectif. Il participe de ce «tiers secteur» non monnayable auquel les économistes s'intéressent depuis quelques années.[34] Il représente peut-être encore au-delà un immense potentiel inemployé, «à employer», comme en témoignait une récente émission radiophonique à Europe 1, où au bout d'une demi-heure à peine d'émission sur le bénévolat parvenaient déjà des centaines d'appels.

Cette croissance diversifiée du bénévolat ne signifie pas par ailleurs une décroissance du professionnalisme, qui devrait encore s'accroître par la création de nombreux postes s'ajoutant aux quelques 664 000 évalués par l'INSEE en 1980. Sans doute ceux-ci ne seront ils pas de trop pour renforcer dans son ensemble ce secteur associatif qui a tellement grossi. Avec la croissance de ce professionnalisme, nous retrouvons la question du processus d'institutionnalisation à certains égards redoutable.

Si l'accroissement et la diversification des formes modernes de la sociabilité paraît constituer un phénomène social qui réclame des analyses approfondies, la question du secteur institutionnalisé à l'intérieur de ce phénomène global, nous paraît poser une question spécifique. Ce qui ne veut pas dire, envisager sa disparition — ce serait à l'heure actuelle une absurdité — mais réfléchir à une éventuelle mutation qualitative, vers laquelle nous paraît d'ailleurs incliner l'évolution interne de ce secteur.

Dans notre enquête de 1972, nous avions dénombré sur le terrain des formes différenciées d'institutionnalisation quant à leur degré et à leur nature. Ses formes les plus poussées et les plus dures pourront-elles tenir, et devraient-elles tenir, compte tenu d'une évolution de la société où la recherche d'autonomie et de prise en charge par les intéressés eux-mêmes de leurs propres problèmes paraissait prendre une valeur plus grande dans la mentalité collective?

Ainsi serait-il très imprudent à notre avis, de ne pas tenir compte d'un indicateur (et en même temps d'un avertissement. . .) de l'énorme malaise qui affleure depuis plusieurs années dans l'animation culturelle, et qui paraît ronger un certain nombre de ces animateurs. Il est vrai que les raisons ne manquent pas à cela.

La profession d'animateur est une profession peu sûre, une «profession de transition» (enquête FONJEP 1974), mal située, avec des «bases théoriques: composites et empruntées» (Ch. Guérin),[35] se voulant une «profession différente» (Besnard),[36] «entre la tâche professionnelle et l'action militante» (G. Poujol).[37] C'est une profession «politisée», où on est «écartelé entre les rôles du travailleur social et d'agent idéologique» (Gaudibert).[38] «Nous ne sommes pas des professionnels mais des politiques» déclarait un professionnel précisément, ramassant en une formule qui résumait bien la position de nombreux animateurs que nous avions pu voir à une époque où nous faisions fréquemment des stages de formation. Quand ce n'est pas directement de la politique, c'est une sorte de profession «charismatique», ce que Moulinier appelle une «profession du don».[39] Il écrit d'une manière significative: «Lorsqu'on demande aux animateurs ce qu'ils «font», ils tendent en majorité à répondre en termes de buts à atteindre». Mais à la limite, elle débouche sur une voie contradictoire et sans issue car, «l'animation, tout en fondant sa propre nécessité sur la dénonciation de ces mécanismes, ne peut agir sur ce qui les détermine».[40]

Pris en tenaille entre ses illusions perdues pour changer la société (notamment ces fameuses inégalités culturelles!) et le sentiment très pénible d'avoir été piégé, manipulé, pris lui-même comme agent manipulateur, comme nombre d'analyses le lui ont laissé entendre, l'animateur professionnel est souvent situé objectivement dans une position difficile et psychologiquement anxiogène.

Comment peut-il s'en sortir? Il n'est pas question, et cela sans doute plus que jamais, qu'il ne soit pas un professionnel doublé d'un militant. Il semble bien ici qu'on assiste à un mouvement exactement inversé de celui qui s'était produit aux meilleurs temps de l'institutionnalisation: — de même que l'ancien bénévole était devenu technicien à l'image du premier professionnel, de même le nouveau professionnel semble devoir redevenir explicitement un militant!

Peut-être y a-t-il dans ce mouvement pendulaire (qui relie les professionnels à la tradition originelle du militantisme) une des raisons qui fait que les animateurs semblent adhérer avec un enthousiasme en apparence aussi spontané avec les nouvelles perspectives ouvertes sur l'Éducation Populaire?[41] Si ces nouvelles perspectives recouvrent plus qu'un glissement sémantique au profit de la première, ce qui a pour conséquence de faire passer l'animation au second plan, alors il est possible que ces hommes mal situés et en partie désillusionnés y retrouvent de nouvelles raisons de s'investir et d'agir.

Il n'en reste pas moins que tous les problèmes ne seront pas résolus pour autant. Car — et nous espérons l'avoir démontré au moins partiellement — ceux-ci se posent d'une manière fondamentale à la fois sur le plan des rapports de l'animation avec la société et avec le pouvoir — questions cruciales où elle peut être à la fois instrument manipulé et instrument de manipulation sociale. Sera-t-elle dans la nouvelle politique davantage intégrée à un projet politique global, ou davantage incitée à l'autonomie autogestionnaire? Le débat n'est pas encore tranché.[42]

Ces problèmes se posent encore par rapport à la nature même de son caractère d'institution, à propos de laquelle la lecture de G. Mendel[43] nous paraît très éclairante. «Ils» (les formateurs) sont, dans la réalité de notre société, impuissants institutionnellement à changer leur institution», mais cette

institution est le lieu de la «prise de conscience» qu'ils peuvent la changer. . .
Et peut-être cela n'est-il pas rien.

Seulement on peut se demander dans l'immédiat si, à la fois une mutation
n'est pas nécessaire pour une telle prise de conscience, et si les éléments n'en
sont pas actuellement en germe?

NOTES ET RÉFÉRENCES

1. BRUNEAU, Ch. et RIOUX, J.P. Les Associations en France 1930-1980. Essai de bibliographie rétrospective. Bulletin de l'Institut d'Histoire du Temps Présent, CNRS, 4ᵉ trimestre 1981, pp. 119 à 144.

2. POUJOL, G. Les ouvrages sur l'animation. Analyses. *Dossiers de l'ADRAC*, no 40, Tomes I et II.

3. PARIZET, M.J. Mutations du bénévolat, institutionnalisation de l'animation et politique socio-culturelle. *Cahiers de l'Animation*, no 14, 4ᵉ trimestre 1976, pp. 1 à 21.

4. BENSAID, G. La culture planifiée? Paris, Seuil, 1969, 332 p.

5. MESNARD, A.H. La politique culturelle de l'État. Paris, P.U.F., 1974, 127 p., (p.102).

6. LABOURIE, R. *Les Cahiers de l'Animation*, no 26, 1979.

7. AUGUSTIN, J.P. Espace social et loisirs organisés des jeunes: l'exemple de la commune de Bordeaux. Paris, Éditions Pedone, 1978, 328 p. (collection de l'Institut d'Études Politiques de Bordeaux).

8. ION, J., MIEGE, B., ROUX, A.N. L'appareil d'action culturelle. Paris, Éditions Universitaires, 1974.

9. BESNARD, P. L'animation socio-culturelle, Paris, PUF, 1980 (Que sais-je?, no 1 845).

10. PARIZET, M.J. La culture, terrain d'affrontement. *Projet*, sept.-oct. 1978.

11. Il faudrait en particulier raffiner l'analyse, et tenir compte par exemple comme l'avait fait J. ION, dans la communication au Colloque sur la Culture Populaire au XXe siècle (Trois-Rivières, Québec, avril 1980), du passage de «l'idéologie spécifique de la démocratisation culturelle», à celle du «développement culturel». . .

12. LABOURIE, R. Les institutions socio-culturelles; les mots-clés. Paris, Presses Universitaires de France, 1978 (Collection Éducateur).

13. Cahier de l'I.A.U.R.P., no 23, 1972.

14. AGULHON, M. Le cercle dans la France bourgeoise (1810-1848): étude d'une mutation de sociabilité. Paris, A. Colin, 1977, 108 p. (Cahier des Annales, 36).

15. GAUDIBERT, P. Action culturelle: intégration et/ou subversion. Paris, Casterman, 1977.

16. GALLAUD, P. Pouvoirs publics et associations de jeunesse. Bulletin Exprès, nos 40-41, 42, 43, 1973.

17. AMIOT, M., FREITAG, M. Rapport sur l'étude de l'administration centrale de la Jeunesse et des Sports. Laboratoire de Sociologie industrielle. E.P.H.E., 2 fascicules, 1968.

18. AMIOT, M. Politique et Administration. *Sociologie du travail*, Avril-Juin 1969.

19. AUGUSTIN, J.P., DUBET, F. L'espace urbain et les fonctions sociales de l'animation. *Cahiers de l'Animation*, no 7, 1975.

20. MEISTER, A. Vers une sociologie des associations. Paris, les Éditions Ouvrières, 1972, 220 p., IIIᵉ Partie, chap. VI.

21. BRICHET, R. Associations et syndicats. Librairie technique, 3ᵉ édition, 1971.

22. GARRIGOU-LAGRANGE, J.M. Recherches sur les rapports des Associations avec les Pouvoirs Publics. Paris, Librairie Générale de Droit et de Jurisprudence, 1970, 378 p. (cf. introduction).

23. La vie associative. *Informations sociales*, no 11, 1974, p. 5.

24. AGULHON, M., BODIGUEL, M. Les associations au village. Bibliothèque des Ruralistes. Actes Sud, Le Paradou, 1981, 108 p. In: Agulhon, p. 13.

25. MESNARD, A.H. L'action culturelle des pouvoirs publics. Librairie Générale de Droit et Jurisprudence, Paris, 1969.

26. VESSIGAULT. Le statut et la formation des cadres de jeunesse. Conseil de l'Europe, Strasbourg, 1969, 368 p.

27. MESNARD. id. p. 369 et AMIOT. réf. (18), p. 116.

28. DUMAZEDIER, J. Sociologie empirique du loisir. Critique et contre critique de la sociologie du loisir. Paris, Seuil, 1974.

29. DUMAZEDIER, J., SAMUEL, N. Société éducative et pouvoir culturel, le loisir et la ville. Paris, Seuil, 1976.

30. POUJOL, G. La dynamique des associations (1844-1905). Paris, Société des Amis du Centre d'Études Sociologiques, 1978.

31. LANFANT, M.F. Le système volontaire de l'animation socio-culturelle et son idéologie. Rapport de systhèse CORDES. CNRS, Paris, 1972.

31. (bis) PARIZET, M.J. Animateurs des collectivités locales. Esquisse d'une approche de responsables d'associations volontaires. *Cahiers de l'Animation,* no 3, juin 1973.

32 PARIZET, M.J., VEAUCY, C. Bénévolat et professionnalisation dans l'animation socio-culturelle. Rapport pour le Conseil Régional de la Jeunesse. CNRS, Paris, 1975.

33. REYNAUD, E. Le militantisme moral. Paris, Gallimard. Bibliothèque des Sciences Humaines, 1980, pp. 271-286, in La sagesse et le désordre (MENDRAS).

34. MALENFANT, Ch. Le tiers secteur de demain: le bénévolat. Un exemple avec l'Amérique du Nord. 7 p., ronéo.

35. GUERIN, Ch. Une profession d'animateur est-elle possible? *Cahiers de l'Animation,* no 22, 4ᵉ trimestre 1978.

36. BESNARD, P. Animateur socio-culturel. Une profession différente? Paris, Éditions E.S.F., 1980, 139 p.

37. POUJOL, G. Le métier d'animateur. Entre la tâche professionnelle et l'action militante: l'animation et les animateurs d'aujourd'hui. Toulouse, Privat, 1978, 216 p.

38. GAUDIBERT, P. Animateurs et créateurs à Grenoble. *Cahiers de l'Animation,* no 22, 4ᵉ trimestre, 1978.

39. MOULINIER, P. L'animation un métier pas comme les autres. *Pour,* no 59, mars-avril 1978.

40. SIMONOT, M. Un métier! Pour quelles activités? *Cahiers de l'Animation,* no 22, 4ᵉ trimestre, 1978.

41. Éducation Populaire Aujourd'hui (Responsable du numéro: Chantal GUÉRIN), *Cahiers de l'Animation,* no 34, 4ᵉ trimestre, 1981.

42. AGNES, Y. Le débat sur la vie associative. *Le Monde,* 18 oct. 1981.

43. MENDEL, G. La sociopsychanalyse institutionnelle: pour qui? pour quoi? *Sociopsychanalyse 5,* Paris, Petite Bibliothèque Payot, 1975.

Marie-Josèphe PARIZET:

Après vingt ans d'existence, l'animation au seuil d'une mutation?

RÉSUMÉ

Sous la double poussée d'une extension de l'intervention de l'État, et d'un nouveau type de revendications collectives, s'opère à partir des années soixante, l'irruption d'un système institutionnalisé dans un secteur de la vie sociale qui jusque-là était demeuré presque exclusivement réservé aux associations volontaires et au militantisme bénévole: l'animation culturelle (avec des équipements collectifs, et la professionnalisation des animateurs). Créée dans la foulée de la politique culturelle ambitieuse de la Ve République (Malraux), on attend d'elle qu'elle contribue à briser les barrières inégalitaires tant culturelles que sociales. Mais en tant que lieu d'une intervention directe des pouvoirs publics, l'animation culturelle est redoutée, comme nouvel «appareil idéologique d'État» et par là, nouvel instrument de contrôle social. Or il s'avère d'une part qu'elle ne répond pas aux espoirs qu'on en attendait vraiment, et que d'autre part, elle devient l'objet d'un contrôle étatique accentué après 1968. Cependant son instauration n'aura pas été sans avoir des répercussions profondes, entraînant une «mutation» du militantisme bénévole. Et il faudra la conjugaison de facteurs externes et de facteurs internes pour entrevoir l'éventualité d'une nouvelle mutation. Celle-ci redonnerait d'autres perspectives au bénévolat qui par ailleurs, en pleine croissance, semble constituer aujourd'hui un immense potentiel social. Une telle mutation supposerait semble-t-il une relative «désinstitutionnalisation» de l'animation.

Marie-Josèphe PARIZET:
After twenty years, is recreation on the verge of a mutation?

ABSTRACT

Under the double thrust of increased government intervention and of new popular expectations, we have been witnessing since the 1960's the creation of an institutionalized system in an area of social life which had been run until then almost exclusively by volunteers: recreation (using publicly-owned equipment and professional directors). A part and parcel of the fifth Republic's ambitious program of cultural promotion under the prestigious guidance of André Malraux, one expected this policy to contribute to the reduction of cultural as well as social inequalities. But as a manifestation of direct government intervention, cultural promotion is feared to be a new ideological tool of the State, hence of social control. Actually, it turns out that it has not met popular expectations and has become since 1968 increasingly subject to the government's direction. Yet, its appearance has had profound repercussions resulting in a kind of mutation of volunteer — run leisure activities, and it will take a combination of external and internal factors before a new mutation is possible. The latter would give a new perspective to volunteer work which, as it continues to grown, seems to present an enormous social potential. Such a mutation, it seems, implies a relative "deinstitutionalization" of recreation.

Marie-Josèphe PARIZET:
*Después de veinte años de existencia, la animación en el umbral de una
mutación?*

RESUMEN

A comienzos de los años sesenta, bajo el doble empuye de la extensión de la intervención
del Estado y de un nuevo tipo de revindicaciones colectivas, se opera la irrupción de la
animación cultural (con equipos colectivos y la profesionalización de los animadores),
sistema institucional en un sector de la vida social que hasta entonces estaba casi
exclusivamente reservado a las asociaciones voluntarias y al militantismo benévolo.
Producto de la huella dejada por la politica cultural ambiciosa de la quinta república
(Malraux), se espera de ella que contribuya a romper las barreras de desigualdad tanto
culturales como sociales. Pero como lugar de intervención directa de los poderes
públicos, se teme que la animación cultural sea un nuevo «aparato ideológica de Estado»
y en consecuencia un nuevo instrumento de control social. En realidad, por una parte, no
responde a las esperanzas que se había puesto en ella y por otra parte, se constituye en un
objeto de control estatal, mucho más fuerte después de 1968. Sin embargo, su instaura-
ción ha tenido repercusiones profundas, provocando una "mutación" del militantismo
benévolo. Será necesaria la unión de factores externos a internos para percibir la
eventualidad de una nueva mutación. Esta daría nuevas perspectivas al benevolado, que
por otra parte, está en pleno crecimiento y parece constituir hoy en día un inmenso
potencial social. Nos parece que tal mustación supondría una relativa "desinstitucionali-
zación" de la animación.

Marie-Josèphe PARIZET:
Ist die Freizeitanimierung nach 20-jähriger Existenz im Umsturz begriffen?

ZUSAMMENFASSUNG

Unter dem zweifachen Druck einer Erweiterung staatlicher Intervention und eines neuen
Typus kollektiver Forderungen beginnt seit den 60iger Jahren ein institutionalisiertes
System in einen Sektor des sozialen Lebens einzubrechen, der bis zu dieser Zeit fast
ausschliesslich den Vereinen und dem uneigennützigen Militantismus überlassen blieb:
die kulturelle Freizeitanimierung (mit kollektiven Mitteln und Professionalisierung der
Animateure). Im Zuge der hochtrabenden Kulturpolitik der 5. Republik (Malraux) ins
Leben gerufen, erwartet man von ihr, dass sie mithelfe, die Barrieren kultureller und
sozialer Ungleichheiten zu überwinden. Aber als Bereich direkter Intervention öffentlicher Gewalten wird diese kulturelle Freizeitanimierung als neuen "Ideologieapparat"
des Staates und daher als neues Instrument sozialer Kontrolle gefürchtet. Nun aber stellt
sich einerseits heraus, dass die Hoffnungen, die auf sie gesetzt wurden, von ihr nicht
erfüllt werden, und dass sie anderseits seit 1968 Gegenstand verstärkter staatlicher
Kontrolle wird. Jedoch war diese Einrichtung nicht ohne tiefgreifende Folgen, die eine
Veränderung des uneigennützigen Militantismus nach sich zogen. Um weitere Veränderungen vorzusehen, müssten interne und externe Faktoren miteinander verbunden

werden. Daraus würden sich für den freiwilligen Hilfsdienst, der übrigens, im vollen Aufschwung begriffen, ein gewaltiges soziales Potential zu bilden scheint, neue Perspektiven eröffnen. Ein solcher Wandel würde offenbar einen relativen "Abbau der Institutionalisierung" der Freizeit-animierung voraussetzen.

LES RÉSISTANCES À LA PROFESSIONNALISATION

Chantal GUÉRIN

Je crois pouvoir dire que peu de gens se reconnaîtraient en France sous l'expression de professionnels du loisir. Il est pourtant indubitable que ce champ social s'est professionnalisé et cela par un double mouvement. L'extension des rapports marchands à la culture, au tourisme, à la nature... ont largement développé des professionnels de toutes sortes: professionnels du tourisme, salariés des industries culturelles, moniteurs sportifs variés...

Parallèlement s'est développé un deuxième mouvement de professionnalisation, dans le secteur non marchand, avec ce que l'on a appelé et que l'on continue, en partie, à appeler l'animation.

Celui-ci nous intéresse ici davantage. En effet, l'extension des rapports marchands à la sphère du loisir est un phénomène mondial, limité seulement par les différents niveaux de la solvabilité des pays. Nous n'avons donc rien de spécifique à en dire ici. Nous parlerons du second et nous aimerions mettre en évidence les résistances à cette professionnalisation, leurs origines diverses, leurs lieux d'expression et le point d'aboutissement actuel de ce processus: ce que nous appelons «des professionnels sans profession».

L'animation: une profession nouvelle

Pendant longtemps on a dit aux animateurs et certains d'entre eux l'ont dit aussi: «l'animation est une profession neuve, elle est en pleine confusion», les choses n'y sont point encore très bien organisées, mais cela va s'arranger avec le temps. Une profession ne naît pas toute armée de l'évolution des besoins

Loisir et Société/*Society and Leisure*
volume 5, numéro 1, printemps 1982, pp. 179-190
© PUQ

sociaux. Elle naît de façon incohérente et cela d'autant plus qu'en cette matière la volonté organisatrice ne peut venir du seul État central. Mais, chose étrange, on a moins entendu un discours qui, pourtant, en toute bonne logique, aurait dû se tenir en corollaire: «animateurs organisez-vous. Luttez pour la reconnaissance de votre profession, pour vos statuts, vos salaires, etc...».

Notre hypothèse est qu'aucun organisme n'a pu se trouver durablement en position — par rapport aux animateurs comme par rapport à la société globale — de tenir ce discours. L'idée que l'animation était une profession jeune qui devait progressivement sortir de l'incohérence et être normalisée était directement inspirée des processus de constitution des professions sociales nées à la fin du 19e et au début du 20e: les instituteurs, les assistantes sociales et plus récemment les éducateurs spécialisés. Il y avait là une sorte de continuité logique (dans laquelle se situait tout à fait le Ministère de la Santé dans les débuts des années 1970) de naissances de professions sociales correspondant à des données de la vie sociale et au fait que la collectivité en pleine croissance économique pouvait consacrer des sommes importantes à des investissements non directement productifs.

Allait de pair avec cette idée d'une profession jeune, en pleine maturation, l'installation à une échelle considérable des formations et des diplômes, publics et privés. Ceci pouvait donner une certaine crédibilité à cette thèse. Succédait à la création des deux premiers vrais diplômes d'animateurs[1] une réflexion sur «comment former un animateur», sur les compétences et les incompétences, les contradictions et les multiples difficultés liées aux rôles, à la personnalité de ceux qui sont attirés par un tel exercice professionnel. La réflexion à caractère pédagogique et psychologique était prédominante.

Parallèlement était posée la question du statut de l'animateur. C'était une sorte d'aboutissement auquel il faudrait bien arriver, auquel on finirait bien par arriver (suivant que l'on considérait la professionnalisation comme un mal nécessaire ou comme une véritable chance de développement de la vie sociale).

Cette époque fut fertile en définition parfois dithyrambique de l'animation et de l'animateur. Agent de changement social, de développement culturel ou global, il tient un rôle social d'importance et dont les limites sont difficiles à tracer. En tous cas, il est hors de question de lui confier la seule organisation des loisirs (si intelligents soient-ils). Si l'animateur propose des activités de loisir, ce ne saurait être qu'en fonction d'un autre objectif. Le club méditerranée sert de borne, de repoussoir idéologique absolu, parce que les vacanciers y consomment du loisir qui peut même être culturel sans autre finalité que leur propre plaisir.[2]

Plusieurs analystes ont bien montré comment la naissance et l'hypertrophie dans la décennie 65-75 du concept d'animation était liée à la période du gaullisme et constituait une tentative de détournement du politique.[3] À cela il convient d'ajouter qu'elle était parallèlement une tentative de contournement des rapports habituels d'autorité. L'une des premières études sur les animateurs, mélange de constat, de prospective et de voeux, le rapport Ihmof, définit la «semi-directivité» comme l'une des caractéristiques de l'animateur. «L'animation devrait devenir pédagogie de compréhension et d'intervention, établir des rapports d'égalité où les relations hiérarchiques seraient dépassées».

L'introduction de Rogers, en France, s'est faite à peu près à cette époque. Son influence a été brève mais fulgurante, notamment pour fournir au discours sur les animateurs des éléments «méthodologiques» bienvenus, parce qu'ils proposaient une réponse à l'aspect anti-autoritaire et anti-hiérarchie de notre mai 68.

Nous ne voulons pas insister davantage sur une période qui est entrée maintenant dans l'histoire et que bien des auteurs ont analysée.

Il importerait après avoir dit cela d'examiner comment dans la réalité cette professionnalisation s'est faite, et comme toujours, il est plus difficile de saisir le réel que le discours. Faits partiels et statistiques éparses constituent nos seules bases de savoir.

La réalité de la professionnalisation

Sur le terrain l'animation apparaît-elle comme une profession nouvelle? Il semble bien que l'on doive répondre positivement à cette question non parce que les animateurs rempliraient des fonctions sans précédents mais bien plutôt parce qu'ils apparaissent surtout là où il n'y a rien. Le développement numérique des professionnels a accompagné une politique d'équipement collectif; il est inséparable de la création de quartiers nouveaux, des grandes extensions urbaines.

Il est important de rappeler cette grande banalité car l'idée est encore trop répandue d'une professionnalisation construite sur la disparition du bénévolat. L'opinion est d'ailleurs strictement divisée sur la question de savoir si le professionnel tue le bénévole ou si au contraire, il le suscite. La question n'est probablement posée en ces termes que pour fournir des arguments à ceux qui défendent les professionnels et à ceux qui les condamnent. Il apparaît plus assuré, nous semble-t-il de simplement constater un lien entre le développement de postes d'animateurs et la faiblesse de la vie associative. Cette liaison est surtout claire dans les départements ruraux désertifiés, dans les villes et les quartiers nouveaux où s'observent de grands déséquilibres démographiques et où la vie sociale serait à créer.

La professionnalisation s'établit d'abord sur un vide. Sur ce point nous partageons tout à fait l'analyse de Jacques Ion dans ce même numéro «c'est le neuf qui crée la nécessité d'une pratique existante». Dans ce neuf, il est d'usage d'évoquer aussi l'évolution des besoins sociaux. Il est vrai, comme le remarque Geneviève Poujol, que les besoins en cette matière servent souvent de prétexte indispensable aux créations de postes ou d'équipement et l'on n'est jamais assuré de celui qui prétend exprimer les besoins des autres ou traduire une demande sociale. Qu'en matière d'animation l'offre puisse créer la demande est probablement vrai, comme dans les autres domaines. C'est précisément cela qui contribue grandement à l'évolution des besoins sociaux, laquelle est toujours effectivement ré-interprétée par ceux qui sont en position sociale de le faire en fonction de leurs propres intentions. L'intervention croissante des collectivités locales dans la prise en charge des enfants est un exemple très clair d'évolution conduisant à des créations de postes. Les couches moyennes qui ont peu de moyens, mais aspirent à un style de vie proche de celui des gens riches et cultivés ont une demande éducative forte pour leurs enfants qui conduisent les municipalités à «socialiser», en quelque sorte, les cours privés artistiques ou sportifs. Les villes dont la population est à dominante ouvrière (et comprennent donc souvent une bonne proportion de travailleurs immigrés) et gérée par une administration socialiste ou communiste estiment «qu'il n'y a pas de raison», que les enfants des travailleurs ont bien le droit aussi de faire du ski, du cheval, d'apprendre le piano. Elles se font un devoir démocratique de proposer de telles activités en les rendant accessibles aux plus déshérités, et donc quasi gratuites.

Mais proposer des activités spécialisées à des enfants ne supprime pas, tant s'en faut, la nécessité de les encadrer: il faut organiser des transports pendant lesquels les enfants doivent être surveillés, prévoir des repas, et surveiller encore, et pour les plus petits occuper les temps intermédiaires entre telle ou telle activité.

On voit ainsi comment, quand une municipalité veut transposer à l'ensemble un style de vie qui fonctionne bien de manière privée (avec de l'argent et du temps d'adulte disponible) elle est fatalement conduite à rémunérer des professionnels en chaîne: comme vacataires, des animateurs sportifs, des spécialistes en disciplines artistiques, des animateurs de centre de loisirs, et pour coordonner l'ensemble, ou pour diriger un équipement spécifique, un animateur spécialisé dans l'enfance ou un animateur tout court.

Il y a fort à penser que les postes qui se créent actuellement pour les personnes âgées résultent d'un schéma analogue. C'est bien l'évolution des besoins sociaux, ré-interprétée par des institutions (il en va de leur dignité) qui rend aujourd'hui indispensable l'ouverture d'une résidence de personnes âgées sans un minimum d'animation. Bien sûr cette animation sera le fait des résidents mais pour cela rien ne manifeste plus clairement les bonnes intentions du promoteur que la création d'un poste d'animateur.

Ensuite, les professionnels créent des professionnels. Prenons le cas d'un animateur engagé par un syndicat intercommunal dans une zone rurale passablement dévitalisée. Le plus clair de son contrat est de gérer une base de loisir et de la rentabiliser. On lui demande un projet. De projets et d'idée, cet animateur ne manque pas non plus que de dynamisme. Il propose de rénover une vieille ferme et en fait un lieu d'exposition notamment pour les associations; de racheter un hôtel désaffecté pour en faire une maison de l'artisanat; il organise fêtes et festivals, fait des offres d'implantation à des industriels et monte un contrat de pays qui prévoit, lui, plusieurs animateurs.

Des professionnels sans profession

Ce développement des professionnels a suscité dès son début des résistances explicites qui se sont exprimées par une affirmation réitérée du rôle nécessaire des bénévoles et des associations.

Certaines associations ont, elles, toujours mis en cause l'idéologie de l'animation et l'existence de professionnels s'y consacrant. Ce point de vue a été bien synthétisé en 74 par Pierre Belleville notamment, dans son livre «Animation pour quelle vie sociale».[4]

«En pratique, (les animateurs) sont le plus souvent étrangers au milieu qu'ils travaillent. Leur «étrangeté» provient d'abord de leur statut... Ils sont professionnels du travail social... salariés. C'est-à-dire qu'ils vendent leur force de travail à quelqu'un. À quelqu'un qui les emploie à établir une relation avec autrui. Qui est celui-là? Pour établir quelle relation des animateurs paye-t-il?» Belleville exprime là, la méfiance de tout un courant qui ne refusait pas — et ne refuse toujours pas — l'idée d'animation, mais lui donne une signification précise: pour ce courant qu'on pourrait appeler de culture populaire, proche du mouvement ouvrier mais plus dans son expression syndicale que politique, l'animateur est un militant. «Conscience organisatrice»,[5] il ne cherche pas à organiser qui que ce soit d'autre que ceux qui partagent la même vie, la même culture que lui, et s'il devait être payé un jour, ce ne pourrait être que par ceux pour qui il travaille comme l'est un permanent syndical.

Ce courant, outre la méfiance à l'égard des intentions — foncièrement intégratrices — de ceux qui créent des postes, redoute le corporatisme de ceux qui occupent les postes. «Le sens du corps, l'esprit de corps, le corporatisme naissent très vite et se calquent tout aussi vite sur celui des enseignants... Un corporatisme est d'autant plus nécessaire qu'une fonction n'est pas évidemment justifiée».

Ce courant a été le plus clair et le plus affirmé dans son refus du «professionnalisme». Mais les autres courants historiques de l'Éducation Populaire, pour avoir eu des positions plus ou moins nettes, n'ont cependant pas admis tous avec enthousiasme le développement du professionnalisme. Cette question est d'ailleurs, à notre avis, classante par rapport aux associations de l'Éducation Populaire, et une étude historique montrerait, sans doute, qu'elles ont plus ou moins soutenu l'idée de professionnel — comme synonyme de compétence et de sérieux — suivant leur proximité avec le secteur social, et leur degré d'engagement dans une question d'équipement.

Plusieurs auteurs[6] tirent arguments de l'existence de formations, de diplômes, de textes régissant désormais une grande partie des emplois, pour parler d'une profession d'animateur et du corps social des animateurs. Ce n'est pas notre point de vue et, nous pensons qu'une telle position ne résiste pas — à l'heure actuelle — à une analyse un peu fine de ces formations, de ces diplômes, ni de ces textes. Notre hypothèse est, à l'inverse, que ces divers éléments susceptibles, en théorie, de constituer une profession, ont dans ce domaine des formes qui expriment des résistances à la professionnalisation et qui s'efforcent de la canaliser de manière à ce que les salariés de l'animation ne puissent pas devenir un corps professionnel. Sans entrer dans les détails d'une analyse minutieuse[7] relevons les traits les plus saillants. Jusqu'à la création récente du Diplôme d'État aux Fonctions de l'Animation on ne pouvait entrer en formation si l'on n'était pas déjà engagé dans une position d'animateur.[8] Même dans ce dernier diplôme, le plus professionel de tous, on note l'absence de représentant de la profession dans les commissions chargées de la sélection, du suivi et de l'évaluation des candidats. Il en est de même de l'organisation des stages pour lesquels il n'est pas fait explicitement mention du contrôle de la profession. Cette formation et ce diplôme ne sont en fait pas du tout gérés par des représentants de l'État, des formateurs et des représentants d'une profession; mais ils sont gérés par des représentants de l'État, des formateurs et les associations d'Éducation Populaire. Cela constitue une différence très importante, à notre avis décisive, par rapport aux autres formations de travailleurs sociaux.[9]

Or, nous avons maintes fois constaté le peu d'empressement de ces associations, au plan national, pour négocier avec l'État un projet de formation et de diplôme pour les animateurs. De 1974 à 1979, les départements ministériels de la Jeunesse et des Sports et celui de la Santé ont négocié seuls une formation et un diplôme.[10] Cette situation n'a pas, à notre connaissance, provoqué de vives protestations de la part de ces associations qui avaient été associées pourtant de beaucoup plus près à l'élaboration du diplôme précédent. Il nous semble qu'elles n'avaient aucun contre-projet réel à négocier avec l'État: nous en concluons, peut être en allant trop vite, qu'elles n'accordent pas un intérêt stratégique à ces questions.

Cette impression nous a été largement confirmée lors d'une étude récente[11] sur l'actualité de l'éducation populaire. La réticence des associations nationales vis-à-vis des professionnels nous a paru un des phénomènes marquants, même chez celles qui disposent d'un centre de formation. Certaines nous ont même rappelé qu'elles s'efforçaient depuis le début de former des animateurs dans une perspective critique de leur propre rôle, tandis que d'autres estimaient que la professionnalisation s'était mal faite, c'est-à-dire, faite sur des bases corporatistes. Les revendications mises en avant, pour le développement de l'Éducation Populaire (permanente pour certains) — et non de l'animation qui est réduite au rang de moyen ou de partie d'un tout plus vaste — sont plus de l'ordre du renforcement de la vie associative et du congé animation pour tous les salariés que du développement des postes de professionnels.

Mais il nous semble, en outre, que les animateurs eux-mêmes ont résisté à la professionnalisation ou du moins à la constitution d'une profession d'animateurs. Les preuves en sont multiples: en voici quelques-unes:

Dans les années 70-73, les premiers syndicats d'animateurs revendiquaient un statut et deux d'entre eux réclamaient même un statut calqué sur celui des journalistes avec une carte professionnelle, une déontologie spécifique et une commission d'arbitrage intervenant en cas de conflit entre l'animateur et l'employeur. Cette revendication n'a eu que peu de prise sur les animateurs et a été vigoureusement combattue par les autres syndicats d'animateurs qui ont même très vite abandonné la revendication d'un statut de l'animateur pour celle d'une convention collective nationale du secteur socio-culturel dont ils n'estimaient plus être que des salariés parmi d'autres.

Autre indice: les animateurs n'ont jamais réussi (et jamais vraiment cherché) à constituer d'associations professionnelles durables. La dernière en date s'est constituée pour négocier les mesures transitoires entre les deux diplômes CAPASE, DEFA dont l'articulation est évidemment complexe. Rien ne semble indiquer, à l'heure actuelle, que son rôle puisse aller au-delà.

En tout cas il est certain que, qui voudrait parler au soi disant «corps professionnel des animateurs» ne trouverait aucun interlocuteur, et qu'aucune organisation n'est actuellement habilitée à parler au nom des animateurs. Bien entendu il y a des syndicats. En 1978 lorsque nous avons voulu les rencontrer nous avons été surpris de voir qu'il en existait plusieurs dans chaque centrale syndicale ouvrière.[12] L'un d'entre eux tenait d'ailleurs des positions assez opposées à la professionnalisation. À l'époque nous avons pensé que cette multiplicité s'expliquait par l'histoire, recoupait les différentes origines de la profession (Éducation Populaire, action culturelle municipale, action sociale) et qu'elle devait progressivement se réduire avec le développement de la professionnalisation et de la syndicalisation. Or non seulement il n'en a rien été, mais des contacts récents avec deux responsables de syndicats affiliés à la C.G.T. comme à la C.F.D.T. nous ont montré que l'idée de constituer un syndicat unique des animateurs était étrangère à ces deux centrales. L'une comme l'autre attache à l'heure actuelle une importance première à la reconnaissance d'un secteur d'activité et à la clarification des situations d'emploi de l'ensemble des travailleurs de ce secteur et cela par voie conventionnelle.

Contrairement à bien des observateurs nous pensons que le corporatisme des animateurs est, globalement, faible. L'exemple des directeurs de M.J.C. sert souvent de référence à ceux qui portent le plus cette accusation. Or, nous pensons que cette catégorie constitue justement une exception et que son mode d'organisation est à l'heure actuelle relativement rejetée par les autres animateurs. Historiquement les directeurs de M.J.C. ont été les premiers à s'organiser et à être organisés. Leur professionnalisation s'est faite bien avant les autres et dans une institution où la distinction de rôle entre bénévole et professionnel a toujours été particulièrement claire. En outre, la vocation éducative de cette institution et son «ouverture à tous» expliquent que le modèle de référence ait été trouvé chez les enseignants.

De manière générale nous avons plutôt constaté, que les activités récemment professionnalisées (éducation et travail social) constituent pour les animateurs des modèles repoussoirs. L'attitude «scolaire», le corporatisme des enseignants servent de points de référence négative aux animateurs et ceci paraît fondamental dans la constitution de leur identité professionnelle, ceci est vrai même chez les enseignants détachés comme animateurs. Fonctionnent également comme référence négative les professions du travail social, vouées à l'assistance et de surcroît trop féminines encore pour servir de référence positive dans un secteur où exercent beaucoup d'hommes.

À cette absence de modèle il convient d'ajouter le fait déjà signalé que par rapport aux animateurs, les grandes associations jouent en réalité un rôle d'organisation professionnelle. Elles servent d'interlocuteur aux Pouvoirs Publics, elles contribuent à faire fonctionner les formations d'animateurs, elles passent aujourd'hui des contrats avec les municipalités et jouent pour cela un rôle d'employeurs. Enfin, si culture professionnelle il y a, c'est chez elles qu'elle s'élabore, en grande partie, à travers des publications, des stages. Enfin, nous pensons que c'est chez elles aussi que les animateurs finissent par trouver une légitimité, et les professionnels ne sont pas rares aujourd'hui, qui exercent des responsabilités électives dans une association en dehors de leur travail de salariés.

NOTES ET RÉFÉRENCES

1. Certificat d'Aptitude à la Promotion des Activités Socio-Éducatives (CAPASE) et Diplôme Universitaire de Technologie (D.U.T.).

2. Je me souviens qu'une Commission ministérielle chargée en 69-70, sous la houlette de la Jeunesse et des Sports de mettre au point un projet de formation des animateurs, avait un jour entendu une animatrice culturelle du «club». Ce jour là, l'atmosphère était plutôt à la guerre froide et l'attaque en règle d'autant plus sans doute que l'animatrice en question était justement un transfuge de la «bonne animation» (Conseiller Technique et Pédagogique de la Jeunesse et des Sports).

3. POULOL, G. *Le Métier d'Animateur*, Privat, 1978.

4. BELLEVILLE, Pierre. *Animation, pour quelle vie sociale*, Paris, Thème action, 1974.

5. KAES, René. Cité par Pierre BELLEVILLE.

6. ION, Jacques. Dans ce même numéro, BESNARD, Pierre. Dans son ouvrage récent — *Animateur socio-culturel, une profession différente?* E.S.F., 1981.

7. Cf. Cahiers de l'Animation «Professions d'animateurs» n° 22 (1978) et n° 7 «à propos du CAPASE».

8. Exception faite des I.U.T., où l'on a progressivement introduit cette exigence dans la sélection.

9. Sans être nominaliste nous devons remarquer que les intitulés de diplômes ne comprennent pas le terme de profession mais ceux de «promotions des activités socio-éducatives» et plus récemment de «fonctions de l'animation».

10. Ils ont certes procédé à quelques consultations mais l'essentiel du travail a été le seul fait des administrateurs.

11. Cahiers de l'Animation n° 34, décembre 1981, «L'Éducation Populaire aujourd'hui».

12. C'est-à-dire excepté F.O. et la F.E.N.

188   **Chantale GUÉRIN**

Chantal GUÉRIN
  Les résistances à la professionnalisation

RÉSUMÉ

L'animation a toutes les apparences d'une profession nouvelle avec l'institutionnalisation des formations et des diplômes, la quête d'un statut et d'un rôle social. Mais en réalité ce qui fait la nouveauté de cette profession c'est qu'elle est née d'un vide, de l'absence de vie associative et communautaire dans les quartiers nouveaux et les grandes agglomérations urbaines. De ce vide surgit des animateurs, qui ne sont pas sans susciter des besoins sociaux nouveaux et des besoins d'animateurs. Mais l'originalité de la profession d'animateur tient principalement, du moins telle est notre hypothèse, à la résistance des animateurs au processus de professionnalisation, tant dans les lieux de formation d'animateur que dans les grandes associations nationales d'éducation populaire.

Chantal GUÉRIN
  Resisting professionalization

ABSTRACT

Socio-cultural promotion has all the trappings of a new profession, what with the institutionalization of the training apparatus and the diplomas involved, on the one hand, and the quest for social status and a well-defined role, on the other. But the fact is that the profession is born out of a vacuum: the lack of communal life within newly-developed districts and, more widely, inside large urban centres. To remedy this lack, social organizers have appeared who in turn have created new activities, hence the need for more socio-cultural workers. But our hypothesis holds that the originality of this profession is mainly that workers in this field resist the trend toward professionalization within both the training centers and the large national organizations promoting popular education.

Chantal GUÉRIN
  Las resistencias a la profesionalización

RESUMEN

La animación aparece como una nueva profesión con la institucionalización de la formación y de los diplomas, la búsqueda de un estatus y de un rol social. Pero, lo que hace la novedad de esta profesión es que ella nació de un vacio, de la ausencia de vida asociativa y comunitaria en los nuevos barrios y las grandes aglomeraciones urbanas. De ese vacio surgen los animadores, promoviendo nuevas necesidades sociales y la necesidad de animadores. Pero, la originalidad de la profesión de animadores viene principalmente, al menos esa es nuestra hipótesis, de la resistencia de los animadores al proceso de profesionalización, tanto en los lugares de formación de los animadores como en las grandes asociaciones nacionales de educación popular.

Chantal GUÉRIN
Die Widerstände gegen die Professionalisierung

ZUSAMMENFASSUNG

Mit der Institutionalisierung der Ausbildung und der Diplome, der Bemühung um sozialen Status und Rolle, hat die Freizeitanimierung (animation) allen Anschein eines neuen Berufs. Was aber in Wirklichkeit das Neue an diesem Beruf ausmacht, ist die Tatsache, dass er aus einer Leere, der Abwesenheit von Vereins- und Gemeinschaftsleben in den neuen Quartieren und den grossen städtischen Agglomerationen hervorgegangen ist. Aus dieser Leere tauchen die Animateure auf, die nun neue soziale Bedürfnisse, und somit die Nachfrage nach Animateuren wecken. Aber die Originalität des Animateurberufs liegt hauptsächlich, so lautet wenigstens unsere Hypothese, im Widerstand der Animateure gegen den Prozess der Professionalisierung, der ebenso sehr an den Ausbildungsstätten, wie auch in den grossen nationalen Vereinen für Volkshochschulwesen sich bemerkbar macht.

NOUVELLES DONNÉES, NOUVEAUX ENJEUX POUR LES ANIMATEURS

Geneviève POUJOL

L'arrivée d'un gouvernement socialiste au pouvoir dans la France de 1981 ne peut que modifier les données du problème dans le champ social de l'animation. Nous n'en évoquerons que quelques-unes pour le moment. Certaines données vont être modifiées par le jeu de politiques volontaristes émanant des administrations concernées par le secteur socio-culturel, il s'agit du développement de la vie associative et de l'augmentation du nombre des professionnels de l'animation. D'autres données vont être modifiées par l'effet dérivé de politiques qui ne sont pas relatives à l'extension de ce secteur,[1] comme par exemple la décentralisation.

Des emplois pour les animateurs

Du côté des associations qui emploient des animateurs, on clame traditionnellement le manque d'hommes. Ne souhaitait-on pas dans les années 60, 50 000 animateurs pour 1985?

Combien y avait-il d'animateurs socio-culturels en France avant le 10 mai? Personne ne peut répondre honnêtement à cette question, faute de pouvoir cerner la réalité sociale de l'animation. Ce qui n'empêche personne d'affirmer que la professionnalisation des animateurs est de plus en plus importante, avec comme corollaire la disparition des animateurs bénévoles, comme s'il allait de soi que les premiers remplacent les seconds. Là où le «discours» devrait pouvoir être étayé par des chiffres, les chiffres sont absents, faute d'une définition de cette profession et non faute de tentatives de dénombrement faites par des administrateurs et des chercheurs, animés des meilleures intentions.

Loisir et Société/*Society and Leisure*
volume 5, numéro 1, printemps 1982, pp. 191-200
© PUQ

À 15 ans d'intervalle, deux estimations chiffraient aux alentours de 10 000 le nombre des animateurs professionnels permanents. La plus ancienne estimation date de 1961, elle était le fait d'un groupe de travail réunissant des administrateurs, des économistes et des sociologues (le groupe 85). La deuxième (1976) provient de l'ex-Service des Études et Actions Générales du Secrétariat d'État à la Jeunesse et aux Sports. Laquelle est ou a été la plus proche de la réalité? Et qu'en est-il de cette professionnalisation croissante des animateurs? Nul ne le sait vraiment. Et il faut bien remarquer que les services de la Jeunesse et des Sports ne sont pas les mieux placées pour recenser les animateurs, nombre d'entre eux en effet leur échappent totalement.

Ainsi les Directions départementales de la Jeunesse et des Sports ne sont pas en mesure de recenser tous les animateurs professionnels. 88 Directions départementales (sur 96) ont estimé à 4 456 le nombre des animateurs professionnels, soit en moyenne 50 par département. Il semble pourtant plus vraisemblable d'estimer entre 10 000 et 15 000 le nombre des animateurs juste avant le 10 mai. Un rapport récent remis au Ministre du Temps Libre le 12 janvier 1982 donne une estimation de 25 000. La marge d'erreur on le voit est importante. Tout au plus peut-on rappeler les chiffres à peu près sûrs dont nous disposons à ce jour.

Animateurs payés par les communes 2 500
Animateurs payés par les départements 224
C.T.P. à la disposition des Directions Régionales du
Temps Libre .... 230 + 300 (1981) + 300 (1982)
Assistants d'éducation populaire 200
Animateurs d'associations rétribués par le
F.O.N.J.E.P. .... 1 730 + 300 (1981) + 700 (1982)
Pour les animateurs payés par d'autres sources de financement, nous manquons d'informations fiables.

Du côté de l'État, la pénurie en hommes a toujours été dénoncée. Pour leur propre compte les Directions Départementales de la Jeunesse et des Sports, par exemple, se plaignaient juste avant le 10 mai du manque d'hommes pour agir ou faire agir. Ainsi les Assistants de Jeunesse et d'Éducation (sous l'autorité directe du Directeur Départemental Jeunesse et Sports) sont rares. Il n'y en a pas plus de 200 pour toute la France. Parfois réduit à une seule unité, ils peuvent être jusqu'à 8 (Paris) par département. Parents pauvres des sportifs, il y a en moyenne 15 fois plus d'assistants dans le secteur sportif que dans le secteur «jeunesse et éducation populaire».

Quant aux Conseillers Techniques et Pédagogiques traditionnellement placés auprès des Directions Régionales du Temps Libre — Jeunesse et Sports — ils étaient jusqu'au 10 mai 1981 environ 250. Il y en aura 1 000 d'ici 1983. Gageons que les membres de ce corps relativement stable depuis 35 ans vont avoir fort à faire pour conserver leurs traditions de formateurs au Service des Mouvements qui demandent leur concours pour la formation de leurs cadres. Déjà le C.A.P.A.S.E. puis le D.E.F.A. les avaient détournés de leur rôle traditionnel, auquel Jean Nazet rendait hommage en 1966: «Patiemment, tenacement, un groupe d'hommes et de femmes, depuis qu'un service d'État leur a confié cette mission, a créé et enseigné des techniques, des méthodes susceptibles de promouvoir et de transformer par l'intermédiaire de leurs stagiaires, animateurs responsables, cet art de vivre, ces diverses manières que — malgré la relative ambiguïté des termes — ils persistent à appeler «éducation populaire». . . Ils ont mené et mènent encore (nous pouvons en témoigner) une vie difficile, avec parfois d'inappréciables satisfactions, mais plus souvent des incertitudes et des regrets devant l'impossibilité, faute de moyens suffisants, de mener ou de faire mener jusqu'à son terme logique telle action commencée, telle expérience bien partie. . .» Les nouveaux C.T.P. en 1982 sont-ils prêts à se reconnaître dans cette profession militante?

Le marché de l'emploi

Jusqu'ici le marché de l'emploi des animateurs était très peu ouvert, la cooptation y régnait en maître et si celle-ci ne fonctionnait pas, l'auto-proclamation d'agents sociaux de diverses origines faisait le reste. Avoir un diplôme d'animateur en poche ne garantit pas nécessairement un emploi, loin de là. C'est vrai aujourd'hui de toutes les professions même de celles du «social» où l'appartenance au réseau de sociabilité propre à ce secteur est au moins aussi importante que le diplôme.

De fait, le marché de l'animation n'a jamais été très fluide. À l'issue de leur formation dans les centres publics du «Temps Libre», les stagiaires sont confrontés à un nombre important d'offres d'emploi (132 offres pour 12 stagiaires dans un cas connu). Plusieurs publications du secteur socio-culturel ont une rubrique «offre et demande» très fournie. Ce n'est pas pour autant que les «formés» trouvent chaussure à leur pied. On observe en France un phénomène curieux: la résistance de la profession d'animateur à son institutionnalisation par le biais de la formation. Plus que jamais la République des copains fonctionne bien. On vient de la voir à l'oeuvre à l'échelle nationale pour la première répartition des 300 postes F.O.N.J.E.P. Les grands mouvements laïques se sont partagés la meilleure part du gâteau profitant sans doute des derniers (?) feux d'une centralisation qui leur étaient favorables. En l'absence d'une régionalisation de cette instance originale de regroupement de fonds publics et privés, on voit mal comment une répartition plus équitable pour toutes les catégories d'associations pourrait s'effectuer.

Il s'agit moins d'une politique promouvant l'animation qu'une politique de création d'emplois, que le gouvernement met en oeuvre ici.

La situation demeure pourtant assez paradoxale:

— Quand a-t-on prôné le plus le rôle des animateurs? Dans les années 60, au moment où il y en avait peu, ou du moins peu d'agents sociaux et culturels qui se baptisaient du nom d'animateurs. Les premières écoles datent de 1964, le D.U.T. et le C.A.P.A.S.E. datent de 1970. C'est la loi de 1971 (qui n'a rien à voir avec l'animation) qui va permettre le développement des écoles (dont les centres publics) qui passeront d'une quinzaine à une cinquantaine en quelques années.

— Quand augmente-t-on brutalement le nombre de professionnels de l'animation de 25% environ? En 1981 alors que l'on ne parle plus beaucoup d'animation et que les animateurs semblent avoir de plus en plus de détracteurs. Du côté des associations traditionnelles d'Éducation populaire, les militants fourbissent leurs armes contre les professionnels, alors qu'auparavant on entendait surtout les professionnels soucieux de s'affranchir du joug des «bénévoles». Sans parler des créateurs qui, eux, les rejettent définitivement.

Même du côté de l'État plus personne ne croit plus à cet instrument «neutre» que serait l'animation pour revitaliser la vie sociale. Un certain consensus cristallise pour considérer l'animation comme «politique», au moins pour la gestion du «local». Cet instrument est l'association que l'on voudrait médiateur non plus entre l'État et la société civile, mais entre la municipalité et les citoyens. Point n'est besoin pour cela d'animateurs. À ces associations sont dévolues désormais des tâches plus précisément socio-culturelles ou culturelles (qualificatifs français qui dissimulent des fonctions plus ou moins inculcatives ou alors tout simplement d'organisation des loisirs).

Mais la machine formative est en route et des diplômes sur lesquels personne n'envisage de revenir[2] font recette auprès des candidats à la formation toujours preneurs, auprès des centres de formation dont c'est la raison d'être, et auprès des administrations tant occupées par leur gestion qu'elles n'envisagent pas de la remettre en question.

Le développement de la vie associative

Le développement de la vie associative était aussi à l'honneur dans le discours des hommes au pouvoir du septennat précédent. On en parlait beaucoup et ce d'autant plus que ceux qui en parlaient au gouvernement d'alors ignoraient de quoi il était question. Il n'en est pas de même pour les socialistes, bon nombre de membres du gouvernement ont fait leurs classes dans le mouvement associatif. De plus c'est bien avec le support de ce même mouvement que les élections municipales de 1977 ont permis la prime ou la reprise de bon nombre de municipalités. Enfin le gouvernement actuel est tenu par les engagements du Président de la République dans sa plate-forme électorale. Ainsi une de ses propositions était celle-ci: «le projet de loi sur la vie associative sera (également) soumis au vote du Parlement de la prochaine session. L'élu social aura un statut reconnu. Les associations d'usagers du cadre de vie verront leurs droits largement accrus et des moyens matériels mis à leur disposition». Déjà en 1978 lors d'une session extraordinaire du parlement une proposition de loi a été déposée au nom du P.S. et du M.R.G. par François MITTERAND et vingt-sept autres députés. Dans cette proposition se trouvait l'idée de créer un statut d'utilité sociale moins restrictif que celui d'utilité publique à ce jour seul reconnu. Dans la proposition socialiste seraient relevables de ce statut les associations qui «remplissent de manière habituelle et avec une audience suffisante une mission d'intérêt général». Beaucoup d'associations du secteur socio-culturel s'estiment porteuses de cette mission. L'État, à ce jour socialiste, aura-t-il la même appréciation en ce qui concerne des associations qui ne partagent pas le projet socialiste et qui pourtant oeuvrent bien dans le domaine socio-culturel? Enfin le parti dominant au pouvoir est lui-même divisé. D'un côté, nous retrouvons les partisans d'une aide exclusivement publique dans la tradition laïque et républicaine — ce qui à terme conduit à constituer une sorte de secteur para-public —; de l'autre, les partisans d'une relative indépendance par rapport aux collectivités publiques, cette indépendance étant assurée notamment par un «mécénat populaire» encouragé par une augmentation de l'exemption fiscale des dons.[3] Nous trouvons là dans ce courant bon nombre d'associations d'origine confessionnelle et leur porte-parole est principalement la Fondation pour la Vie Associative (F.O.N.D.A.).[4] L'actuel Ministre du Temps Libre (de tradition laïque) qui est chargé d'élaborer le projet de loi que François MITTERAND s'était engagé à faire voter est en présence d'un choix important pour le secteur socio-culturel. Quoi qu'il en soit, l'arrivée de la gauche au pouvoir va, quelle que soit la solution adoptée, se trouver en présence d'un débat réactivé entre confessionnels et laïques, débat relativement estompé aux temps où les associations se trouvaient grosso-modo toutes dans l'oppostion.

La décentralisation

Au moment où le projet de loi relatif aux droits et libertés des communes, des départements et des régions est examiné par le parlement français, il convient de s'interroger sur le rôle nouveau donné aux collectivités, notamment par rapport à l'emploi des animateurs. Celles-ci vont-elles faire ou faire faire, c'est-à-dire opteront-elles pour la gestion directe des animateurs ou pour les subventions aux associations afin qu'elles emploient — ou non — des animateurs? Pour cela, il faut peut-être rappeler qu'elle est leur pente naturelle à ce sujet.

En ce qui concerne les communes, l'emploi de plus en plus fréquent d'animateurs gérés par les municipalités — environ 2 500 en 1981 — a amené, dans la foulée du septennat précédent, le Ministre de l'Intérieur du nouveau

Gouvernement à signer l'Arrêté du 15 Juillet 1981 sur les «dispositions relatives aux agents communaux affectés aux fonctions de l'animation». Ces nouvelles dispositions permettent l'accès à la fonction publique communale aux animateurs qui en étaient jusqu'ici exclus. Ces nouveaux venus sont regardés un peu comme des intrus par leurs collègues attachés et rédacteurs communaux. Les animateurs sauront-ils se faire accepter? Les communes vont-elles jouer le jeu de l'intégration même si se profilent déjà derrière les animateurs bon nombre d'autres travailleurs sociaux voulant forcer la porte de la fonction communale surtout au niveau des cadres?[5] Ou bien vont-elles préférer puiser dans le personnel communal déjà en place pour les affecter à des emplois dits d'animation? Ou bien encore échapper à l'intégration des animateurs dans le personnel communal en les «gérant» par le biais d'associations-relais qui ne relèvent plus d'un statut public, comme elles en ont l'usage fréquent. En fait, les effets de la décentralisation, si elle est réellement réalisée, ne s'arrêteront pas là.

La décentralisation devrait «rapprocher» les partenaires. Ce qui n'est pas forcément bon ni favorable aux animateurs qui préfèrent peut-être un employeur lointain à un employeur proche. Enfin entre associations et communes et surtout départements la triangulation de l'État qui n'avait pas que des aspects négatifs (surtout en ce qui concerne la création) disparaîtra. Il est difficile de prévoir les effets de ce rapprochement des interlocuteurs mais on peut supposer qu'en ce qui concerne les animateurs, la République des copains n'en sera que plus efficace. On peut supposer en effet les conseillers généraux plus attentifs à bien choisir leurs animateurs conformément à leurs options et avec une attention moins distraite que les préfets jusqu'ici.

Nous ne prétendons pas faire la moindre prévision, il faudrait être devin pour prévoir les effets sur cette profession que l'on ne peut plus appeler nouvelle. Pourtant nous imaginons pour les années qui viennent quelques grincements dans la machine administrative en réponse à des revendications de statuts plus improbables que jamais.

NOTES ET RÉFÉRENCES

1. De fait cette opposition de politiques volontaristes et de politiques dérivées n'est pas totale. Il est bien évident que les créations d'emploi dans le secteur socio-culturel font beaucoup plus partie d'une politique générale de lutte contre le chômage, que d'une volonté manifeste de développer ce secteur. De même que la volonté de développer la vie associative a bien aussi, mais à moindre titre, comme fondement le souci de créer des emplois.

2. André HENRY, Ministre du Temps Libre, a annoncé le 12 janvier 1982 la création d'un diplôme d'animateur qui s'interposerait entre le B.A.S.E. et le D.E.F.A.

3. Le projet de budget 1982 prévoit une exemption fiscale dans la limite de 3% des sommes déclarées par les contribuables (et non plus 1%) en cas de versement à des associations.

4. La F.O.N.D.A. est née des centres de la D.A.P. (Association pour le Développement des Associations de Progrès). Cette association réunissait à l'origine des représentants d'associations laïques et d'associations confessionnelles. Ce sont sur les problèmes d'attribution du label d'utilité sociale et sur le mécenat populaire qu'un clivage s'est opéré, les laïques désertant progressivement la D.A.P.

5. Les assistantes sociales n'ont toujours pas accès au cadre A de la fonction publique et le revendiquent avec force.

Geneviève POUJOL
Nouvelles données, nouveaux enjeux pour les animateurs

RÉSUMÉ

L'auteur dégage les enjeux pour le champ social de l'animation de trois politiques volontaristes du nouveau gouvernement socialiste en France. Il s'agit d'abord de la politique de création d'emplois et nommément de postes d'animateurs, ce qui n'apparaît pas pour autant une politique de promotion de l'animation; en second lieu d'une politique de développement de la vie associative qui pose dans des termes nouveaux les rapports des associations, dans l'ensemble nettement favorables au gouvernement socialiste, à l'État; enfin d'une politique de décentralisation qui remet en cause la triangulation traditionnelle associations-communes-départements en faveur d'un rapprochement des deux partenaires locaux.

Geneviève POUJOL
New conditions and new stakes for leisure professionals

ABSTRACT

The author focuses on the stakes for the field of leisure organization which arise out of three direct-action programs instigated by the new French socialist government. They are: 1) the job-creation policy, which affects leisure professionals but, however, does not seem to imply the development of leisure *par se;* 2) a policy for the promotion of "associative life", which redefines the relationships between associations in terms, as a whole, definitely favorable to the socialist government and the State; and 3) a policy of decentralization which favors closer cooperation between the two local entities within the traditional tri-partite organization linking associations, rural districts ("communes") and "départements".

Geneviève POUJOL
Nuevos datos, nuevos dilemas para los animadores

RESUMEN

El autor destaca lo pro y los contra que para el campo de la animación tendrán tres políticas voluntaristas del nuevo gobierno socialista de Francia. En primer lugar, una política de creación de empleos, especialmente de puestos de animadores, lo que no parecería ser una política de promoción de la animación; en segundo luiar, una política de desarrollo de la vida asociativa que plantea en nuevos términos las relaciones de las asociaciones con el Estado, las cuales son en su conjunto netamente favorables al gobierno socialista. Finalmente, una política de descentralización que pone en cuestión el triángulo tradicional «asociaciones-comunas-departamentos» y que favorece un acercamiento entre los dos participantes locales.

Geneviève Poujol
  Neue Wirklichkeiten, neue Orientierungen für Animateure

ZUSAMMENFASSUNG

Die Autorin legt die Orienterungen frei, die sich für das soziale Aktionsfeld der Freizeitanimerung aus drei voluntaristischen Politiken der neuen sozialistischen Regierung Frankreichs ergeben. Zum ersten geht es um die Politik zur Bestellung von Arbeitplätzen, namentlich von Stellen für Animateure, was aber nicht schon ainer Politik zur Promotion von Freizeitanimierung gleichzusetzen ist. Zum zweiten handelt es sich um eine Politik zur Förderung des Vereinslebens, die in neuen Begriffen die Bezüge zwischen dem Staat und den Vereinen, welcha grossenteils die sozialistische Regiorung begünstigen, formuliert. Schliesslich geht es um die Dezentralisationspolitik, die das traditionelle Dreieck Verein-Gemeinde-Departement zugunsten einer Annäherung der beiden lokalen Partner in Frage stellt.

ANIMATION ET CULTURES PROFESSIONNELLES

Troisième partie:
Contributions complémentaires

LE «RECREATION LEADERSHIP» AMÉRICAIN PAR LES TEXTES: UN OUTIL TECHNIQUE ET IDÉOLOGIQUE

Michel NEVEU

Introduction

Nous nous proposons dans cet article de rendre raison du discours que tiennent les intellectuels de la récréation américaine pour légitimer la présence et l'action du *recreation leadership* dans les communautés états-uniennes. Nous allons particulièrement diriger notre attention sur trois objets de ce discours: les orientations que l'on donne à la récréation publique, les stratégies élaborées pour justifier l'intervention au niveau de la municipalité ainsi que le profil-type du *recreation leader* professionnel.

Pour nous aider dans cette démarche, nous avons choisi de procéder à une recension d'une douzaine d'ouvrages traitant de la récréation communautaire et du *recreation leadership*.[1] Ces ouvrages nous sont parus particulièrement pertinents dans la réalisation de cet exercice. Dans un premier temps, ils nous apparaissent tous être coulés dans le même creuset idéologique et structurel. Au plan idéologique, ils puisent largement à la source de l'idéologie libérale. En ce qui touche le cadre structurel, la plupart d'entr'eux abordent les mêmes thèmes: l'histoire du mouvement récréatif, les grands acteurs de la récréation communautaire le *recreation leader,* le professionnalisme ou la professionnalisation du champ. Dans un second moment, ces volumes, se présentant comme des manuels d'introduction ou comme des livres de référence, nous semblent, à en juger par leur popularité relative,[2] des instruments pédagogiques fortement utilisés et, par voie de conséquence, des outils déterminants dans la formation du *recreation leader* au projet de professionnalisation du *recreation leadership*.

1 Les deux orientations majeures de la récréation publique aux U.S.A.

C'est au cours de la première décennie du vingtième siècle qu'on voit apparaître aux États-Unis l'occupation du *recreation leadership*, domaine d'intérêt public nouveau pour répondre à des besoins nouveaux d'une société américaine

Loisir et Société/*Society and Leisure*
volume 5, numéro 1, printemps 1982, pp. 203-222
© PUQ

déjà bien industrialisée. La récréation, qui, comme pratique, est jusqu'alors plutôt le lot d'une catégorie particulière de la population et qui, au plan de la production et de l'organisation, relève largement du commerce même si la société politique et quelques fractions de la société civile[3] l'investissent timidement, est maintenant perçue comme une réalité sociale devant être accessible à tous les citoyens.

Produit d'une civilisation industrialisée, la récréation ne comporte pas que des éléments négatifs; au contraire, des valeurs, extrêmement positives tant pour l'individu que pour la société, lui sont reconnues. De cela, les pionniers de ce que les américains conviennent d'appeler le mouvement récréatif en sont persuadés. Ces éducateurs, ces travailleurs sociaux, ces bénévoles qui oeuvrent dans le domaine de la récréation depuis la fin du dix-neuvième siècle sont donc convaincus de la nécessité de créer une organisation pour faire la promotion de services de loisirs communautaires à la grandeur du territoire de l'Oncle Sam.

Ils vont donc former en 1906 le Playground Association of America (association américaine des terrains de jeux) pour réaliser leur mission. En gros, l'association entend promouvoir un intérêt dans les terrains de jeux et autres équipements sportifs, encourager l'établissement de tels équipements et aussi de voir à ce que du personnel compétent puisse en assurer la supervision:

> «To collect and distribute knowledge of and promote interest in playgrounds and athletic fields throughout the country, to seek to further the establishments of playgrounds and athletic fields in all communities and directed play in connection with schools.»[4]

On peut donc avancer, par l'exemen des propos que tiennent les intellectuels de la récréation, que le Playground association of America, qui devient le Playground and Recreation Association of America en 1911 et la National Recreation Association en 1930, agit comme rampe de lancement de la professionnalisation du *recreation leadership*. Alors que la professionnalisation du loisir au Québec et celle de l'animation socio-culturelle en France conduisent les agents professionnels à se doter d'organisations, c'est exactement le contraire qui se produit aux États-Unis. Alors que la société politique de la France et du Québec s'impliquent de façon singulièrement importante dans la professionnalisation du loisir et de l'animation socio-culturelle, l'apparition du *recreation leadership* américain semble être, dans une très large mesure, le résultat d'initiatives privées. Bien que recevant un appui moral de la part du gouvernement central,[5] on peut affirmer que c'est la société civile qui est à l'origine de l'institutionnalisation et de la professionnalisation de la récréation publique aux États-Unis.[6]

Pour démontrer l'utilité sociale de ce champ de pratique et la nécessité de recourir à du personnel formé professionnellement pour y intervenir, les nouveaux professionnels élaborent un discours qui fait état de deux conceptions de la récréation, conceptions qui traduisent les orientations majeures du *recreation leadership*, qui commandent de nouveaux modèles d'organisation, qui ouvrent la voie à l'instauration d'une culture professionnelle en cette matière.

Une première conception consiste à présenter la récréation comme moyen thérapeutique, comme instrument d'intégration sociale. Cette conception n'est pas nouvelle; en fait, elle arrive en droite ligne du mouvement récréatif qui est apparu entre les années 1850 et le début du présent siècle. Loin de disqualifier l'idéologie dont ils s'étaient faits eux-mêmes les défenseurs du temps où ils intervenaient bénévolement en récréation, les dirigeants de la nouvelle culture professionnelle l'incorporent dans leur projet social. Ils tentent donc de justifier leur intervention en se basant sur l'idée que la récréation joue un rôle de bien-être social dans la nouvelle civilisation industrielle. La récréation n'a-t-elle pas collaboré jusqu'à maintenant à limiter certains effets néfastes de l'industrialisation et de son corollaire, l'urbanisation? La récréation n'a-t-elle pas servi de remède à la délinquance juvénile et à d'autres formes de pathologie sociale? La récréation ne vient-elle pas seconder les efforts du système éducatif — quand elle ne se substitue pas tout simplement à celui-ci — dans «l'américanisation» des millions d'immigrants venus s'établir au pays? Oui, disent-ils, la récréation contient des valeurs thérapeutiques qui permettent de corriger certains dysfonctionnements individuels et sociaux et, ne serait-ce qu'à ce titre, son utilité sociale ne saurait être mise en doute.

> «The recreation movement was born with a social conscience. (. . .) Its earliest practitioners had a social welfare motivation in which the social ends of human development, curbing juvenile delinquency, informal education, cultural enrichment, health improvement and other objectives were central».[7]

À cette idée de la récréation-oeuvre[8] s'ajoute une autre conception venant renforcer la position et l'action des nouveaux professionnels. Ardents partisans de l'idéologie libérale, ils récupèrent les thèmes préconisés par cette dernière pour introduire dans leur discours la notion de la récréation-droit. Comme, dans une société démocratique, les notions d'individu et de liberté, entre autres, doivent être valorisées et comme la récréation est perçue comme moyen d'atteindre le bonheur,[9] cette dernière doit être considérée comme un principe de base de la démocratie américaine. La Constitution américaine sert elle-même de caution morale, de garant métasocial si on peut dire, au projet des professionnels de la récréation. Ne déclare-t-elle pas que la vie, la liberté et la poursuite du bonheur représentent quelques-uns des droits inaliénables de tous les hommes?[10] Dans une société qui se fait forte de distinguer le public du privé, la récréation devient un territoire, une propriété exclusive de l'individu. Dans une telle société, la récréation devient un droit au même titre que le droit à la vie, au travail, à l'éducation, etc.[11] Mais pour réaliser adéquatement son projet d'épanouissement de l'individu, d'expression de sa créativité, la récréation ne doit pas, ne peut pas être laissée à elle-même; elle doit faire l'objet d'une intervention pédagogique ou andragogique — selon que l'on s'adresse aux jeunes ou aux adultes — car on se rend compte que les individus sont incapables d'assumer seuls leur potentiel récréatif.

> «Even a cursory examination of the situation reveals that children do not know how to play well without some training and direction, and adults may idle away or even misure leisure».[12]

En un mot, c'est au nom même de la liberté de l'individu en ce qui touche son loisir que la société a le devoir, voire l'obligation, d'éduquer les gens en matière de récréation.

> «It is this concept of freedom in leisure which imposes upon society the necessity of educating the people for leisure».[13]

Dans cette perspective, la récréation est appréhendée comme un besoin humain fondamental, un besoin lié à la liberté même de l'individu, au même titre que les besoins physiques, psychologiques, intellectuels à la satisfaction desquels elle participe. La récréation, selon les intellectuels, constitue un lieu d'épanouissement personnel, un locus important de socialisation et de formation:

> «A field of actitivies, freely chosen, possessing potentialities for the enrichment of life through the satisfaction of certain basic individual needs and the development of democratic human relations».[14]

Les fondateurs de l'association américaine des terrains de jeux de même que leurs successeurs vont s'attarder à ériger un champ professionnel en faisant appel à une double assise: la récréation comme oeuvre sociale servant à régler, à contrôler le temps libre de certaines fractions marginalisées de la société américaine et la récréation comme droit légitime de tout citoyen ayant adhéré ou devant adhérer à «l'american way of life».

> «Recreation has long been a factor in social control and development. Its role along this line is increasing. It is viewed as a method of attaining physical fitness. As a device for learning, and as means of building morale, esprit de corps, and unity among persons and groups. It is sought as an attractive way to develop personality and achieve balance. In addition, recreation is used today to help the ill and the injured on their road to recovery, to help curb the extremes of deliquency and other forms of anti-social behavior, to help erase the problems of community disorganization and to help soften the blows which fall upon the unfortunate».[15]

Ainsi la récréation, par son pouvoir d'enrichir la vie des gens, par sa capacité de contribuer aux forces sociales de la communauté,[16] devient un élément vital de celle-ci. Les deux courants idéologiques mentionnés plus haut constituent donc les pierres angulaires d'une culture professionnelle qui, avec l'appui de la société politique, entend confirmer sa présence et son leadership dans la société civile.

2   Récréation communautaire et *recreation leadership:* émergence et affirmation de la récréation municipale américaine

Les objectifs poursuivis par le Playground Association of America se traduisent rapidement dans la réalité américaine. En 1906, lors de sa création, quarante et une (41) municipalités offrent des programmes récréatifs par le truchement des fonds publics. On double ce chiffre en moins de dix ans. À compter de cette date, on assiste à une multiplication de services municipaux à la grandeur du continent: en 1920, on en compte 465; en 1930, 980 et il y en a 1530 en 1946.[17] Il devient intéressant d'examiner comment les professionnels de la récréation s'y prennent pour justifier leur intervention sur la scène municipale. En d'autres mots, comment arrivent-ils à convaincre les gouvernements locaux à intervenir en matière de récréation? Mais avant d'élucider cette question, il convient de présenter les acteurs de la récréation communautaire tels qu'ils sont saisis par les intellectuels de la récréation.

La communauté américaine est généralement définie de façon à inclure des acteurs et des citoyens partageant des objectifs et des activités en commun sur un territoire géographique bien identifié et qui, au-delà de leurs intérêts particuliers, conviennent de fonctionner ensemble en ce qui regarde les principales affaires de la cité.[18] Quand on parle de récréation communautaire aux U.S.A., on semble parler de toutes les organisations dispensant des biens et des services récréatifs pour le bénéfice de tous les gens d'une communauté. Pourtant, les intellectuels sont loin de faire l'unanimité quant à l'inclusion de la récréation commerciale dans la notion de «récréation communautaire».[19] Ce qui peut surprendre, c'est que ceux qui excluent le domaine commercial de leur définition le reconnaissent tout de même comme une des catégories d'organisations s'occupant des faits récréatifs au sein de la communauté. En fait, tous les intellectuels s'entendent sur les quatre catégories suivantes: 1) les organismes gouvernementaux; 2) les organisations volontaires, tels les Y.M.C.A., les Boys'Clubs; 3) les organismes privés à but non lucratif et 4) les entreprises commerciales. Toutes ces organisations, cohabitant au sein de la communauté, ont toutes leur raison d'être parce qu'elles poursuivent une finalité légitime: celle qui permet aux citoyens d'être «heureux». De plus, dans une «America» démocratique, la récréation organisée ne doit pas devenir la prérogative d'un secteur donné de la société. Cet état de fait va purement et simplement à l'encontre de l'idée du pluralisme, un des thèmes forts de toute société libérale.

Alors, tout en convenant que la récréation doit demeurer dans une large mesure, matière relevant de l'initiative individuelle et un champ propre pour l'entreprise commerciale, elle est aussi un champ légitime d'activité gouvernementale, non seulement au niveau de la réglementation mais aussi au niveau de la promotion d'un état de bien-être général.[20] C'est en partant du critère que la récréation est un besoin commun à l'ensemble de la population que les intellectuels invitent le gouvernement local à s'impliquer en cette matière. Comme la récréation est intimement liée au développement de l'individu comme citoyen, il devient impérieux de créer des conditions sociétales afin de produire le genre de citoyen dont la démocratie a besoin.

> «In a democratic society the contribution of all is needed, and recreation is one factor that will aid the individual to arrive at and maintain an optimum social contributory level».[21]

Comme la récréation est, semble-t-il, accessible à tous, comme elle doit être saisie comme une partie normale de la vie quotidienne de tous les individus, le gouvernement local a la responsabilité d'intervenir afin que la population l'utilise sainement.

> «The uses people make of their leisure is undeniably a matter of social concern. The right use of leisure is a safeguard of the integrity of our society».[22]

De concert avec d'autres acteurs influents, l'Église, l'École et les associations volontaires entre autres, les professionnels de la récréation entendent démontrer, tout en considérant qu'ils ne doivent pas détenir le monopole de la récréation organisée dans la communauté, l'importance, voire la nécessité, de leur présence et de leur action. Et c'est particulièrement au sein de l'appareil gouvernemental qu'ils choisissent d'oeuvrer. Ils développent donc un ensemble de stratégies pour s'assurer du support gouvernemental, tant au niveau de la localité, de l'État qu'à celui de la nation.

Une première stratégie consiste à éveiller les autorités publiques aux dangers de la récréation laissée à elle-même:

> «In large measure, the support for public recreation was based on the fear that leisure would be used unwisely. There was an increasing conviction among industrial leaders and civic official that the growth of leisure for the working classes represented a dangerous trend. (. . .) Concerns were expressed about what idle men would do with their time. The major concern, however, was about children and youth in the large cities and their need for healthy and safe places to play».[23]

La démocratisation de la récréation est certes un résultat positif de l'industrialisation mais il ne faut pas que les gens, surtout ceux de la classe ouvrière, soient entraînés, à leur insu, à mal l'utiliser. L'accès au loisir de même que sa considérable augmentation commandent une attention particulière de la part de ceux qui dirigent les destinées de la communauté.

> «How we use this time may well be the supreme test of our civilization. Freedom of choice in wholesome recreation pursuits in leisure hours demands leadership to provide creative opportunities and to give guidance to forming the emotional mechanism with which to make satis-

fying choices. Boredom is a twentieth-century disease; to leave a bored people to themselves is to invite disaster for civilization.»[24]

Si on craint pour les adultes de la classe ouvrière, il faut également s'inquiéter de leurs enfants. Il importe de les aider à ne pas sombrer dans l'oisiveté, mère de tous les vices. Une des façons les plus adéquates de prévenir cet état de chose, selon les intellectuels, est de leur procurer des terrains de jeux et des programmes récréatifs supervisés.

«The public playground is the greatest deterrent of juvenile delinquency and lawlessness among children. It stands for body and character building, and produces better children, homes, morals and citizens. On the score of public economy alone, the playground is a necessity».[25]

Une seconde stratégie déployée par les agents professionnels pour faire valoir la nécessité d'une intervention publique dans le domaine de la récréation se résume à ceci: il faut alerter l'opinion publique sur les dangers liés à la récréation commerciale. Sans totalement la disqualifier, ce qui va une fois de plus à l'encontre des principes axiologiques contenus dans l'idéologie libérale, on invite la population à examiner l'impact que peut avoir la récréation commerciale sur la moralité publique.[26]

«(...) There has been the fear that people would grow slothful and passive in their uses of freetime and would seek the cheapest and most tawdry kinds of amusement. Boredom, alienation, and the use of drugs, alcohol, and sex as time killers have all been seen as dangers of increases leisure».[27]

Les professionnels de la récréation, appuyés par les travailleurs sociaux, les éducateurs, les ministres du culte qui considèrent que la récréation commerciale représente plus une dégradation qu'une élévation de l'esprit humain,[28] se trouvent en bonne posture pour convaincre la population locale de l'utilité sociale de la récréation publique. Mais ils se gardent bien d'entrer en contradiction avec l'idéologie libérale à partir de laquelle ils fondent l'essentiel de leur discours professionnel:

«The recent activities of government in the field of recreation have not been undertaken for the purpose of interfering with the rights of individual citizens, but on the contrary they have been pursued with the object in view of expanding the scope of recreational experiences of the people and equalizing opportunities for wholesome recreation».[29]

En un mot, si le gouvernement local intervient en matière de récréation ce n'est certes pas dans le but d'interférer avec les droits des citoyens, mais dans le but de leur offrir une alternative valable. Même si la récréation commerciale, même si la récréation familiale sont des champs légitimes, le service de récréation municipale permet d'élargir l'éventail des possibles récréatifs pour l'ensemble de la population et surtout de lui présenter des programmes d'activités sains, créateurs, épanouissants.

Les intellectuels de la récréation s'efforcent donc de faire valoir, non seulement l'importance de la récréation publique mais aussi le rôle qu'elle doit assumer au sein de la communauté. Même si elle n'est pas la seule à considérer la récréation dans le processus du développement communautaire,[30] il apparaît qu'elle soit plus en mesure que les autres acteurs d'agir comme chef de file de la récréation communautaire.

> «The primary responsibility for recreation is in the local community, and because recreation contributes to the welfare of the people, it is a primary responsibility of local government».[31]

Les raisons, les motifs appuyant une telle assertion sont très explicites en ce qui regarde les promoteurs de la récréation publique. Par exemple,

> «Democratic government is democratically supported by all. It should serve the entire population. Tax finds are the main basis of support in a democratic government. These public finds should serve public purposes, among them the recreational and park interests of the people.

> Government is continuous and permanent. Services such as health, education and recreation, which are basis to the wellbeing of people, should not be sporadically provided».[32]

Bref, c'est parce qu'elle est démocratique, qu'elle est relativement peu dispendieuse, qu'elle est souvent la seule à permettre à une large couche de la population de s'adonner à des formes légitimes de loisir que la récréation publique a non seulement sa raison d'être mais sa validité comme figure de proue de la récréation communautaire. Les intellectuels de la récréation, loin de minimiser les efforts des autres acteurs impliqués dans la communauté en matière de récréation, soulignent l'importance de la coopération, la nécessité de l'action concertée pour assurer le mieux-être de la population.[33] Mais dans ce contexte de collaboration, c'est à la récréation publique que doit revenir le rôle de leader. C'est elle qui doit devenir le point de ralliement des forces communautaires de nature récréative.

> «The principle that recreation is neigher the sole responsibility nor the exclusive right of any one community agency, does not preclude the placing of authority for the public recreation service of the community».[34]

La récréation municipale doit agir comme le médiateur privilégié entre les autres organisations communautaires de récréation, la population et le pouvoir local.

> «The nucleus of community recreation, however, should be a publicly supported system of leisure-time opportunities. Extensive and effective relationships with all groups and organizations active in the community recreation must be established and maintained by the public recreation

department. It must lend its support and good will to all of them, and in turn must encourage or sponsor a means of securing their support and the support of all other community groups for the recreation department itself».[35]

La récréation commerciale, notamment, devrait être supportée et encouragée par les citoyens quand elle offre des contenus valables; d'un autre côté, estiment les intellectuels de la récréation, on ne doit pas hésiter à légiférer en vue de contrôler et même d'éliminer les formes commerciales indésirables.[36]

Donc, même si la récréation publique doit détenir le leadership, celui-ci doit s'exercer avec le consentement des partenaires. Se présentant comme l'agent de consensus, elle doit encourager l'initiative privée et le partage, la mise en commun. Toute évocation au conflit, voire à la lutte des classes, est exclue du discours professionnel.

> «Community-minded public recreation administrations fully encourage and assist the formation of drama societies. Boy Scout groups and similar endeavors which later become established in their own right as parts of the community's recreation resources.»[37]

Ce que les professionnels de la récréation tentent de démontrer, c'est tout simplement que c'est par le biais d'une approche intégrée et axée sur la coopération que les intérêts de la communauté entière sont les mieux desservis en matière de récréation communautaire.

Afin de mener à bien la mission qui lui incombe, soit d'assumer le leadership dans la communauté, la récréation municipale doit relever d'un personnel compétent, expert, professionnel. Seules la présence et l'action d'un personnel éclairé, capable d'agir comme agent de socialisation, comme agent de formation technique et professionnelle, comme agent de liaison en mesure d'interpréter la culture légitime, semblent pouvoir garantir la réussite de la mission.

> «Recreation service, like Education, is too important an area of public concern to get into the hands of those who mean well but who cannot perform or serve well».[38]

Comme le *recreation leader* «is a promoter, an organizer and administrator, an engineer, a teacher, a cooperator, and a sort of spiritual leader»,[39] il va sans dire que la bonne volonté ne suffit pas. Non seulement le leader doit-il organiser des comités, recruter et former les bénévoles, initier les individus et les groupes aux «bonnes» pratiques récréatives mais encore faut-il — et c'est là une de ses fonctions les plus importantes — qu'il ait les compétences et les qualités nécessaires pour pouvoir établir les médiations nécessaires en vue d'un consensus communautaire. Il devient donc essentiel de développer des programmes de formation spécialisée qui sachent transmettre les valeurs de la récréation telles que préconisées par les intellectuels ainsi que les méthodes, techniques et habiletés requises dans l'exercice du métier. Ce besoin de formation, tant des professionnels que des bénévoles, va tracer la voie à la mise en place d'un réseau d'institutions de formation universitaire et collégiale sur l'ensemble du territoire américain.[40]

3 Du leader de bonne volonté au leader spécialisé

Le Playground Association of America, on l'a vu, entend faire la promotion d'une culture professionnelle dans le domaine de la récréation. Elle devient elle-même un acteur de premier plan dans l'instauration de cette culture. Dans un premier temps, elle réussit à convaincre les gouvernements locaux de créer des services de récréation permanents et de s'assurer que ces services soient dirigés par du personnel de qualité. Consciente que ces «playleaders» (devenus plus tard des *recreation leaders*) sont plus ou moins équipés pour accomplir des fonctions qui vont devenir de plus en plus complexes, elle initie des programmes de formation à leur intention.[41] Peu à peu, les universités, par le truchement des départements de sociologie, de travail social, d'administration publique, d'éducation et d'éducation physique surtout, commencent à offrir des activités académiques portant sur la récréation.[42] D'autres instances participent aussi à la formation des *recreation leaders* de concert avec les intellectuels de la récréation.[43]

Bien que les gouvernements locaux confient aux professionnels le soin de diriger et coordonner les programmes récréatifs, pour gérer le développement de la récréation communautaire, ces derniers n'excluent pas pour autant les bénévoles, qui, dans la nouvelle conjoncture, se situent dans le prolongement de leur action professionnelle.[44] Même si les bénévoles sont réduits à occuper des postes subalternes au sein des organisations, les professionnels reconnaissent leur importance:

> «The significant attributes of volunteer leadership are related to lay participation as a function of citizenship in a democracy and to the richness and broadness of personalities, talents, experiences and community contacts which are made available to the agency, its program and membership. The volunteer has other contributions to make to the agency including new points of view, contacts with civic forces, opportunity for extended service and a means of public interpretation».[45]

Comme les bénévoles prennent une place relativement majeure dans le système récréatif, les professionnels ont le devoir de les initier à reproduire la récréation telle que conçue par eux, de les superviser, de les guider.[46] Mais, n'est pas professionnel qui veut: il faut rencontrer certains critères.

> «Who is the recreation professional today (. . .)? In a major community agency, the recreation professional is likely to be regarded as an individual holding a college degree in recreation or a related field, employed as an administrator or high level-supervisor. . . Today, those who enter

this field must have specialized training, if they are to operate effectively».[47]

Donc, ces rôles de médiateur technique — agent d'initiation à la pratique d'activités socialement acceptables — et de médiateur social — agent de socialisation et d'intégration — ne peuvent être adéquatement accomplis sans une formation de base de calibre universitaire ou à tout le moins collégiale.

Mais quel est l'objet, quelle est la nature de cette formation? Certes, comme les autres programmes de formation, la formation spécialisée dans le domaine de la récréation implique la transmission de connaissances, de techniques et de méthodes relatives à l'exercice du métier de *recreation leader*. Un des premiers savoirs porte sur l'objet même de la formation, à savoir la récréation. Qu'entend-on par récréation?

> «Recreation consists of activities or experiences carried on within leisure, usually chosen voluntarily by the participant, either because of the satisfaction or pleasure he gains from them or because he perceives certain personal or social values to be derived from them. When it is carried on as a part of organized community or voluntary agency programs, it is designed to meet constructive and socially acceptable goals of the individual participant, the group, and society at large».[48]

Ce qu'on retient de cette définition qui, en gros, correspond aux autres définitions offertes par les intellectuels de la récréation, c'est que la récréation est centrée sur l'individu, qu'elle est enracinée dans ses besoins fondamentaux et qu'elle vise sa créativité, sa satisfaction, son épanouissement. C'est sur ces «fondements» que va s'édifier le projet éducatif de ceux qui ont la tâche de former le *recreation leader* dans les universités et les collèges américains.

Ce projet éducatif comprend plusieurs dimensions, à savoir les disciplines-mères, les compétences, les habiletés, les qualités, la structure de formation, les niveaux de spécialisation correspondant aux exigences des tâches que le *recreation leader* peut être amené à accomplir dans son milieu de travail. Nous allons examiner quelques-unes de ces dimensions dans les pages qui suivent.

Les programmes de formation spécialisée, depuis leur apparition jusqu'à aujourd'hui, visent la préparation d'individus à exercer des tâches de leadership dans le domaine de la récréation.[49] Faisant leurs les orientations idéologiques de la récréation-oeuvre et de la récréation-droit, ces programmes entendent produire des généralistes, non seulement capables d'organiser et d'administrer des programmes mais également habiletés à guider les individus et les groupes dans leurs pratiques récréatives selon les valeurs bien établies de la société américaine.[50] L'étude du leadership s'avère donc un élément central de tout curriculum spécialisé en récréation.

«Basically, leadership application in the field of recreational service is concerned with self-comprehension, understanding the feelings and needs of others, practical knowledge of the social group situation, sources and types of influence within some organizational framework, and the principles necessary for effective leadership».[51]

Partant de cette observation, on peut comprendre que la psychologie, qu'il s'agisse de psychologie appliquée, de psychologie sociale ou de psychologie de l'éducation, est en quelque sorte la discipline-maîtresse à partir de laquelle les aspects tant fondamentaux que techniques de la récréation sont appréhendés. Le *recreation leader*, pour réaliser efficacement ses rôles d'éducateur, d'organisateur, de stimulateur, de guide, d'évaluateur,[52] se doit de maîtriser les fondements psychologiques entourant la connaissance de l'individu, de ses besoins fondamentaux, de ses motivations de manière à mieux l'orienter et le conseiller dans son vécu récréatif. Ces connaissances psychologiques lui permettent de saisir l'individu à un deuxième niveau, soit dans ses rapports aux groupes et à la société. Il est alors possible au *recreation leader* de pouvoir déceler les leaders naturels et de les intégrer à son projet social.[53] Enfin la psychologie sociale doit pouvoir aider le *recreation leader* à pouvoir travailler avec les groupes d'individus qu'on convient d'appeler les «populations spéciales». La récréation, ne l'oublions pas, peut être perçue comme moyen ou comme finalité. C'est au *recreation leader* de dépister les besoins des individus et de la société et d'intervenir en conséquence. La psychologie est donc considérablement mise à contribution dans l'élaboration des curricula. D'autres sciences, notamment la sociologie, l'économique et la philosophie, agissent comme disciplines d'appoint dans les programmes de formation spécialisés en *recreation leadership* mais leur contribution est relativement mineure.[54]

Pour que le *recreation leader* soit en mesure d'exercer positivement et convenablement son double rôle de médiateur, technique et professionnel, il lui faut développer un certain nombre de compétences que les intellectuels ont identifiés.

«Understanding the concepts of leisure, the philosophies of recreation.

Knowledge of the nature, history, and development of the recreation movement.

Knowledge of the nature, scope and importance of recreation in the community setting.

Appreciation of the roles of the leader and leader's function in the guidance and counselling of individuals in social, personal and leisure concerns.

Knowledge of the planning and operation of park and recreation facilities.

Ability to train, supervise and utilize both volunteers and professionals.

Ability of interpret the role of the recreation profession to colleagues, community groups and participants in recreation programs.

Knowledge of professional, service and related recreation organizations».[55]

Ces compétences sont potentiellement acquises par le truchement de cours qui sont décernés dans diverses institutions, qu'elles soient de niveau collégial ou de niveau universitaire. Le *recreation leader,* quel que soit le niveau de formation auquel il aspire, acquiert des connaissances, des savoir-faire, des savoir-être qui l'habilitent à gérer les destinées récréatives des individus et des groupes communautaires et à promouvoir la professionnalisation de son champ de pratique.

Mais au-delà des compétences académiques et des habilités techniques, le travailleur professionnel de la récréation ne peut être aussi efficace dans son intervention s'il ne possède un certain nombre de qualités personnelles:

«Important as it is to select recreation workers for their technical abilities to organize and direct particular activities, it is more essential to take account of their general qualifications. In the field of leisure-time activity, personality, attitudes, interests, and capabilities are of even greater importance than technical skills in directing activities. No position which involves relationships with people should be filled out without careful consideration of the applicant's cultural background and potentialities for growth and development. Sterling character and personal integrity are absolutely essential».[56]

Ainsi, le bon *recreation leader,* en plus de détenir les qualités généralement requises dans les professions, notamment l'initiative, le sens des responsabilités, le sens de l'éthique, doit, en adéquation avec son rôle de médiateur, posséder un large éventail d'attributs personnels.

«The successful recreation leader should:
— Have love of people, enthusiasm, awareness, imagination, patience, optimism, humility, flexibility.[57]
— Have appearance, speaking ability, good mental and phsyical health.[58]
— Have skills in communicating effectively with others, warmth, empathy, a sense of humor, a point of view that sees cooperation, rather than competition and jealousy as a way of life.[59]
— Be good naturel, joyful, enthusiastic, honest, sincere, dependable».[60]

Ces qualités, aux yeux des intellectuels de la récréation, deviennent même critère important pour l'admission des individus tant au niveau des maisons d'enseignement qu'à celui du milieu de travail. Mais elles ne sont pas pour autant propriété exclusive du *recreation leader* professionnel. Le bénévole doit être en mesure de démontrer qu'il les possède à un degré acceptable. Comme celui-ci, a priori, ne maîtrise pas les compétences académiques relatives au métier comme ses habiletés techniques sont relativement moins articulées que celles de son supérieur professionnel, ce sont ses attributs personnels qui pourront favoriser sa sélection au sein du service récréatif.[61] En somme, le *recreation leader* américain, sur la scène municipale selon les intellectuels qui en dessinent le profil, possède un bon bagage académique dans une institution accréditée,[62] ainsi qu'une personnalité dynamique[63]. Ces deux catégories de qualifications demeurent essentielles pour celui dont la tâche consiste, quel que soit son niveau d'intervention[64] à diriger, contrôler, influencer le temps libre des individus et des groupes dans la communauté et à promouvoir la professionnalisation de son champ de compétence.

Conclusion

Le présent article s'est surtout appliqué à lever le voile sur quelques-unes des dimensions entourant la problématique de la professionnalisation de la récréation aux États-Unis.

À la lumière de ce qui précède, d'aucuns ne contesteront que les intellectuels de la récréation jouent un rôle de premier plan dans la professionnalisation de ce que les américains conviennent généralement d'appeler le *recreation leadership*. Pour justifier, légitimer leurs intentions corporatistes, ils s'appliquent à démontrer que ce champ constitue, en dernière instance, un instrument de contrôle et d'intégration sociale. La récréation, dans sa visée du «bonheur humain» devient l'objet justifiant le *recreation leadership*. Celui-ci s'actualise par une double médiation à caractère à la fois technique et idéologique. D'une part, le *recreation leadership,* entend par le biais d'activités récréatives de toutes sortes, corriger les dysfonctionnements des individus et des groupes. D'autre part, toujours par le truchement d'activités récréatives encadrées, il contribue à éduquer les individus, et ultimement le peuple, à réaliser leur plein potentiel, à vivre une vie saine, socialement acceptable et, par le fait même à devenir des citoyens actifs dans un U.S.A. démocratique. Dans telle perspective, le *recreation leader* professionnel est le seul à pouvoir agir, en toute efficacité, comme agent de cette intégration et de cette socialisation aux valeurs dominantes de la société américaine. Comme le souligne Bellefleur: «Les attentes à son endroit appréhendent généralement son rôle comme étant associé à une fonction à la fois curative et intégriste».[65]

Les écrits de ces intellectuels, qu'ils traitent d'administration ou de philosophie, de planification ou d'histoire, de programmes récréatifs ou de leadership, témoignent du rôle qu'ils entendent jouer sur l'échiquier de la professionnalisation de la récréation. Au-delà des connaissances et des habiletés qu'ils diffusent dans leurs ouvrages, ils s'emploient à promouvoir l'idéologie libérale américaine et l'idéologie d'une culture professionnelle. Le discours véhiculé sert bien sûr à encadrer, à normaliser les pratiques professionnelles et, conséquemment, les pratiques récréatives dans le sens du libéralisme américain; il sert aussi à s'assujettir la contribution des *recreation leaders,* tant professionnels que bénévoles, au développement du projet professionnel de la récréation publique. Ainsi les textes américains sur la récréation peuvent-ils être perçus à la fois comme des outils à la fois de médiation technique et de médiation idéologique.

NOTES ET RÉFÉRENCES

1. Les ouvrages suivants ont été recensés:

   G. HJELTE, *The Administration of Public Recreation* (1940)
   G.B. FITZGERALD, *Community Organization for Recreation* (1948)
   M.H. NEWMEYER et E.S. NEWMEYER, *Leisure and Recreation* (1958)
   G.D. BUTLER, *Introduction to Community Recreation* (1968)
   R.E. CARLSON, T.R. DEPPE et J.R. MACLEAN, *Recreation in American Life* (1969)
   H.D. MEYER, C.K. BRIGHTBILL et H.D. SESSOMS, *Community Recreation. A Guide to its organization* (1969)
   T.S. YUKIC, *Fundamentals of Recreation* (1970)
   J.S. SHIVERS, *Leadership in Recreational Service* (1970)
   H.G. DANFORD, *Creative Leadership in Recreation* (1970)
   R.G. KRAUS, *Recreation and Leisure in Modern Society* (1971)
   H.D. SESSOMS, H.D. MEYER et C.K. BRIGHTBILL, *Leisure Services. The organized recreation and park system* (1975)
   R.G. KRAUS et B.S. BATES, *Recreation leadership and supervision: Guidelines for professional development* (1975).

   Tous ces volumes, sauf le premier, sont l'oeuvre d'universitaires qui furent ou sont étroitement associés à des programmes de formation en récréation. La décision de référer à un grand nombre d'ouvrages couvrant une période significative de l'évolution de la récréation aux U.S.A. repose sur le fait que nous avons décelé un substrat d'importance en ce qui touche le discours professionnel: les auteurs récents semblent s'inspirer abondamment chez leurs prédécesseurs, si bien qu'on observe une survivance de propos tenus au début des années '40 dans les textes publiés dans les années '60 et '70.

2. Les volumes dont nous disposions pour réaliser notre démarche indiquent que la moitié de ces textes en sont rendus à au moins leur troisième édition. Bien que nous n'ayons aucune donnée en regard de leur tirage, il est permis de présumer qu'ils ont déjà rejoint un auditoire sensiblement vaste.

3. Les chapitres portant sur l'histoire du mouvement récréatif font état d'interventions d'institutions éducatives, d'organismes volontaires, ainsi que des divers paliers du gouvernement. Voir notamment in Richard KRAUS, *Recreation and Leisure in Modern Society,* N.Y., Appleton-Century-Crafts, 1971, pp. 179-185.

4. R.E. CARLSON, T.R. DEPPE et J.R. MACLEAN, *Recreation in American Life,* 6th ed. Belmont, California, Wadsworth Publishing Co. Inc., 1969, p. 41.

5. Le président des États-Unis, Theodore Roosevelt, tout en acceptant la présidence honoraire du Playground Association of America lors de sa création, n'était cependant pas trop favorable à l'idée de voir les terrains de jeux supervisés par des professionnels. «It is a splendid thing to

provide in congested districts of American cities spaces where children may play, but let them play freely (. . .) leave them alone». in KRAUS, op. cit., p. 193.

6. «The National Recreation Association is to playground departments what the Federal Reserve is to member banks (. . .) It was worked to determine needs, to plan adequate programs, train leaders, and raise standards of service and leadership. (. . .) the national Recreation Association has done more than any other organization to make America conscious of the importance of wholesome recreation» in George D. BUTLER, *Introduction to Community Recreation,* 4th ed. N.Y. McGraw-Hill Books Co., 1968, p. 86.

7. Richard KRAUS, op. cit., p. 399.

8. La récréation-oeuvre traduit l'idée de «social welfare movement» introduite par H.D. SES-SOMS, H.D. MEYER et C.K. BRIGHTBILL dans leur ouvrage *Leisure Services. The organized recreation and park system,* 5th ed., Englewood Cliffs, N.J., Prentice-Hall Inc., 1975, p. 48. Même si ce courant idéologique indique que la récréation devient oeuvre sociale, c'est-à-dire qu'elle devient un moyen, une réponse pour l'intégration sociale des citoyens, particulièrement de ceux qui sont en difficulté aux yeux des bénévoles et des professionnels de la récréation, on constate qu'elle justifie également l'intervention des différents groupements religieux américains aux faits récréatifs. (Cf. R.E. CARLSON, T.R. DEPPE et J.R. MACLEAN, op. cit., p. 200). Dans cette dernière veine, la récréation-oeuvre s'apparente étrangement à l'idéologie du loisir-oeuvre dont Roger LEVASSEUR fait largement état dans son dernier ouvrage *Loisir et culture au Québec,* éd. Boréal Express, 1982, pp. 57-69.

9. Voir CARLSON, DEPPE, MACLEAN, op. cit., p. 333. Tous les autres auteurs en parlent également en ces termes.

10. Voir George HJELTE. *The Administration of Public Recreation,* Wesport, Connecticut, Greenwood Press Publishers, 1940, p. 21.

11. Cette assertion semble partagée par tous les intellectuels, notamment par M.H. NEUMEYER et E.S. NEUMEYER, *Leisure and Recreation,* 3rd ed., N.Y., the Ronald Press Co., 1958, p. 11.

12. Ibid, p. 420.

13. George HJELTE, op. cit., p. 21.

14. Voir Howard G. DANFORD, *Creative Leadership in Recreation,* 2nd ed., Boston, Allyn and Bacon, Inc., 1970, p. 25.

15. H.D. MEYER, C.K. BRIGHTBILL et H.D. SESSOMS, *Community Recreation: A guide to its organization,* 4th ed., Englewood Cliffs, N.J., Prentice-Hall, Inc., 1969, p. 45.

16. Voir à ce sujet, George D. BUTLER, op. cit., pp. 22-35.

17. Richard KRAUS, op. cit., p. 186 (cf. note 3).

18. NEUMEYER et NEUMEYER, op. cit., p. 25.

19. Note: en fait, les auteurs sont également divisés sur ce point. La moitié sont d'avis qu'il faille inclure le domaine commercial dans la récréation communautaire.

20. George HJELTE, op. cit., p. 25.

21. Gerald B. FITZGERALD, *Community Organization for Recreation,* N.Y., A.S. Barnes & Co., 1948, p. 39.

22. Ibid, p. 33.

23. Richard KRAUS, op. cit., p. 191.

24. CARLSON, DEPPE et MACLEAN, op. cit., p. 323 (cf. note 4).

25. Cf. Richard KRAUS, op. cit., p. 192.

26. Ibid., p. 194.

27. Ibid., p. 308.

28. Ibid., p. 196.

29. George HJELTE, op. cit., p. 24.

30. H.D. SESSONS', H.D. MEYER et C.K. BRIGHTBILL, op. cit., pp. 33-34; (cf. note 8) G. HJELTE, op. cit., p. 13 et Thomas S. YUKIC, *Fundamentals of Recreation,* 2nd ed., N.Y., Harper & Row Publishers, 1970, pp. 62-85.

31. George D. BUTLER, op. cit., p. 66.

32. SESSOMS, MEYER et BRIGHTBILL, op. cit., p. 85. En plus de ces raisons, on mentionne également que le gouvernement a les finances nécessaires pour faire l'acquisition et l'opération d'équipements culturels à des taux relativement bas. Avec la fameuse loi 13 de la Californie, on est à même de penser que ce motif a perdu beaucoup de son efficacité.

33. FITZGERALD consacre un chapitre à faire état des principes qui doivent sous-tendre l'action concertée des agents de la récréation, op. cit., pp. 268-281. Voir aussi YUKIC, op. cit., pp. 85-92; BUTLER, op. cit., pp. 567-581 et HJELTE, op. cit., pp. 119-130.

34. FITZGERALD, op. cit., p. 206.

35. Ibid., pp. 234-235.

36. CARLSON, DEPPE et MACLEAN, op. cit., p. 227 (cf. note 4).

37. FITZGERALD, op. cit., p. 235. Le même auteur indique: «Recreation is no place for class distinction. It is a proper place for associations of equalizing nature (. . .) p. 34.

38. Jay S. SHIVERS, *Leadership to Recreational Service,* 4th ed., London, the Macmilla Company, 1970, p. 24.

39. NEUMEYER et NEUMEYER, op. cit., p. 434 (cf. noe 11).

40. On comptait près de trois cent soixante programmes de formation spécialisée dans le domaine de la récréation et des parcs en Amérique du Nord vers les années 1973. L'explosion s'est surtout manifestée depuis 1960 alors que cinquante programmes universitaires et deux curricula collégiaux étaient en opération à cette date.

41. Après avoir développé le Normal course in Play en 1908, le Playground Association of America s'est également octroyé la responsabilité de former les bénévoles et les professionnels entre 1926 et 1935 par le truchement de son École Nationale de la récréation.

42. George HJELTE, op. cit., p. 342; R. KRAUS, op. cit., pp. 106-107 (cf. note 3).

43. Entre autres, la division Récréation du Work Progress Administration organisme créé par le gouvernement central pendant la Dépression des années '30 et l'Institut Athlétique, un groupe de manufacturiers d'équipements sportifs. Pour plus de détails, cf. CARLSON, DEPPE et MACLEAN, op. cit., pp. 45-48 et pp. 365-366.

44. CARLSON, DEPPE et MACLEAN, op. cit., p. 341.

45. FITZGERALD, op. cit., p. 298 (cf. note 21).

46. SESSOMS, MEYER et BRIGHTBILL, op. cit., p. 148.

47. KRAUS, op. cit., pp. 108-109 (cf. note 3).

48. Ibid., p. 266.

49. J.S. SHIVERS, op. cit., p. 356 (cf. note 38).

50. Ibid., p. 355.

51. Ibid., p. 367.

52. CARLSON, DEPPE et MACLEAN, op. cit., pp. 334-335.

53. R.G. KRAUS et Barbara S. BATES, *Recreation Leadership and Supervision: Guidelines for professional development.* W.B. Saunders Company, 1975, p. 43.

54. NEUMEYER et NEUMEYER, op. cit., p. 437-438; HJELTE, op. cit., p. 342.

55. Suite à nombre de conférences portant sur l'établissement de normes dans la confection de programmes sous-gradués et gradués, on a convenu du profil suivant pour les curricula de premier cycle: 50% de cours de culture générale, 17% d'activités reliées à la récréation, telles l'administration, le leadership et 33% de cours traitant de l'objet. Au niveau de la maîtrise et du doctorat, on semble insister sur la philosophie de la récréation, l'administration, la recherche évaluative, la gestion du personnel et les relations publiques. Cf. KRAUS, op. cit., p. 110; CARLSON, DEPPE et MACLEAN, pp. 352-355.

56. FITZGERALD, op. cit., p. 240.

57. CARLSON, DEPPE et MACLEAN, op. cit., pp. 326-329.

58. SHIVERS, op. cit., pp. 247-248.

59. KRAUS et BATES, op. cit., pp. 14-15.

60. NEUMEYER et NEUMEYER, op. cit., pp. 430-434.

61. CARLSON, DEPPE et MACLEAN, op. cit., p. 343.

62. SESSOMS, MEYER et BRIGHTBILL, op. cit., p. 328.

63. Selon l'expression de NEUMEYER et NEUMEYER, op. cit., p. 431.

64. La plupart des auteurs s'entendent sur quatre niveaux d'intervention: le leadership fonctionnel, le leadership de supervision, le leadership administratif et le leadership exécutif. Brièvement, le leader fonctionnel est responsable de l'organisation, de la planification et de l'offre de services. Il demeure celui qui est le plus en contact avec les individus et les groupes. Le superviseur est un médiateur, selon les termes de SHIVERS, entre l'administrateur et les usagers. Le cadre exécutif est généralement celui qui trace les orientations que l'administrateur devra rendre opérationnelles. SHIVERS, op. cit., pp. 278-308, en traite de façon exhaustive.

65. Michel BELLEFLEUR, «Une animation à l'américaine? Récréologues ou animateurs culturels» in *Les Cahiers de l'Animation,* 33, septembre 1981, p. 84.

Michel NEVEU
   Le «recreation leadership» américain par les textes: outil technique et idéologique

RÉSUMÉ

La recension d'une douzaine d'ouvrages américains, présentés comme manuels d'introduction ou comme livres de référence portant sur la récréation communautaire et le «recreation leadership» permet de dégager quelques dimensions du discours professionnel que tiennent les intellectuels de la récréation. Cet article examine diverses assises (idéologiques, axiologiques, historiques et techniques) venant supporter l'autonomisation de ce champ de pratique et justifier la légitimité du «recreation leader» en tant que médiateur technique et social.

Michel NEVEU
   The American "recreation ledership" via the literature: a technical and ideological tool

ABSTRACT

A critical examination of a dozen American textbooks which have been presented as introductory manuals or reference books dealing with community recreation and "recreation leadership" will reveal several aspects of the philosophy which inspires American intellectuals in the field. This article examines various assumptions (ideological, axiological, historical and technical) which prop up the search for the autonomy of this field of activity, and which justifies the legitimate status of the "recreation leader" as a technical and social mediator.

Michel NEVEU
   El «liderazgo en recreación» de Estados Unidos a travez de los textos: instrumento técnico e ideológico

RESUMEN

El análisis de una docena de libros de Estados Unidos, presentados como manuales de introdución o como libros de referencia sobre la recreación comunitaria y el «liderazgo en recreación» permite destacar algunas dimensiones del discurso profesional de los intelectuales de la recreación. Este artículo examina diversas bases (ideológicas, axiológicas, históricas y técnicas) que son los soportes de a autonomiá de ese campo de la práctica y justifican la legitimidad de un «lider de la recreación» como mediador técnico y social.

Michel NEVEU
«*Recreation leadership» amerikanischen Typus anhand von Texten:
technisches und ideologisches Mittel*

ZUSAMMENFASSUNG

Ðie Rezension von zehn amerikanischen Veröffentlichungen, die als Einführungs- oder Standardwerke angeboten werden und die von gemeinschaftlicher Freizeitbeschäftigung und «recreation leadership» handeln, erlaubt es, einige Dimensionen des professionellen Diskurses, den die Intellektuellen der Freizeitbeschäftigung führen, aufzubreiten. Der Artikel untersucht verschiedene (ideologische, axiologische, historische und technische) Bezugspunkte, die die Verselbständigung dieses Arbeitsfeldes unterstützen und die Legitimierung des «recreation leader» als sozialtechnischer Vermittler rechtfertigen.

LES CENTRES DE LOISIRS À GENÈVE: L'EXEMPLE D'UNE INSTITUTIONNALISATION

Marc-André BAUD

La Suisse

La Suisse: Pays planté comme un îlot de prospérité au centre de l'Europe. Pays étrange, au système politique «le plus démocratique du monde», où chaque changement de la Constitution doit être voté par le peuple, où chaque décision gouvernementale, chaque idée soutenue par quelques dizaines de milliers de citoyens peut obliger tous les autres à se rendre aux urnes.

Pays de stabilité où l'opposition politique accepte à tous les niveaux d'envoyer des représentants en nombre minoritaire aux postes de gouvernement. Mais pays où, depuis que le parti socialiste possède deux représentants sur sept au gouvernement fédéral, les citoyens délaissent leur droit de vote. Rarement plus de quarante pour cent d'entre eux se rendent aux urnes.

Mais pays où les femmes ont attendu jusqu'en 1971 que leurs concitoyens mâles leur accordent le droit de vote... en votation naturellement. Pays où certaines d'entre elles n'ont pas encore obtenu ce droit dans leurs communes. Elles pourront donc dire si elles veulent doter la Suisse de l'arme atomique, mais n'auront pas voix au chapitre pour les constructions de leurs villages, serait-ce les W.-C. publics!!

Pays mystérieusement épargné par la tourmente des deux guerres mondiales, protégé par une armée de milice où chaque Suisse mâle devient soldat. Année après année, il retournera effectuer trois semaines de service militaire, déposant son fusil dans l'armoire le reste du temps. Pays où une région se bat pour son indépendance et fini par obtenir un statut de canton, à la suite d'un vote national, évidemment.

Pays confédération, c'est-à-dire fédération de fédérations où le pouvoir se partage entre la commune, le canton qui réunit les communes et la Confédération qui réunit les cantons. Pays réussissant depuis des centaines d'années à faire cohabiter quatre régions linguistiques aussi différentes que la Suisse allemande, la Suisse romande et de la Suisse italienne, la petite région de la langue romanche survivant en faisant entendre sa voix.

Loisir et Société/*Society and Leisure*
volume 5, numéro 1, printemps 1982, pp. 223-241
© PUQ

Pays connu pour ses montres et son chocolat, mais qui est en fait l'une des puissances économiques les plus importantes du monde, où se réfugient, à l'ombre du secret des banques, les capitaux de toutes les régions et particulièrement des pays en voie de développement que nous nous vantons de ne jamais avoir colonisés.

Pays politiquement neutre, créateur et siège de grandes institutions humanitaires comme la Croix Rouge qui apporte son aide à tous les emprisonnés du monde. Mais pays où les travailleurs immigrés vivent dans des baraquements dignes des camps de concentration... en temps de paix. Cette Suisse où les syndicats respectent depuis 1937 un accord général de «paix du travail», où les travailleurs se sont engagés à ne pas utiliser la grève comme moyen de lutte. Pays où le chômage est presque inconnu depuis de longues années.

Pays que l'on imagine volontiers comme une région de montagne et de paysans, mais qui recèle en fait dans les rues de ses grandes villes l'explication de bien des mystères du monde.

Genève

Au bord extrême de ce pays de contradictions et de miracles économiques, au bout de cette Romandie qui parle français: Genève. Genève, petit territoire de 282 km², qui abrite 340 000 habitants, dont un tiers d'étrangers. Ville de banques et de commerces de luxe où tout est concentré sur un minuscule espace où l'on trouve moyen de glisser un aéroport intercontinental et peut-être même une centrale nucléaire. Siège d'organisations internationales qui lui donnèrent le titre de «capitale du monde» et patrie d'adoption de Jean Calvin, dont les banquiers protestants gardent le souvenir. Dans ce pays, dans cette ville, pourquoi une action socio-culturelle? Et comment?

Que la richesse de la Suisse soit reconnue ne peut cacher la réalité: des inégalités économiques et sociales profondes demeurent. Des travailleurs immigrés parqués dans des logements à peine salubres, en passant par les familles ouvrières, les personnes âgées, les populations de certaines régions, jusqu'aux jeunes des grandes villes, nombreux sont ceux qui ne bénéficient pas du «miracle suisse». Et encore, pour tous les autres, le coût de la vie quotidienne fait payer chèrement le confort et la prospérité. Impossible de trouver actuellement un appartement à un prix raisonnable. Impossible de choisir son quartier, son lieu de vie, sa communauté. On ne meurt pas de faim ici, mais bien encore de solitude ou de misère morale que notre société n'a pu acheter.

Genève, pourtant, tente de répondre: Elle a toujours été la ville «rouge» de la Suisse, refuge de Lénine et de Bakounine, siège du premier congrès public de l'Internationale ouvrière en 1866. Elle qui a même élu un maire communiste! Plus que partout en Suisse, devant une bourgeoisie libérale, les partis d'inspiration socialiste se sont développés à Genève.

Face aux problèmes sociaux, cette ville va investir des forces dans des structures importantes. Nous allons examiner l'une d'elles qui est la plus représentative de l'animation socio-culturelle: les centres de loisirs.

L'animation pour les jeunes

Dans les années soixante, comme toutes les villes européennes, Genève s'étend et crée ses cités satellites ou dortoirs. Petites cités poussées brusquement dans des campagnes ou, plus importantes, à l'orée de la ville, elles sont sans passé et peut-être sans avenir.

Ici comme ailleurs les jeunes adolescents forment leurs bandes. C'est l'époque des «blousons noirs». Ils sont devenus autres dans leur habillement, dans leur consommation, car ils sont maintenant objets de marché. Ils ont leurs idoles, leur langage. Ils dérangent, cassent un peu.

Si beaucoup crient au scandale, ne sachant que faire d'autre que de réclamer des mesures de police, bien peu de gens se penchent vraiment sur cette population. L'ancienne communauté villageoise n'est plus présente, sauf dans certains vieux quartiers, pour marquer les étapes de la croissance qui feraient des enfants des hommes.

Ce sont les églises qui sont à l'écoute. D'abord au travers des mouvements de jeunesse comme les scouts ou les YMCA. Ces organisations font une place aux jeunes, elles leur confient des responsabilités. Elles rassemblent dans les grandes occasions des centaines d'enfants en uniforme. C'est là qu'ils apprennent à vivre en dehors de la famille, dans leurs locaux, dans leurs organisations, sous la direction de jeunes à peine plus âgés qu'eux. Dans les paroisses ensuite, où souvent des pasteurs ou des curés implantent quelques espaces pour eux.

Puis les églises et les organisations franchissent un pas de plus: pour les jeunes qui ne goûtent pas l'uniforme elles mettent à disposition des lieux qui sont à leur disposition. Ce seront les halls des maisons des mouvements de jeunesse et quelques baraquements provisoires. On y installe l'équipement de base de l'époque: le bar sans alcool, le baby-foot, le ping-pong...

Là, le précurseur des animateurs, un jeune qui veut donner un moment de sa vie, gère le lieu contre une très modeste rétribution. Après quelques années, il retournera dans la vie pratique, dans son ancienne profession.

Dans ces années, les églises vont donc engager des «animateurs de jeunesse». Ils travailleront soit dans ces centres soit directement dans les paroisses.

L'intervention de l'État

À la fin de l'année 1959 se déroule un événement important: la ville de Genève décide de construire une piscine municipale dont le coût sera de cinq millions de francs, somme très importante pour l'époque. Les directeurs de l'Office pour la jeunesse, qui ont reçu de nombreuses réclamations à la suite des difficutés rencontrées avec les bandes de jeunes dans les quartiers, vont utiliser cette dépense comme un prétexte.

Une pareille somme soulève en effet beaucoup de remous dans la République. Les directeurs de l'Office l'utiliseront comme argument pour obtenir le développement d'actions en faveur de la jeunesse et particulièrement dans le temps des loisirs.

Un maître de sport est déchargé de son enseignement en 1960 et chargé de mener une étude sur ce qui existe à Genève en matière de terrains de jeux, terrains de sport, centres de loisirs, maisons de jeunes, etc. Il est également chargé d'étudier ce qui a été réalisé ailleurs dans ce domaine, ainsi que les problèmes de la formation des cadres et leur statut, d'envisager des expériences et des créations.

Ce rapport sera produit en 1961. Il constate que les enfants n'ont plus d'endroits pour jouer, de même que les adolescents. Le rapport propose de créer des clubs ou des centres de loisirs dans les quartiers. La notion de «centre aéré» apparaît pour la première fois. Pour ces lieux on prévoit des responsables dont la personnalité sera le point déterminant pour le développement de l'action. Le responsable doit «croire en sa mission, être un témoin, être une antenne des services sociaux dans les quartiers, informer les parents», tout cela qu'il soit bénévole ou salarié.

En attendant l'ouverture d'une école d'animateurs, le rapport propose une formation multiple, technique, administrative, psychologique, physique et sociale, qui se ferait par stages, travail pratique et travail théorique. La nécessité d'un organe officiel des loisirs est soulignée. Il serait un coordinateur des actions des futurs centres. L'auteur du rapport est chargé de la mission de créer cette commission des centres de loisirs car les projets fusent de toutes parts.

En janvier 1962, André Chavanne, candidat socialiste, est élu Conseiller d'État (exécutif cantonal) et est chargé du Département de l'instruction publique.

Il y a alors onze centres de loisirs en projet. Aux élections qui ont porté ce socialiste à ce poste, tous les partis faisaient figurer les centres de loisirs dans leurs programmes. Le nouveau chef du Département de l'instruction publique accélère le mouvement: Il crée en septembre 1962 un «Service des loisirs» et nomme Charly Légeret, l'auteur du rapport initial, directeur. Ce service dépendra directement du Département. Ses tâches seront, outre les centres de loisirs, d'organiser des activités de loisirs pour les écoliers, jeudis de sport, camps de ski, etc.

Une loi cantonale est édictée pour permettre la création des centres de loisirs. Dans les buts, elle stipule simplement: les centres de loisirs sont chargés de fournir des loisirs sains et éducatifs pour la jeunesse (1964).

Les structures des centres de loisirs seront respectueuses du partage du pouvoir. Ils (les centres) seront remis à des associations communales qui les géreront. L'État prendra en charge les salaires des animateurs et l'équipement intérieur, tandis que les communes devront verser des subventions annuelles de fonctionnement. Dans cette structure, on imagine que les sociétés locales, intéressées soit par la jeunesse, soit par les activités culturelles, enverront des représentants dans l'association du centre de loisirs du quartier. Il y aura ainsi plusieurs sortes de membres: des membres de droit des autorités communales, des membres des sociétés déjà existantes et des membres individuels.

Fait remarquable, tous les problèmes qui se poseront aux centres et aux animateurs pendant les vingt années qui vont suivre sont évoqués dans les projets de mise en place des centres: rôle et mission des centres, structure et relations avec les municipalités, statut et convention collective des animateurs, etc., etc.

Pour la première fois, en 1961 et 1962, une partie des bénéfices de l'État sont affectés aux centres de loisirs.

Les ouvertures de centres de loisirs marquent une étape nouvelle dans l'action en faveur de la jeunesse dans les agglomérations urbaines: cette jeunesse qui dérange, qui devient un problème, voire un mythe, doit bénéficier de mesures spéciales qui préviendront la déviance, la délinquance. Les centres de loisirs genevois font partie de ces mesures. Ils ne seront pas du côté de la police répressive, ni des services officiels de protection de la jeunesse, ils seront proches des jeunes, pionniers du rôle préventif. Ils constituent, dans l'esprit des autorités, une mesure éducative par le biais des loisirs.

Entre 1963 et 1967, dix centres de loisirs vont s'ouvrir à Genève. Les liens avec les structures des églises restent étroits. Les animateurs sont tous issus des mouvements de jeunesse. Certains viennent de France voisine. Le recrutement est difficile dans une période de plein-emploi et dans une profession mal définie et ressentie comme n'ayant pas d'avenir.

L'École d'animateurs de jeunesse est créée en 1962.

Comment se passe l'ouverture d'un centre à cette époque? Il n'existe aucune norme officielle. L'un d'eux sera doté d'une salle de spectacle de 150 places au sous-sol d'une école, avec d'autres salles d'activité; un autre devra se contenter d'une petite salle de trente places au fond d'une impasse inaccessible.

L'équipement intérieur n'est jamais conçu en fonction d'une activité socio-culturelle. Les locaux sont d'anciens dépôts ou des bâtiments provisoires, voire d'anciens appartements.

Les animateurs vont continuer dans la ligne des mouvements de jeunesse: avec des moyens limités, ils vont entraîner les jeunes à aménager les locaux en peignant, sciant, clouant. Comme auparavant, le tennis de table, le football de table, le bar et la télévision (événement pour l'époque!) forment l'équipement de base. Des films, des spectacles de chansons avec des artistes peu connus, des expositions, des ateliers et des cours forment le gros des activités.

On pallie au manque de moyens avec l'aide de tous: on répare et on balaie ensemble. On organise en commun. Certains adolescents passent le plus clair de leur temps dans les centres. Le contact avec les animateurs est profond. Souvent, ils sont mieux placés que les autres adultes que les jeunes fréquentent pour recevoir leurs confidences. Ils ne sont pas si loin de leurs préoccupations.

La gestion des centres pose plusieurs problèmes: les comités qui sont composés de bénévoles, dont certains délégués par des associations, sont très inexpérimentés et manquent d'information sur le rôle que l'on attend d'eux. Les problèmes restent parfois insurmontables et les professionnels en font principalement les frais.

Les centres de cette époque sont en fait la suite institutionnalisée des centres des mouvements de jeunesse. Il n'existe pas de réflexion profonde qui pourrait leur servir de guide. C'est dans la pratique, issue des expériences antérieures, que les premiers centres vont faire leurs armes. Il n'existe pas d'histoire, il faut inventer, improviser.

Des communes tentent de donner des directives à leur centre. Les subventions qu'elles octroient leur en donnent le droit. Toutes ces directives touchent à l'ordre, à la discipline, aux obligations des centres en ce qui concerne la sécurité ou la loi. Si les directives cantonales sur les centres sont floues et imprécises, les communes ne contribuent pas à les éclaircir. Dans de nombreux cas, on constate une opposition larvée entre les communes et les centres sur le rôle de ceux-ci.

En dépit de ces obstacles, les centres de loisirs vont se développer. Les personnalités et les intérêts des animateurs jouent un grand rôle. Tel animateur chanteur va réunir un groupe cabaret-chansons, tel autre, comédien, un groupe de théâtre, etc. Si les activités pour les adolescents sont le principal travail, celles destinées aux enfants pendant les jeudis de congés scolaires et les vacances connaissent un développement important. Les programmes des centres se ressemblent étrangement. On y trouve les mêmes activités sous les mêmes titres: club du jeudi, ciné-club, expression, ateliers divers, etc.

Cependant les centres sont très isolés. Ils réunissent naturellement la population des jeunes en difficulté ou en marge. Ils sont vite repérés comme des petits ghettos où il est facile de localiser les fauteurs de trouble du quartier, ceux qui font des dégâts. Comme il se trouve dans une situation de tampon entre la population, les autorités et les jeunes, l'animateur est souvent la cible: il est payé pour éduquer ces jeunes.

À travers cette période héroïque, et quand nous faisons l'inventaire des flous institutionnels et des faibles moyens dont ils disposent, nous constatons qu'il est remarquable que les centres aient non seulement survécu mais se soient développés.

La période politique

Très rapidement les constats faits sur le terrain par les animateurs et les comités de gestion d'une part, par quelques personnes intéressées d'autre part, vont donner une dimension nouvelle aux débats. Nombreuses sont les personnes intéressées qui posent le problème de l'ouverture des centres à l'ensemble de la population.

Nous pouvons remarquer que, dès 1969, un centre choisit de s'appeler «centre de loisirs et de rencontres», marquant ainsi son désir d'ouverture. Un autre s'intitule «maison de quartier», marquant une ouverture sur le milieu environnant, une notion de service à la communauté. Des centres plus spécialisés dans les espaces naturels prévus à cet effet et qui s'inspirent d'autres expériences vont prendre le nom de «jardins Robinson». Ce sont les «terrains d'aventures» de la France. Ils sont destinés à permettre aux enfants de retrouver les jeux dans les contacts avec la nature et les animaux. Enfin, quelques centres préfèrent prendre le nom d'un lieu, d'une maison (maison Vaudagne, centre Marignac,...), marquant ainsi leur appartenance à un endroit déterminé. Ces appellations marquent bien l'intention des centres de changer leur étiquette, leur image de marque, dans le public.

En effet, les centres sont de plus en plus fréquentés par les adultes. Au travers des ateliers et des spectacles, une action culturelle prend naissance. Au même titre que les Maisons de Jeunes et de la Culture en France, les centres de loisirs créent un circuit inorganisé mais bien présent pour les artistes qui ne sont pas encore assez connus pour bénéficier de la diffusion du circuit commercial. De nombreuses personnes qui désirent donner des cours ou organiser des groupes autour d'activités d'expression s'adressent aux centres pour occuper leurs locaux. Petit à petit, les centres vont s'équiper du matériel nécessaire à ces activités: salles, ateliers de poterie, laboratoires pour développement de photographies, etc.

À cette expansion s'ajoute une dimension plus politique. Nous sommes aux environs de mai 68. Ici comme dans le reste de l'Europe, la jeunesse se manifeste. L'Université est occupée. Des manifestations rassemblent des jeunes qui se retrouvent dans des groupes politiques nés en dehors des partis traditionnels. Des groupes d'habitants, antimilitaristes, de femmes se créent également à cette époque. Aucun de ces groupes ne possède l'infrastructure nécessaire à ses activités, ni de moyens financiers suffisants. Ils vont donc demander aux centres de loisirs l'autorisation d'occuper leurs locaux, d'organiser des manifestations, de tirer des tracts, etc. Les membres de ces groupes sont très actifs. Ils s'intéressent naturellement à cette structure des centres de loisirs qui leur permet de participer à la gestion des lieux qu'ils désirent utiliser. Ils vont prendre place dans les comités dont plusieurs ont été délaissés par les premiers dirigeants.

Plusieurs centres présentent à cette époque l'aspect d'un lieu foisonnant d'activités diverses et peu organisées, dans lequel les animateurs tentent, sans grand moyen, de parer au plus pressé.

Pour certains de ces groupes, les centres sont des lieux où ils peuvent tenter l'aventure de la contre-culture. Un espace à utiliser à leurs fins.

Les communes, qui sont toutes dominées par des majorités politiques de droite, réagissent à ce que l'on appellera la «politisation des centres». Le raisonnement est simble: Ce n'est pas aux communes de payer des centres où s'élabore la contestation qui les attaque directement.

Les débats sont vifs et plusieurs centres voient leur commune tenter de les fermer en faisant pression sur les comités de gestion ou en suspendant les subventions communales qui, seules, permettent aux centres de survivre. Les prétextes de ces attaques sont souvent autres que de la politisation: affaires de sécurité, d'ordre, de gestion, voire de moeurs, serviront de raisons. L'atmosphère est lourde. Un centre est occupé par les usagers alors que la municipalité veut en fermer les portes. Un autre, qui a vu sa subvention retirée, fait des collectes.

Des politiciens demandent la suspension de l'aide de l'État aux centres car ceux-ci ne se plieraient pas à l'obligation de neutralité politique qui leur est. assignée dans la loi. Mais tout au long de ces conflits le pouvoir de l'État se montrera extrêmement prudent dans ses interventions. Il renverra souvent le débat entre le centre concerné et sa commune.

Tout au long de ces débats les animateurs se constituent peu à peu comme une force au travers de diverses tentatives de se grouper en syndicats ou de rejoindre ceux existants.

En 1971, des jeunes occupent la «Maison des jeunes», fondation municipale de la ville de Genève dont l'activité est proche de celle des centres. Ils réclament un «centre autonome». Le terme est significatif d'une revendication qui reprend les institutions existantes (les centres de loisirs pour la jeunesse) tout en y ajoutant une notion d'indépendance au pouvoir. L'intervention de la police et les manifestations qui s'en suivirent seront très violentes et restent dans les mémoires comme la dernière manifestation de rue où la police intervint sans l'arsenal sophistiqué et anti-émeute qui l'équipe depuis lors. Aucune satisfaction ne sera obtenue par les manifestants. La Maison des jeunes restera fermée quelque temps, les portes barricadées.

La crise de la jeunesse ne débouche dans les faits sur aucune modification sérieuse de la politique du pouvoir face aux centres de loisirs.

En 1971, la fédération des centres de loisirs est créée. Elle se veut l'interlocutrice des autorités et le soutien des associations de centres de loisirs qui en sont membres. L'État prend en charge le salaire d'un secrétaire permanent.

En 1972, suite aux différents remous dont nous venons de parler, une intervention parlementaire au niveau cantonal demande à l'exécutif de revoir la loi sur les centres de loisirs. Une commission d'experts est chargée de fournir un rapport. Cette commission où tous les partis politiques sont représentés visitera tous les centres de loisirs et rencontrera les principaux protagonistes de l'époque. Les acteurs les plus en vue de cette commission seront les animateurs qui, étant en contact direct avec le terrain, se battent pour faire reconnaître l'ouverture des centres aux adultes. Tous les centres sont intéressés, avec des buts différents parfois, à l'ouverture sur les quartiers, avec l'idée d'une action culturelle. À travers des débats d'actualités, des manifestations diverses, les centres ont montré qu'ils pouvaient regrouper d'autres classes d'âge que les enfants et les adolescents.

À cette époque sont engagés des animateurs sans formation et d'autres qui sortent de l'École d'animateurs. Celle-ci vient d'adopter une formation de trois ans et le titre d'«animateur socio-culturel» pour son diplôme, en remplacement du titre d'animateur de jeunesse.

Ces nouveaux animateurs marquent un nouveau pas dans la stabilisation de cette profession. Plusieurs d'entre eux ou d'entre elles restent en poste encore aujourd'hui. Pour quelques-uns, l'avenir professionnel consistera à devenir secrétaire syndical, ce qui confirme les observations faites en France.

Au terme de cette période «politique», nous pouvons constater que ni les communes représentées par les forces politiques traditionnelles et qui voulaient imposer aux centres des activités apolitiques, c'est-à-dire ne touchant à aucun problème de l'époque, et des activités réservées à la jeunesse, voire aux enfants seulement, ni les partis de gauche qui avançaient timidement l'idée de centres sociaux et culturels de quartier, ni les mouvements marginaux qui voulaient imposer un changement politique profond en se servant des centres comme moyen, bref aucun des partenaires en présence ne parviendra à imposer sa vision. Peut-être pourrions-nous dire que l'État qui avait intérêt à ce que les centres fassent le moins de remous possible au niveau de la politique cantonale et les animateurs qui avaient leur poste de travail à défendre sont les acteurs qui ont finalement obtenu le plus de satisfaction. Le premier est arrivé à imposer l'image d'un service d'État qui n'intervient que comme arbitre des situations, se refusant de prendre parti dans la plupart des cas. Il laisse quelques centres, fermés par leur commune, sans secours, car un centre ne peut exister que si la commune lui donne son aval en participant à l'association. L'image est ainsi imposée de cet État souverain placé au-dessus de la mêlée, qui ne représente pas une force politique mais le consensus général.

Les animateurs pour leur part montrent le front le plus pertinent et le mieux informé de ce que pourrait représenter la politique d'avenir des centres. À travers leurs divergences, ils réussissent à conserver l'idée d'activités ouvertes aux adultes et surtout de développement des centres sur des bases plus larges. Ils commencent à réclamer des garanties d'emploi et un statut de fonctionnaires.

1976 – 1981: L'âge de l'institutionnalisation

Les deux ans que vont durer les travaux de la commission d'experts constituent une trève dans le débat autour des centres de loisirs.

Le 29 novembre 1976, le rapport de cette commission ayant été rendu, le Conseil d'État édite le texte d'un nouveau règlement des centres de loisirs. Celui-ci définit le rôle des centres comme étant destinés aux enfants et aux adolescents et «pouvant être ouverts aux adultes». La liberté d'expression est garantie. Les usagers doivent être représentés dans les organes de décision où les communes gardent une représentation de droit. La Fédération des centres de loisirs et de rencontres est reconnue comme partenaire. Elle proposera, entre autre, des candidats à l'embauche aux postes d'animateurs.

La nouveauté réside dans la création d'une «commission cantonale des centres de loisirs et de rencontres» réunissant des représentants de l'État, des communes et de la Fédération des centres. Cette nouvelle commission aura pour tâche d'être l'employeur des animateurs, de répartir les subventions de l'État; d'établir des normes pour l'ouverture des futurs centres et, de manière générale, de veiller à la bonne marche des centres.

Le processus d'institutionnalisation est en voie d'achèvement. Le rapport des experts a abouti à un règlement à la façon helvétique. Peu de positions nouvelles, mais une concertation qui ne donnera pas de nouveaux éclats. Le but avoué des parlementaires qui avaient soutenu l'idée d'une expertise était de se donner du temps pour que le problème soit moins violent. Ils ont certainement réussi, mais le résultat est bien la confirmation des désirs antérieurement exprimés. Il s'agit de faire des centres de loisirs des institutions qui se développent sans trop soulever les réactions de l'opinion. L'ouverture à la population est admise avec des réserves. Même si dans la pratique les centres sont utilisés en majorité par des adultes, ce rôle est mis en veilleuse dans la nouvelle loi. Il reste donc un écart entre la réalité sur le terrain et le législateur. Mais tout le monde semble s'en accommoder.

Les conséquences ont été favorables, sur le plan des conditions de travail, pour les animateurs. Ils ont enfin vu leurs revendications, de caisse de retraite, de convention collective, de classification, prises en compte.

Dans la pratique journalière des centres nous pouvons dire que la nouvelle structure n'a pas amené de changements immédiats. Les adultes qui fréquentaient les activités n'ont pas été chassés... Le service des loisirs a pris comme ligne de conduite de consacrer ses subventions aux activités enfants et adolescents, mais les centres utilisent les ressources communales pour les activités des autres classes d'âge.

Que se passe-t-il en 1982?

Il existe actuellement 17 institutions à Genève qui sont reconnues comme «centre de loisirs et de rencontres» et qui sont donc dépendantes de la loi citée plus haut. Elles disposent généralement de deux postes d'animateurs permanents. Celles qui ont été ouvertes récemment possèdent des équipements d'importance moyenne, avec des salles d'activités et des salles de spectacle de 100 à 200 places. Les locaux ont été étudiés en fonction de leur destination, souvent avec l'aide d'animateurs et des futurs usagers. Les activités n'ont pas beaucoup changé. On pourrait dire qu'elles se sont aussi institutionnalisées.

Mieux équipés, mieux situés dans les quartiers, les centres commencent à mener des vies plus tranquilles.

Reflet de la vie sociale du canton, ils ne sont plus l'objet de violentes attaques ou d'occupations. Peut-être ne sont-ils plus non plus l'objet d'aventures...

Des événements récents dans le reste du pays posent très directement la question de leur utilité. Depuis plusieurs mois des jeunes de la ville voisine de Lausanne (60 km de Genève) et de la plus importante ville de Suisse allemande, Zürich, s'agitent. Ils réclament des centres autonomes, c'est-à-dire des maisons qui soient à l'abri des surveillances policières et où ils puissent habiter et créer des activités. Dans leurs slogans, ils dénoncent la froideur des villes où ils habitent dans des termes qui rappellent étrangement le foisonnement des beaux jours de mai 68. Il faut «raser les montagnes pour voir la mer». Les manifestations ont été réprimées par les forces de l'ordre avec une extrême violence, surtout à Zürich.

Genève étant épargnée jusqu'ici, alors que sa réputation donnerait plutôt à penser que sa jeunesse est la plus turbulente, le regard des personnalités intéressées se tourne vers elle.

Nous pensons pour notre part que, si les centres de loisirs restent une dépense et un investissement social minoritaire par rapport aux autres dépenses cantonales, ces dépenses ne sont quand même pas insignifiantes.

En 1980, la ville et l'État de Genève ont consacré près de 15 millions de francs à l'art lyrique, c'est-à-dire à l'opéra soit 21% du budget total de la culture. 5 millions, soit 7,1% du total à l'art dramatique. Les musées et la musique se partagent à parts presque égales le 53,6%.

Les centres de loisirs bénéficient de 5% de ce budget, ce qui représente 3,5 millions de francs. Il faut ajouter à ce total les subventions communales pour les centres qui ne sont pas implantés dans la ville. Les centres ne fourniraient par leurs recettes que 5% de leur financement, selon des chiffres récents.

Comparé aux investissements culturels des autres villes de Suisse, ce budget est important. Dans la ville de Lausanne, par exemple, les centres de loisirs ne reçoivent que très peu de subventions.

Mais suffit-il d'investir cet argent, de fournir aux jeunes les activités traditionnelles des centres (accueil, disco, ciné-club, spectacles, etc.), voire de mettre des locaux à leur disposition pour leurs activités, pour que le calme règne? Cet investissement n'est-il pas simplement le signe que Genève reste une ville francophone plutôt libérale et qu'ici il est plus facile de s'exprimer qu'ailleurs en Suisse. Ou encore la désaffection générale pour les questions politiques, les groupes d'opinion ou d'usagers, se fait-elle aussi sentir dans la jeunesse?

Une partie de réponse se trouve peut-être dans l'hypothèse suivante: à travers une histoire difficile, les centres de loisirs ont survécu en dépit de nombreuses attaques ou pressions. Pour ce faire, ils ont trouvé dans la population ou dans les organes politiques des soutiens. Même si les personnes qui ont vraiment milité pour cela ne représentent qu'une minorité, ce nombre a suffi. Il est évident que les groupements sociaux, culturels ou politiques vivent en s'appuyant sur un petit cercle de militants, même s'ils rassemblent de temps à autre un large public pour des manifestations épisodiques.

Si ces minorités ont réussi à faire se développer les centres, il y a sans doute là le signe que l'environnement de cette ville permet l'émergence d'actions sociales qui sont en partie prises en charge par une population. Les centres ne pourraient pas exister si les associations qui les gèrent ne pouvaient réunir quelques membres pour assurer un minimum de travail.

Quelques hypothèses de travail

Il serait bien présomptueux de chercher à émettre, dans l'état actuel des recherches sur l'histoire et la dynamique des centres de loisirs, des réponses toutes faites aux nombreuses interrogations qu'elles soulèvent. Nous pouvons cependant soumettre quelques hypothèses destinées à faire avancer la réflexion.

Les centres de loisirs avaient une préhistoire attachée aux églises. Leur développement dans un cadre d'état en a fait des institutions officiellement reconnues par la loi. La rupture entre le volontariat des églises et les centres officialisés est certaine. Autant ces activités sont restées embryonnaires ou sont disparues dans le cadre «église», autant leur développement a été important dans le cadre officiel.

Nous avons assisté à la mise en place, par un pouvoir d'état, d'organismes d'action sociale nouveaux qui étaient seulement esquissés auparavant. Au contraire de la France voisine, il n'y a pas ici de liaison directe entre la volonté de l'éducation permanente ou de grandes associations et la création des centres de loisirs. Ils ont été créés comme réponse par l'État à la difficulté de l'insertion sociale des jeunes.

À une deuxième époque nous avons assisté aux tentatives de différents groupes sociaux pour soumettre le développement des centres à leurs visions. Preuve de l'efficacité des structures mises en place, aucun de ces groupes n'y est parvenu.

Cependant dans chacun des centres une histoire propre, où des membres de ces groupes se sont affrontés sur le terrain plus particulier d'un quartier ou d'une commune, a fait de chaque centre un lieu gardant des aspects particuliers, même s'ils sont très proches les uns des autres. Les centres sont plus ou moins proches du pouvoir communal, plus ou moins engagés dans la diffusion culturelle, plus ou moins intéressés aux mouvements sociaux, plus ou moins spécialisés dans certaines classes d'âge, etc., etc. Aucun ne se laisse réduire aux analyses simplistes en forme d'étiquettes que l'on véhicule autour d'une bière.

Chaque centre reste isolé dans son quartier, dans son territoire. Il se crée lui-même une frontière imaginaire qui recouvre souvent celle du quartier en question. Elle sera la limite de l'action, bien que les usagers ne puissent se recruter dans les zones précises.

En dépit de cet isolement, nous pouvons constater plusieurs traits communs aux activités des centres. Spectacles, journaux, activités pour enfants, ateliers, etc., sont des genres et des titres d'activités qui se retrouvent partout. Les clubs du jeudi, ciné-clubs, ateliers divers, poterie, expression corporelle, labo-photo, etc., sont les vocables utilisés couramment qui vont bientôt devenir sujet à plaisanterie dans leur immuabilité. En dépit des différences, nous pourrions nous croire dans la même «chaîne».

Les difficultés internes sont aussi très semblables: difficultés financières, de conditions de travail, etc.

Dans la plupart des cas on constate une absence d'explication des politiques d'animation que poursuivent les centres à long terme. Les programmes d'activités sont souvent les seules informations que reçoit le grand public. Mais peut-être les centres n'ont-ils pas de politique à long terme?

Une hypothèse serait que les centres ont acquis un créneau de l'action sociale: les activités touchant à l'intégration et à la diffusion culturelle dans le cadre des activités de loisirs. L'intention originelle du législateur aurait été dépassée par la dynamique des institutions dans leur désir de s'ouvrir à un large public.

De plus, en constatant que les comités dirigeant les centres sont composés en majorité de personnes qui ont déjà une activité militante dans d'autres associations ou groupements, nous en arrivons à une autre hypothèse. Celle-ci tendrait à soutenir que ces personnes finissent par consacrer plus de forces aux comités des centres, qui deviennent ainsi des lieux de «militance» privilégiés. Les centres de loisirs seraient ainsi devenus des organismes tendant à l'indépendance et non pas le reflet des rapports entre des délégués d'autres organismes. Le but des centres est donc bien, dans cette hypothèse, de promouvoir une action qui leur est propre: l'animation socio-culturelle.

Sur quel travail ces groupes vont-ils avoir à se rassembler? En premier lieu sur des soucis de gestion d'autant plus complexes que les équipements deviennent plus importants. Pour une autre part sur la politique générale d'animation. Ces tâches, confiées à des bénévoles souvent sans formation préalable, sont lourdes et demandent du temps et de l'énergie. De plus en plus, les animateurs sont les garants de la gestion et disposent de pouvoirs effectifs par le fait qu'ils sont les mieux informés et les plus aptes à remplir ces tâches.

Face à la tendance générale à l'étatisation du social, les centres restent une structure officielle qui est gérée par un système associatif. Ce développement important de l'action sociale au travers des assocations pose directement le problème de l'indépendance face au pouvoir qui subventionne. La question reste posée: quelle est la marge de choix d'un organisme socio-culturel aussi impliqué dans un subventionnement d'État et dans une réglementation officielle?

Nous posons donc quelques hypothèses:

a. Les centres de loisirs genevois sont une réponse pertinente du pouvoir étatique aux problèmes de la marginalisation de certaines populations en période d'urbanisation.

b. À travers des structures associatives, des acteurs s'affrontent sans pouvoir contrôler un ensemble éclaté en dépit de l'exiguïté du territoire.

c. Les centres rassemblent des personnes militantes qui défendent une ligne d'animation socio-culturelle indépendante.

d. Les centres agissent par un ensemble d'activités, dont la combinaison est originale, même si des activités semblables se retrouvent isolément dans d'autres lieux.

e. Les centres de loisirs ne disposent pas de base théorique forte qui leur permettrait de poser des plans pour des actions à long terme.

Le rôle des professionnels

Nous n'examinerons pas ici deux questions qui nous semblent fort peu importantes pour notre propos.

De nombreuses études se sont intéressées aux motivations des animateurs. Bien qu'elles jouent certainement un rôle dans le travail des professionnels, nous mettrons la priorité sur d'autres points.

La seconde question est de savoir si l'animation peut être une profession. Reconnaissons que des personnes qui sont rémunérées, soumises à des règles particulières et à des conventions spécifiques, qui subissent une formation précise, qui se réclament d'un titre et qui se réunissent dans des syndicats sont certainement représentatives de quelque chose de proche d'une profession.

La question primordiale qui demeure reste quand même celle de savoir: quelles réponses apporte un animateur professionnel à quels problèmes sociaux?

Dans le cas des centres de loisirs genevois, nous constatons que le rôle des animateurs a été important. Le plus souvent au coeur de réseau d'information d'un centre, ils disposent certainement de plus de pouvoirs qu'un organigramme pourrait le laisser croire.

Tout au long de l'histoire qui nous occupe la majorité d'entre eux a défendu le développement des centres, leur ouverture, et aussi la profession d'animateur. Ils ont souvent obtenu des résultats comme la création de nouveaux équipements.

Comme pour d'autres professions sociales, les débuts ont été difficiles. Les statuts étaient inexistants et il y avait de nombreuses difficultés dues à l'inexpérience des associations. Depuis, la majorité des animateurs se sont regroupés dans des syndicats. Après dix ans d'attente, ils ont obtenu une convention collective, une certaine garantie de l'emploi, une caisse de retraite.

Il y a quelques années, l'État de Genève a procédé à l'évaluation de l'ensemble de son personnel. Les animateurs ont été classés dans l'échelle des fonctions au même niveau que les éducateurs et les assistants sociaux, dans une zone intermédiaire entre les cadres et les professions manuelles ou subalternes, où nous trouvons également les infirmières, les agents de police, les gardiens de prisons et certains enseignants. Dans les négociations qui ont suivi cette classification, nous avons remarqué un front uni des trois professions sociales: animateurs, éducateurs et assistants sociaux.

Le rôle des animateurs dans les centres a suivi lui aussi des fluctuations au cours de l'histoire.

Tout d'abord l'animateur fut l'éducateur en milieu ouvert dirigeant des loisirs pour les jeunes, en prévention de la délinquance. Dans certains ouvrages de l'époque, il est paré de toutes les qualités, y compris celle de savoir tout faire en étant très peu payé. Puis on a cru voir en lui un militant engagé dans les mouvements des années septante. Il a été certainement le gestionnaire / gardien / balayeur / homme ou femme d'accueil des centres. Il a certainement été quelque chose de chacun de ces portraits, mais il a aussi voulu aller plus loin, sans que l'on puisse déterminer la part de nécessité de stabilisation profession- nelle et de «militance» pour l'animation.

Depuis quelques années, l'animateur se trouve devoir engager des moni- teurs et du personnel. Il est de plus en plus pris par des tâches de gestion, de moins en moins en contact direct avec le public.

Le danger de la technocratie n'est pas loin. Souvent c'est l'animateur qui possède un bout de l'histoire, de la recherche, certainement du savoir-faire ou du savoir tout court. Il est donc à même de diriger et même — n'ayons pas peur des mots — de manipuler des groupes. Sans sous-entendre de notions négatives dans cette constatation, nous devons cependant dire que l'animateur est en bonne position pour influer très fortement sur des comités qui sont théorique- ment ses supérieurs hiérarchiques.

Entre les comités de gestion bénévoles et les animateurs professionnels payés par l'État, les sources de conflits sont nombreuses. Des contradictions apparaissent entre la position hiérarchique de l'animateur et son pouvoir réel. Elles ne sont pas faciles à gérer, d'autant plus que les bénévoles reçoivent fort peu de formation en dehors de celle de la pratique.

Il serait cependant très inexact d'envisager les animateurs genevois comme unis dans leurs intentions. Tous sont isolés en petites équipes de deux ou trois personnes dans leurs lieux de travail. À part quelques carrefours syndicaux ou autres, les collaborations et échanges se limitent aux centres voisins.

Les divergences ont donc rarement l'occasion de s'affronter, devenant ainsi mythiques. Mais les activités des centres restent, elles, très ressem- blantes. Il reste donc plusieurs questions.

Pourquoi des animateurs dispersés dans des lieux différents, qui ont, semble-t-il, des divergences théoriques, finissent-il par produire des activités assez proches dans leurs contenus? Nous pourrions supposer que:

— au travers d'activités semblables se cachent des contenus différents

— et/ou les animateurs n'influent pas sur le développement des activités

— et/ou les demandes étant semblables dans les différents lieux, elles entraînent les mêmes réponses

— ou??

Des éléments de réponses se trouvent certainement dans ces hypothèses et dans d'autres à formuler. Le peu d'impact des animateurs pourrait être encore vu dans le peu de production théorique fournie par des professionnels. Si nous considérons ce signe comme étant fondé sur l'absence d'objectifs à long terme ou de modes de travail spécifiques à la profession, nous en déduirons une vaste question qui pourrait se résumer ainsi: L'animation a-t-elle une spécificité propre en dehors des obligations des lieux où elle s'exerce?

Nous sommes à un carrefour de son développement: il appartient à ses agents de ne plus se préoccuper seulement des conditions de travail, mais aussi de la recherche des théories qu'elle induit et qui doivent être exprimées pour permettre une évaluation. Ce développement ne doit pas être limité à un débat corporatiste et doit être mené en liaison avec les autres professions sociales.

Allons nous vers un animateur gestionnaire spécialisé ou vers un généraliste en travail social? Pourra-t-on résoudre la préoccupation légitime de la stabilisation professionnelle et du fonctionnement nécessairement démocratique de l'animation qui doit permettre aux usagers de garder la direction des opérations?

Dès maintenant, se portent candidats à la formation, des jeunes qui n'ont pas connu les étapes de cette histoire. Quelles données la profession est-elle capable de fournir à ses apprentis en dehors de la pratique de chacun, éclatée, soumise aux aléas de la vie quotidienne des centres et de leurs milieux? Si nous ne pouvons nous interroger et nous confronter, il y a fort à parier que nous ne pourrons que reproduire encore longtemps ce que nous avons connu, y compris peut-être des erreurs qui, même si elles sont source d'apprentissage, ne sont pas toujours utiles.

Il reste à savoir si les animateurs veulent consacrer les efforts nécessaires à cette nouvelle étape.

Marc-André BAUD
    Les centres de loisirs à Genève, l'exemple d'une institutionnalisation

RÉSUMÉ

Les centres de loisirs et de rencontres de Genève représentent le principal instrument d'animation socio-culturelle de cette ville. Ils ont été créés il y a 20 ans sur les modèles des mouvements de jeunesse et des églises. Au travers les différentes étapes et les débats qui ont marqué leur passage de petites organisations bénévoles au rang d'organismes officiels et normalisés, nous voudrions soulever quelques questions qui restent en suspens. Parmi les facteurs primordiaux de cette dynamique, nous relevons les animateurs professionnels et l'État, et tentons de déterminer leurs rôles. Nous constatons la difficulté de cette recherche dans un secteur et dans une ville où il n'y a pratiquement pas eu de recherches générales à ce jour.

Marc-André BAUD
    Geneva's leisure centres: institutionalization at work

ABSTRACT

In Geneva, leisure centres, which double up as meeting places, represent the principal means of socio-cultural promotion. They were created some twenty years ago on the pattern of youth and church organizations. We examine here a few problems which arise out of the various stages of their evolution from small, volunteer organizations to the their present status as official, standardized ones. Among the various factors at play, we study the impact of professional social workers and of government intervention, and attemp to define their respective roles. We note the difficulties encountered in this research in a sector and a city where no such research has taken place so far.

M. A. BAUD
    Centros de investigación en Ginebra, el ejemplo de una institucionalización

RESUMEN

Los centros de recreación y de encuentros de Ginebra representan el principal instrumento de animación socio-cultural de esta ciudad. Esos centros fueron creados hace 20 años según los modelos del movimiento de jóvenes y de las iglesias. Analizando las diferentes etapas y los debates que han marcado la transformación de pequeñas organizaciones benévolas en organismos oficiales y normalizados ponemos en relieve algunas cuestiones que han quedado en suspenso. Entre los factores primordiales de esta dinámica, destacamos los animadores profesionales y el Estado, tratando de determinar su rol. Constatamos la dificultad de esta investigación en un sector y en una ciudad donde hasta hoy no ha habido prácticamente ninguna investigación general.

Marc-André BAUD
Die Freizeitzentren in Genf, Beispiel eines Institutionalisierungsprozesses

ZUSAMMENFASSUNG

Die Freizeit- und Versammlungszentren in Genf sind die hauptsächlichen Mittel sozio-kultureller Animierung dieser Stadt. Sie wurden vor 20 Jahren nach dem Modell der Jugendbewegungen und der Kirchen bestellt. Mit einem Ueberblick auf die verschiedenen Etappen und die Schwierigkeiten, die ihren Uebergang von kleinen, uneigennützigen Organisationen zum Range öffentlicher und geregelter Organe kennzeichnen, möchten wir einige unbeantwortete Fragen aufwerfen. Wir heben unter den Faktoren dieser Dynamik besonders die Rolle der professionellen Animateure und des Staates hervor und versuchen, ihre Funtionen zu bestimmen. Dabei stossen wir bei dieser Untersuchung auf eine Schwierigkeit, die darin liegt, dass auf diesem Gebiete und in dieser Stadt bis heute keine allgemeinen Untersuchungen angestellt wurden.

Recommandations aux auteurs

Les manuscrits adressés à la rédaction doivent être dactylographiés sur papier standard, à interligne double (en trois copies). L'auteur indiquera son nom et son adresse en début d'article; le cas échéant, ces indications seront complétées par le nom et l'adresse de l'institution.

L'auteur est prié de soumettre un résumé de son article, en vue d'une traduction (maximum de 150 mots).

Les notes infrapaginales doivent être dactylographiées à interligne double, sur des feuilles distinctes. Elles sont sujettes à une sélection de la part de l'éditeur.

Les tableaux et figures sont présentés sur des feuilles distinctes. Leur place sera indiquée en cours de texte, par ex.: insérer tableau I.

Les auteurs sont priés de conserver un double de leurs articles. Aucun manuscrit ne sera retourné.

Les textes publiés n'engagent que les auteurs.

Recommendation for authors

Manuscripts submitted to the editor (three copies) must be typed double-spaced on standard paper. The author's name should appear only on title page; the name and the address of the institution may be included.

Each paper should be summarized in an abstract, for translation (no more than 150 words).

Notes and references must be double-space typed, on a separate sheet: they are subject to editing.

Tables and figures must be on separate pages, and keyed to the text, e.g. (table I, about here).

Authors are kindly requested to keep a copy of their paper: no manuscript will be returned.

Published papers are the authors' full responsibility.

À PARAÎTRE/
NEXT ISSUES

VOLUME 5, n° 2, mars 83/*March 83*

Le temps/
Time and Society

Sous la direction de Gilles Pronovost / *Guest editor: Gilles Pronovost*

VOLUME 6, n° 1, mai 83/*May 83*

Une perspective socio-culturelle du loisir/
A Socio-Cultural Perspective of Leisure

Sous la direction de Yvan Lamonde / *Guest editor: Yvan Lamonde*

VOLUME 6, n° 2, novembre 83/*November 83*

Loisir: nature du débat en sociologie contemporaine/
Leisure: Contemporary Social Scientist Approaches

Sous la direction de Anna Olszewska et Phillip Bosserman / *Guest editors:
Anna Olszewska and Phillip Bosserman*

VOLUME 7, n° 1, avril 84/*April 84*

Psychologie du loisir/
Psychology of Leisure

Sous la direction de Gaétan Ouellet / *Guest editor Gaétan Ouellet*